PETER F. MOMOSE

KREUZESTHEOLOGIE

ÖKUMENISCHE FORSCHUNGEN

HERAUSGEGEBEN VON
HANS KÜNG UND JÜRGEN MOLTMANN
UNTER MITARBEIT VON
EBERHARD JÜNGEL UND WALTER KASPER

II.

SOTERIOLOGISCHE ABTEILUNG

BAND VII: KREUZESTHEOLOGIE

PETER FUMIAKI MOMOSE

KREUZESTHEOLOGIE

EINE AUSEINANDERSETZUNG MIT JÜRGEN MOLTMANN

Mit einem Nachwort
von Jürgen Moltmann

HERDER
FREIBURG · BASEL · WIEN

Herstellung: Freiburger Graphische Betriebe 1978
ISBN 3-451-18122-3

VORWORT

Die vorliegende Arbeit wurde im Wintersemester 1976/77 von der Philosophisch-theologischen Hochschule St. Georgen, Frankfurt a. M., als Dissertation angenommen unter dem Titel: „Kreuzestheologie heute. Ein katholisches Gespräch mit Jürgen Moltmann". Das Ziel der Arbeit liegt nämlich darin, die Kreuzestheologie, die J. Moltmann im geistigen Horizont der Gegenwart neu zu konstruieren versucht, systematisch darzustellen und von der katholischen Theologie her mit ihr ins Gespräch zu treten.

Dabei leiten mich persönlich zwei Motive. Erstens geht es mir darum, den christlichen Glauben *in seinem eigentlichen und unverzichtbaren Kern* in den Blick zu bekommen. Der christliche Glaube nämlich, der heute außerhalb seines abendländischen Bodens in Konfrontation mit anderen kulturellen und religiösen Traditionen der Welt steht, braucht notwendigerweise eine theologische Reflexion auf seine je konkrete Gestalt, um seine von Christus aufgetragene Sendung zu verwirklichen. Es wird heute immer mehr bewußt, daß für die Aufnahme der Botschaft Christi die Geisteswelt des Aufnehmenden eine konstitutive Bedeutung hat. Die in den Denkkategorien des Westens entfaltete Theologie kann nicht ohne weiteres übertragen werden. In meinem Theologiestudium habe ich darum ständig diese Aufgabe vor Augen, der Mehrheit meines Volkes, das in einer nichtchristlichen Tradition steht, in seinen Begriffen Rechenschaft über den christlichen Glauben zu geben. Dazu muß zunächst der Glaube, der bisher in zeitlich und kulturell bedingten Formen verkündigt worden ist, von ihren äußeren Gewandungen befreit und in seinem Kern, der ihn zum christlichen Glauben macht, klargestellt werden.

In dieser Suche nach dem eigentlich Christlichen kam ich auf die Kreuzestheologie J. Moltmanns, der sicherlich zu denjenigen gehört, die sich heute am intensivsten und wirksamsten um ein zeitgemäßes Glaubensverständnis von der Mitte der christlichen Botschaft bemühen. Denn die heutige Situation des Christentums ist ja – selbst in den traditionell christlichen Ländern – die einer neuen Herausforderung durch den Infiltrationsprozeß von Säkularisierung und Technisierung der Welt, in dem die traditionelle Selbstinterpretation des christlichen

Glaubens immer mehr bedroht wird, ihre Selbstidentität und Relevanz zu verlieren. Das Anliegen J. Moltmanns besteht auch darin, die Relevanz und Identität des christlichen Glaubens in Auseinandersetzung mit Problemen der Gegenwart neu zu gewinnen, und zwar im Kreuz Jesu, das Grund und Kriterium der Verkündigung und Theologie sein soll.

Das zweite Motiv dieser Arbeit liegt darin, einen Schritt vorwärts *im ökumenischen Gespräch* zu schaffen. In einem Land wie Japan, das keine Geschichte der Kirchentrennung miterlebt hat, ist es ein Scandalum schlechthin, daß getrennte und gar verfeindete Kirchen je verschieden über Liebe und Einheit in Christus predigen. Die einzige Chance für die Glaubensverkündigung sehe ich in der interkonfessionellen Zusammenarbeit. Da die Theologie in Japan zur oben genannten Reflexion über die hier entsprechende Glaubensgestalt bisher meistens von den protestantischen Christen geleistet wurde, erklärt sich vor allem mein Interesse an J. Moltmann, dessen Theologie bei ihnen bereits einen guten Klang hat. Diese Arbeit soll für mich ein Anlaß werden, durch J. Moltmann mit den protestantischen Kollegen ins Gespräch zu kommen, um die wahre und gemeinsame Gestalt des Glaubens und der Kirche dieses Landes aufzubauen.

J. Moltmann ist mit seinen zahlreichen Veröffentlichungen als einer der heute einflußreichsten Theologen recht bekannt. Allerdings ist noch keine systematische Darstellung seiner Theologie im deutschsprachigen Raum geleistet worden. Eine Schwierigkeit sehe ich darin, daß er nicht selten fachtheologisch-wissenschaftliche Sprache mit praktischer, geistlicher, kerygmatischer Sprache mischt und seine vielfältigen, fruchtbaren, folgenreichen Ideen und Einsichten sich nicht immer konsistent in ein System einordnen lassen. Um hier eine Hilfe zur Abhilfe zu leisten, lege ich der Ausarbeitung dieser Dissertation folgende methodische Prinzipien zugrunde:

1. Voneinander unabhängige, nebeneinanderstehende oder gar widersprüchliche Aussagen sollen immanent im Kontext seines gesamten Schrifttums gedeutet werden. Dadurch wird sich negativ manche Korrekturbedürftigkeit ergeben und positiv eine noch fruchtbarere Entfaltungsmöglichkeit durch weitere Schlußfolgerungen.

2. Sein theologischer Entwurf soll im Horizont seiner theologiegeschichtlichen Quellen verstanden werden. Es geht dabei um die Linie von Martin Luther zu Karl Barth und darüber hinaus. Dabei wird die Moltmannsche Differenzierung in der Korrektur und Entfaltung seiner Quellen sichtbar. Um die Eigenart der Theologie Moltmanns besser zu begreifen, ist es auch aufschlußreich, seinen Gedankengang im Zusammenhang seiner Auseinandersetzung mit zeitgenössischen Gesprächspartnern, vor allem Wolfhart Pannenberg unter anderen, zu verfolgen, wobei wiederum Gemeinsamkeiten und Unterschiede aufscheinen.

3. Jedes theologische Studium braucht notwendigerweise einen bestimmten Standpunkt, um einen theologischen Entwurf zu beurteilen. Ich gehe von der katholischen Theologie aus, die sich aus der Tradition der Väter und den Lehräußerungen der Kirche gebildet hat. Ich berufe mich dabei vor allem auf Karl Rahner, der zu den katholischen Theologen gehört, die versuchen, den Gehalt der traditionellen Lehre ohne Verkürzung im Horizont heutigen Denkens zu entfalten.

Professor J. Moltmann, der es freundlicherweise übernahm, ein Nachwort zu dieser Studie zu schreiben, bleibe ich von Herzen dankbar, nicht nur für seine Theologie, von der ich so viel gelernt habe, sondern auch für seine immer freundliche Bereitschaft zum Gespräch. Meinen besonderen Dank möchte ich den Professoren und Freunden in der Philosophisch-theologischen Hochschule St. Georgen, Frankfurt a. M., und in der Philosophischen Hochschule Berchmanskolleg, München, ausdrücken, vor allem P. Erhard Kunz, unter dessen Leitung diese Arbeit geschrieben wurde, P. Karl Rahner, P. Werner Löser, P. Peter Knauer, P. Gerhold Becker und vielen anderen Mitbrüdern, die mir durch ihre Beratung, Kritik und Korrektur geholfen haben. P. Werner Kroh hat mein Deutsch verbessert. P. Heinrich Bacht hat mein Studium immer mit seiner väterlichen Sorge begleitet. Nicht zuletzt danke ich dem Missionsprokurator, P. Ernst Schellhoff, und dem Missionswissenschaftlichen Institut, Aachen, die meine Promotion finanziell ermöglicht haben.

Tokio, im April 1978 *Peter Fumiaki Momose*

INHALT

Einleitung

Erstes Kapitel

Der Horizont der Kreuzestheologie J. Moltmanns

1. Kreuzestheologie als theologisches Erkenntnisprinzip

a) Mit seinem Buch „Der gekreuzigte Gott“ hat Moltmann in der gegenwärtigen Theologie Deutschlands das Interesse für die Kreuzestheologie wiedergeweckt und weiterentfaltet[1]. Die Kreuzestheologie ist ein terminus technicus für die Theologie, die ihr Erkenntnisprinzip im Kreuzesgeschehen Jesu sieht. Sie hat ihren Ursprung bei Luther, der seine theologische Grundhaltung als „theologia crucis“ im Gegensatz zu „theologia gloriae“ bezeichnete. Das Kreuz Jesu ist für Luther nicht nur ein mehr oder weniger zentrales Thema der Theologie neben anderen, sondern vielmehr das Prinzip selbst, an dem die christliche Theologie sich orientieren soll. „Crux probat omnia“[2], d. h., das Kreuz ist das, was den christlichen Glauben zum solchen macht und worauf er stets zurückkommen und worin er seine eigene Identität finden muß[3].

Der Ansatz liegt im Neuen Testament selbst, vor allem in den Paulusbriefen. „Wir dagegen verkündigen Christus als Gekreuzigten: für Juden ein Anstoß, für Heiden eine Torheit, für die Berufenen aber, Juden wie Griechen, Christus, Gottes Kraft und Weisheit“ (1 Kor 1, 23 f)[4]. Das Ärgernis des Kreuzes konstituiert den christlichen Glauben und unterscheidet ihn von anderen. Wie laut auch die sogenannte Anpassung der christlichen Kirche an die moderne Welt gefordert werden mag, so kann das eigentliche Ärgernis des christlichen Glaubens doch nicht beseitigt werden. Vielmehr muß die Erneuerung der Christenheit durch den Dialog mit der Welt darin liegen, viele uneigentliche Ärgernisse auszuräumen, damit dieses eine eigentliche Ärgernis als solches klar hervortritt. Darum sagt Paulus weiter: „Als ich zu euch kam, Brüder, kam ich nicht, um glänzende Reden oder gelehrte Weisheit vorzutragen, sondern um euch das

---

[1] Der gekreuzigte Gott. Das Kreuz Christi als Grund und Kritik christlicher Theologie (München 1972) (Abkürzung: GG).
[2] *Martin Luther*, Operationes in Psalmos (1519–1521), WA 5, 179, 31.
[3] Vgl. GG 8f, 12f, 28, 30.
[4] Vgl. GG 72f.

Zeugnis Gottes zu verkündigen. Denn ich hatte mich entschlossen, bei euch nichts zu wissen außer Jesus Christus, und zwar als Gekreuzigten" (1 Kor 2,1f).

Im Lauf der Geschichte der Christenheit aber stand das Kreuz Jesu als Grund und Kriterium für Verständnis und Verkündigung des Glaubens nicht immer in der Mitte. Auch die Worte des Paulus wurden unterschiedlich aufgenommen. Es war ein unübersehbarer Beitrag Luthers, daß er das Hauptanliegen des Paulus wiederentdeckt und konsequent in die theologische Methodik eingebracht hat [5]. Gewiß wurde das Kreuz Jesu in der christlichen Tradition, vor allem in der praktischen Dimension, keineswegs vernachlässigt. Auch Luther konnte nicht anders zu seiner Kreuzestheologie kommen als dadurch, daß er selbst als Mönch in der Tradition von Askese und Kreuzesmystik des Ordenslebens stand [6]. Während aber die Kreuzesfrömmigkeit der Tradition die Gefahr in sich barg, Nachfolge Christi im Leiden als Heilsweg des Menschen zu Gott zu betrachten und so zum Gesetz der menschlichen Leistung zu machen, betonte Luther das einmalige Geschehen des Kreuzes Jesu als Gottes Tat für die Menschen [7]. Sein Ausgangspunkt ist das existentielle Bewußtsein der Sündigkeit. Dem sündigen Menschen ist von sich aus kein direkter Zugang zu Gott möglich. In der traditionellen Tugendlehre sieht Luther das Bemühen der Selbstvergöttlichung des Menschen, das ihn gerade von Gott entfremdet und zum Unmenschen macht. Für den von Gott entfernten Menschen gibt es nach Luther keine andere Gottesbegegnung als im Kreuz Christi. Im Kreuz Christi holt Gott selbst den von ihm getrennten Menschen heim. Der Mensch, der selbst wie Gott werden will, wird gerade in dem Willen, Gott ähnlich zu werden, von Gott getrennt und sinkt ins Elend. Diese Wirklichkeit des Menschen aber hat der Sohn Gottes in seinem Kreuzestod auf sich genommen. Dadurch, daß der Gottessohn sich bis zur letzten elenden Wirklichkeit des Menschen erniedrigt hat, wurde dem Menschen der Weg zur Gottesbegegnung eröffnet. Dort versöhnt Gott den Menschen mit sich. Das ist eine absolut gnadenhafte Tat Gottes. Allein durch diese Gnade, sola gratia, findet der Mensch den Weg zur Einheit mit Gott. Nicht durch eigene Bemühung, sondern allein durch Glauben an diese Gnade, sola fide, kann der Mensch Gott begegnen [8].

---

[5] Es ist der Anspruch der reformatorischen Theologie, daß sie das wahre Anliegen des Paulus aufgenommen und weiter entfaltet hat. Vgl. *E. Käsemann*, Paulinische Perspektiven (Tübingen 1969) 61f.

[6] GG 61. Die Askese der Mönchtumstradition wurde von den Reformatoren oft mißverstanden, als wäre sie eine selbstmächtige menschliche Bemühung, durch welche man nach dem Gnadenzustand strebe, im Gegensatz zur Rechtfertigung durch den Glauben. Auch wenn die theologische Artikulation nicht immer glücklich gelungen ist, kann der religiöse Lebensinhalt der Kreuzesfrömmigkeit selbst nicht als eigenmächtiger Selbstrechtfertigungsversuch schlechthin bezeichnet werden. Ohne Kreuzesnachfolge der Tradition wäre die Kreuzestheologie Luthers auch unmöglich gewesen.

[7] Vgl. GG 73; vgl. auch *W. von Loewenich*, Luthers theologia crucis (Witten [5]1967) besonders Vergleich mit *Tauler*, a.a.O. 181f; Vergleich mit *Thomas a Kempis*, a.a.O. 190f.

[8] Vgl. *H.J. Iwand*, Theologia crucis, in: *ders.*, Nachgelassene Werke II (München 1966) 395.

Diese Rechtfertigungslehre Luthers ist mit seiner Erkenntnislehre untrennbar verbunden. Luther sah eine Parallele zur menschlichen Hybris der Selbstrechtfertigung in der Erkenntnislehre der scholastischen Theologie, die sich auf Denkkategorien der aristotelischen Philosophie stützte und aus der Wahrnehmung der innerweltlichen Vollkommenheiten durch Rückschlußverfahren der Vernunft Gott als vollkommenstes Wesen erkennen zu können glaubte. Für Luther ist dieser Deus gloriosus nichts anderes als eine Glorifizierung der Welt[9]. Der Mensch kann nach Luther durch seine Vernunft Gott nicht erkennen. Theologia gloriae ist nichts anderes als eine Projektion des sich selbst vergötternden Menschen. Der Mensch kann nur durch gnadenhafte Selbstoffenbarung Gottes, allein durch die Heilige Schrift, sola scriptura, Gott erkennen. Gott ist der natürlichen Vernunft des Menschen verborgen. Er offenbart sich nicht im Herrlichen, sondern im Niedrigen, sub specie contraria. Luther geht nicht von der Ordnung und Vollkommenheit der Welt aus, sondern von der widersprüchlichen Wirklichkeit der Welt und des Menschen, von der Dimension, die der aristotelische Wahrheitsbegriff als adaequatio rei et intellectus nicht bewältigen kann. Gott identifiziert sich mit dem Erniedrigten, Verachteten, Gekreuzigten. Er offenbart sich dort als Einheit der Widersprüche. Dort werden Gericht und Gnade, Tod und Leben, Erniedrigung und Erhöhung eins. Es ist der Gott der inadaequatio rei et intellectus[10]. Hier wird eine radikale Umkehrung des Gottesbegriffes gefordert. Das ist nach Luther der Gott der christlichen Offenbarung. Nur die Kreuzestheologie kann darum wahre christliche Theologie sein. Das Kreuz ist ihr Prüfstein.

Luthers Kreuzestheologie ist nicht als ein bloßes Merkmal für die erste Epoche seiner theologischen Entwicklung, den Übergang zur Reformation als von der Tradition des Ordenslebens geerbtes Element zu betrachten, sondern ist vielmehr ein bleibendes Merkmal seines Glaubens durch das ganze Leben hindurch und die Grundbestimmung seiner Theologie[11].

b) Die Kreuzestheologie Luthers prägte eine bestimmte Geisteshaltung der nachfolgenden reformatorischen Theologie, vor allem in ihrer Betonung der

---

[9] Vgl. *G. Ebeling*, Luther. Einführung in sein Denken (Tübingen 1964) 263; *H. J. Iwand*, Thesen von der Offenbarung, in: *ders.*, Nachgelassene Werke I (München 1962) 287.

[10] Vgl. GG 193f, 196f. Auch vgl. *H. J. Iwand*, a. a. O. 291; *G. Ebeling*, a. a. O. 269f, 277f; *P. Althaus*, Theologie M. Luthers (Gütersloh 1962) 41; *E. Seeberg*, Luthers Theologie in ihren Grundzügen (Stuttgart ²1950) 24, 25, 54, 57, 63, 65, 88, 216; *ders.*, Luthers Theologie II (Darmstadt 1964) 34, 36.

[11] Es ist ein Beitrag von W. von Loewenich für die Lutherforschung, daß er im Gegensatz zu dem seit Ritschl verbreiteten Verständnis Luthers seine theologia crucis als ein Erkenntnisprinzip überhaupt geklärt hat. *W. von Loewenich*, a. a. O. 13f. „Das Kreuz ist für Luther nicht nur Gegenstand der Theologie ... theologia crucis ist nicht ein Kapitel der Theologie, sondern eine bestimmte Art von Theologie. Das Kreuz Christi ist hier nicht nur von Bedeutung für die Frage nach Erlösung und Heilsgewißheit, sondern ist die perspektivische Mitte aller theologischen Aussagen" (a. a. O. 18). Vgl. auch *H. J. Iwand*, a. a. O. 381; *G. Ebeling*, a. a. O. 259f; auch GG 70f, 193f.

Sündigkeit des Menschen und der Rechtfertigung durch den Glauben. Das Anliegen der Kreuzestheologie als theologischem Erkenntnisprinzip ist aber nicht immer konsequent fortgesetzt worden. In diesem Jahrhundert findet man das Prinzip der Kreuzestheologie am deutlichsten in der Offenbarungstheologie K. Barths. Sein Christozentrismus will alle theologischen Grundbegriffe nicht durch menschliche Spekulation, sondern ganz und gar durch die Offenbarung in Christus gewinnen. So wird das Anliegen Luthers: „außerhalb Jesu Gott suchen ist der Teufel"[12], von diesem Theologen der reformierten Kirche vertreten. Auch für K. Barth ist das Ereignis der Auferweckung des Gekreuzigten die Mitte der Selbstoffenbarung Gottes, die die Begriffe Gottes, des Menschen und der Welt bestimmt[13].

Der Gott der christlichen Offenbarung ist nach K. Barth kein absoluter, unveränderlicher Gott der griechischen Metaphysik, sondern der Gott, der den Menschen aus dem Nichts ins Sein ruft, ihn zu seinem Bundespartner macht, mit ihm in seinem Leiden mitleidet und ihn schließlich durch die Auferweckung des Gekreuzigten heimholt. In der Auferweckung des Gekreuzigten wird gleichzeitig der Mensch in seinem wahren Sinn offenbart, nämlich als der, der mit eigener Macht Gott erreichen wollte und, gerade dadurch von Gott verlassen, einem unerlösten Elend, Gottes Zorn und dem Tod ausgeliefert wurde, der aber durch Gottes Erbarmen von der Gefangenschaft der Sünde befreit und mit ihm versöhnt ist, der in die Gemeinschaft der Liebe Gottes gerufen ist. In der Auferweckung des Gekreuzigten wird auch die Macht des Bösen offenbar, die Christus bis ans Kreuz trieb, aber durch ihn überwunden wurde und ihren endgültigen Stachel verloren hat. In der Auferweckung des Gekreuzigten wird die gesamte Schöpfung und ihre Geschichte offenbar, die, durch Christus mit Gott versöhnt, sich nach der Vollendung ihrer Erlösung sehnt.

Die Offenbarungstheologie K. Barths bildet den Ausgangspunkt J. Moltmanns[14]. Er übernimmt das Erbe der Kreuzestheologie in der durch K. Barth vermittelten Form und entfaltet sie durch das Gespräch mit gegenwärtiger Philosophie, Soziologie und Psychologie. Darum muß die Grundlinie der Kreuzestheologie von Luther und K. Barth das Kriterium für unsere Aufgabe sein, die vielfältigen, oft unabhängig nebeneinanderstehenden theologischen Einsichten Moltmanns systemkonsistent darzustellen.

---

[12] „Iam extra Iesum quaerere deum est diabolus." In XV Psalmos graduum (1532/33), WA 40/3, 337, 11.

[13] *B. Klappert* versucht, die Theologie K. Barths in ihrer Konzentration auf die Auferweckung des Gekreuzigten darzustellen. Vgl. Die Auferweckung des Gekreuzigten. Der Ansatz der Christologie K. Barths im Zusammenhang der Christologie der Gegenwart (Neukirchen 1971).

[14] Ohne Zweifel liegt bei K. Barth eine der theologischen Quellen Moltmanns. Dazu vgl. *D. Meeks*, Origins of the theology of hope (Philadelphia 1974) 59.

2. *Übernahme und Entfaltung der Kreuzestheologie durch die Theodizeefrage*

Die Tradition der Kreuzestheologie wird durch Moltmann aufgrund seines akuten Interesses für die Weltprobleme übernommen und weiter entfaltet. Er will nicht einfach die traditionelle Kreuzestheologie bekenntnishaft wiederholen und mit heute ansprechenden Modifikationen ins Bewußtsein der Gegenwart bringen, sondern sie vor dem Horizont, in dem er lebt und fragt, aufs neue erfassen. Er sieht nämlich den Sinn des Kreuzes Jesu besonders gegeben in bezug auf die Befreiung der unterdrückten Menschen und die soziale Gerechtigkeit der Welt. „Christliche Theologie findet ihre Relevanz in der durchdachten und praktizierten Hoffnung auf das Reich des Gekreuzigten, indem sie an den ‚Leiden dieser Zeit' leidet und den Schrei der gequälten Kreatur zu ihrem eigenen Schrei nach Gott und Freiheit macht."[15]

Methodisch wird dieses Programm durchgeführt, indem das Kreuz Jesu im Zusammenhang der Auferstehung neu erläutert wird, was oft in der reformatorischen Kreuzestheologie fehlte; unter dem Aspekt der konkreten Geschichte der Auferweckung des Gekreuzigten werden die traditionellen dogmatischen Lehren neu und konsequent durchdacht und schließlich alle Bereiche der menschlichen Wirklichkeit durch dieses theologische Prinzip erhellt. „Es kommt also darauf an, den Gott des Kreuzes mit allen Konsequenzen nicht nur im theologischen Bereich, sondern auch im Bereich der Sozialität und der Personalität des Menschen, im Bereich der Gesellschaft und der Politik und endlich im Bereich der Kosmologie zu denken."[16]

Dieses Problembewußtsein ist zwar durch die Begegnung des christlichen Glaubens mit den neuen Strömungen des Humanismus veranlaßt und eröffnet ein ziemlich neues Feld in der christlichen Theologie überhaupt. Dabei aber darf nicht übersehen werden, daß die Kreuzestheologie selbst in ihrem eigentlichen Wesen von Anfang an diese Dimension in sich birgt. H. J. Iwand hat gezeigt, daß schon bei Luther die Kreuzesnachfolge der Christen, anders als das weltfremde Verständnis der Wirklichkeit in der Kreuzesfrömmigkeit, als eine Lebensweise des Menschen in dieser widerspruchsvollen Weltgeschichte aufgefaßt ist[17]. Die „Passivität" bei Luther bedeutet nicht einfach eine faule und kraftlose Haltung des Menschen, sondern eine von „passio" stammende wahre

---

[15] GG 29, vgl. auch 9, 146.

[16] GG 202.

[17] *H. J. Iwand*, a.a.O. 382, 393, 395. Moltmann verdankt seine Ausbildung der reformatorischen Theologie in seiner Göttinger Studienzeit bei H. J. Iwand. Dazu vgl. *D. Meeks*, a.a.O. 57, 59.

Aktivität[18]. Gerade im Leiden entsteht eine wahre Hoffnung. Gerade dort, wo keine Hoffnung vom Menschen her möglich ist, wirkt der lebende Gott, ist seine Verheißung mächtig und treibt den Menschen nach vorne[19]. Luthers Ausgangspunkt ist seine existentielle Auffassung der von Widersprüchen erfüllten Weltwirklichkeit im Gegensatz zu der Erfahrung der Vollkommenheiten, von der die theologia gloriae für ihren Gottesbegriff ausgeht[20]. Die Kreuzestheologie Luthers entsteht aus seiner Wirklichkeitserfahrung. So besteht eine innere Logik, die in der Sache der Kreuzestheologie selbst liegt, wenn Moltmann aus seiner Fragestellung nach der Gerechtigkeit Gottes in der noch nicht erlösten, von Elend und Qualen erfüllten Weltwirklichkeit auf die Kreuzestheologie kommt[21].

Gleichzeitig liegt hier auch die Kritik Moltmanns an Luthers theologia crucis. „Ihre politische Grenze lag darin, daß Luther die theologia crucis wohl reformatorisch gegen die mittelalterliche Kirchengesellschaft theoretisch und praktisch formulierte, nicht aber sozialkritisch gegen die feudalistische Gesellschaft ... Es bleibt daher die Aufgabe, Kreuzestheologie bis ins Welt- und Geschichtsverständnis hinein zu entfalten und eine nicht nur kirchenreformatorische, sondern

---

[18] So *H. J. Iwand:* „Luthers Verständnis von ‚spes' ist ganz durch die theologia crucis bestimmt: Hoffen, wo nichts mehr zu hoffen ist, wo mir nichts anderes bleibt als der lebendige Gott und seine Verheißung, das reine Wort ... Luther versteht unter dieser Passivität also nicht etwa ein Totsein, ein Leer-Sein, sondern seltsamerweise höchste Aktivität. Aber eine Aktivität der Hoffnung, die in solchen Leiden ‚fit' = entsteht, geboren wird, die als das Tun des Geistes auf dem Plan ist" (a. a. O. 390).

[19] So *H. J. Iwand:* „Das Leiden erst macht den Menschen zu einem anderen. Aber die Sache liegt wohl noch tiefer. Wir werden zu Hoffenden. Indem wir die ganze Tiefe der Verzweiflung zu schmecken bekommen, erfahren wir den echten Werdegang. Es müssen die Werke stürzen, damit wir an nichts mehr einen inneren Halt finden – angesichts des Nichts entsteht (fit) die Hoffnung" (a. a. O. 390f). In dieser Interpretation Luthers durch Iwand ist schon eine gewisse Vorwegnahme der Theologie der Hoffnung zu spüren.

[20] Gegen die Erkenntnislehre der scholastischen Theologie, die die Weltordnung voraussetzt und daraus durch Rückschlußverfahren auf Gottes Existenz schließt, meint Luther, für das akute Bewußtsein, das ungelöste Probleme der wirklichen Welt ernst nehme, bleibe nur noch Atheismus in notwendiger Konsequenz dieser Logik. Dazu *G. Ebeling:* „Gotteserkenntnis der Vernunft ist darum in äußerster Konsequenz gerade Atheismus. Denn die Vernunft kann der Anfechtung durch die Macht und den Widersinn des Bösen in der Welt nicht standhalten. ‚Siehe, Gott lenkt diese leibliche Welt in äußeren Dingen so, daß man, wenn man auf das Urteil der menschlichen Vernunft sieht und ihm folgt, gezwungen ist zu sagen: Entweder gibt es keinen Gott oder Gott ist ungerecht', das heißt er selbst ist das Böse" (a. a. O. 265, vgl. WA 18, 784, 36–39; 785, 12–14). Darin liegt allerdings ein Mißverständnis der Logik der scholastischen Theologie, weil die Logik des Rückschlußverfahrens nur von positiven Erfahrungen ausgehen kann.

[21] Moltmann greift den Zusammenhang von Theologie und Erfahrung in folgender Weise auf: „Es ist dann notwendig, die Theologiegeschichte nicht nur geistesgeschichtlich, sondern zugleich auch lebensgeschichtlich zu untersuchen und zu verstehen" (Kirche in der Kraft des Geistes. Ein Beitrag zur messianischen Ekklesiologie [München 1975] [Abkürzung: KKG] 303). Die Theologie Moltmanns wird auch, genauso wie mehr oder weniger bei allen Theologen, von einem Urerlebnis getrieben. Die Hoffnung auf Befreiung, die er in seiner Kriegsgefangenschaft erlebte, weckte bei ihm

auch sozialkritische Kreuzestheologie zusammen mit einer die Elenden und ihre Beherrscher befreienden Praxis zu entwickeln."[22] Das Fehlen der sozialen Dimension in der reformatorischen Kreuzestheologie kommt von der einseitigen Betonung des Kreuzes ohne dessen Einheit mit der Auferstehung Jesu und in deren Folge vom Verständnis der Rechtfertigung ausschließlich als Sündenvergebung und Heil der einzelnen Menschen[23].

In seinem Versuch, die Kreuzestheologie durch die Theodizeefrage zu entfalten, liegt auch ein Unterscheidungspunkt Moltmanns von der Offenbarungstheologie K. Barths. Seine Kritik an Barth besteht darin, daß dieser die konkrete geschichtliche Wirklichkeit der Welt nicht genügend berücksichtige. „Die Schwäche dieses Ansatzes liegt darin, daß er in die Nähe der altkirchlichen Unterscheidung von Theologie als Gotteslehre und Ökonomie als Heilslehre führen kann und damit den Realitätskontakt zur unerlösten menschlichen Wirklichkeit verliert."[24]

---

eine Sympathie für die unterdrückten Menschen auf der Erde. Seine gesamte Theologie wird von diesem inneren Motiv geleitet. Er studierte gleich nach seiner Heimkehr mit Begeisterung die Theologie K. Barths und der unter seinem Einfluß stehenden Bekennenden Kirche, die sich durch den Kampf gegen das totalitäre Staatssystem konsequent ausgebildet hatte. Sie stützte sich auch auf die Kreuzestheologie. Sie begründete nur im Kreuz Christi den Sinn des Leidens der Welt und die Hoffnung auf die Befreiung von diesem Leiden. Ferner konnte für den, der vom Mitverantwortungsbewußtsein für die Schuld der Vergangenheit des Nationalsozialismus bedrückt war und von diesen vergangenen Wunden geheilt werden und eine neue Zukunft aufbauen wollte, nur der Glaube die Kraft sein, die ihn die Leiden des Lebens aushalten ließ und mit Hoffnung nach vorne trieb, nämlich der Glaube, daß Christus für uns an unserer Stelle Leiden und Tod des Kreuzes auf sich genommen und uns durch seine Auferstehung befreit hat. Dieses Urerlebnis wurde zum Ausgangspunkt der Theologie und Gesellschaftskritik Moltmanns. So wurde die Tradition der Kreuzestheologie von ihm unter dem Aspekt der Befreiung des Menschen und der Gerechtigkeit der Welt übernommen. Vgl. *J. Moltmann*, Persönlicher Rückblick auf die letzten zehn Jahre, in: *ders.*, Umkehr zur Zukunft (Abkürzung: UZ) (München–Hamburg 1970) 7–14; GG 7; Vorwort zu: *D. Meeks*, a.a.O. IX–XII.

[22] GG 74.

[23] U. Asendorf versucht Luthers Christologie unter dem Aspekt der Einheit von Kreuz und Auferstehung darzustellen: *U. Asendorf*, Gekreuzigt und auferstanden. Luthers Herausforderung an die moderne Christologie (Hamburg 1971). Er zeigt, daß Luther das einseitige, satisfaktorische Verständnis des Kreuzes weit überschritten hat. Seine Forschung aber bleibt doch nur im Rahmen der soteriologischen Rechtfertigungslehre.

[24] GG 68; gleichzeitig darf man hier nicht übersehen, daß die Kritik von seiten der streng genommenen Offenbarungstheologie an der Fragestellung Moltmanns gerade in diesem Punkt liegt, daß er die innerweltlichen Fragen in die Mitte stelle und die Christologie als Antwort auf sie konstruiere und dadurch nicht mehr *theo*-logisch denke. Vgl. etwa die Kritik *A. Geenses*, Auferstehung und Offenbarung. Über den Ort der Frage nach der Auferstehung Jesu Christi in der heutigen deutschen evangelischen Theologie (Göttingen 1971) 177–189.

ERSTER TEIL

DER THEOLOGISCHE ORT DES KREUZES IM SCHRIFTTUM J. MOLTMANNS

Zweites Kapitel

Entwicklungsgeschichtlicher Überblick

Moltmann nennt das Kreuz Christi den „roten Faden“ seines theologischen Denkens[1]. Die Aufgabe ist hier, diesen roten Faden in einzelnen Phasen der theologischen Entwicklung Moltmanns zu verfolgen und die systembildende Funktion des Kreuzesgedankens chronologisch festzustellen. Vor allem zu prüfen ist die Frage nach der Kontinuität der Theologie der Hoffnung und der Kreuzestheologie, die Moltmann in die theologische Diskussion der Gegenwart gestellt hat. Denn in seiner früheren Beschäftigung mit den geschichtlichen Forschungen über die reformierte Tradition und in ihrer systematischen Entfaltung in der Theologie der Hoffnung erscheint das Kreuz nicht im Vordergrund, was von seiten der reformatorischen Theologie sogar als Vergessenheit des Kreuzes kritisiert wird[2]. Ob seine spätere Entfaltung der Kreuzestheologie einen Bruch oder eine Änderung seines Denkens bedeutet oder aber eine Thematisierung dessen, was schon implizit vorhanden war, muß durch Feststellung seiner bleibenden Grundzüge und der fortschreitenden, von seiner theologischen Umwelt beeinflußten Entwicklung geprüft werden.

I. Die Grundkonzeption in den früheren Schriften

1. *Der Begriff der Heilsgeschichte in der Föderaltheologie*

Moltmanns theologisches Anliegen, das seine spätere Richtung bestimmen wird, ist schon in seiner Beschäftigung mit der historischen Forschung der Theologie der reformierten Kirche am Beginn seines Studiums festzustellen[3]. Der ent-

[1] GG 7.
[2] Vgl. etwa *U. Asendorf*, a.a.O. 207–218.
[3] Moltmann gehörte zwar von Hause aus zu einer lutherischen Kirche, war aber in seiner Studienzeit hauptsächlich in der reformierten Kirche aktiv tätig. Unter seinem Lehrer, O. Weber, einem reformierten Theologen und Barthschüler, beschäftigte er sich mit dem Studium über Calvin und

scheidende Begriff ist hier die „Heilsgeschichte", der eine Grundlage für seine spätere Kreuzestheologie bildet. In seiner Göttinger Dissertation erforscht Moltmann die Bewegung der Akademie von Saumur, die zwischen der sogenannten Orthodoxie der reformierten Theologie und der Aufklärung stand. Hier wird der Begriff der Heilsgeschichte der von John Camero gegründeten und durch Moyse Amyraut entfalteten Föderaltheologie in den Vordergrund gestellt.

a) Gott macht in seiner absoluten Freiheit den Menschen zu seinem Bundespartner. Camero nennt diesen Bund „foedus hypotheticum" im Gegensatz zum „foedus absolutum"[4]. Gott offenbart seine verborgene Natur erst durch diese freie Tat dem Menschen[5]. Seine innergöttliche Natur wird hier gleichsam nach außen entfaltet. Er zwingt dem Menschen nicht seinen absoluten Willen auf, sondern redet zu ihm mit seinem Wort und will, daß der Mensch es hört und auf es antwortet[6]. Seine Offenbarung führt den Menschen geduldig Schritt für Schritt. Dieser Vollzug ist die Heilsgeschichte. Camero macht nicht die Unterscheidung der Orthodoxie zwischen foedus operum (allgemeinnatürlicher Bund) und foedus gratiae (besonderer übernatürlicher Bund), sondern denkt die Offenbarung der einen göttlichen Natur in der Geschichte, und zwar stufenweise im foedus naturale, foedus legale und foedus evangelicum. Dabei heißt foedus nach Camero einfach Zeit. Was im Garten Eden versprochen wird, ist nur vita animalis et perpetua, d.h. das Leben, das bloß endlos fortdauert; was aber dem Volk Israels versprochen wird, ist das Leben im verheißenen Land, und schließlich wird im Bund in der Erlösung Christi allen Menschen das ewige, himmlische Leben versprochen. Diese drei Stufen bilden den Entwicklungspro-

---

die nachfolgende Theologie der reformierten Kirche. Über Einflüsse O. Webers auf J. Moltmann vgl. *D. Meeks,* a.a.O. 21–24. Die Schriften dieser Zeit zeigen seine Prägung durch die reformierte Tradition. Gleichzeitig ist auffallend, daß er sich von Anfang an gegenüber jeder sektenhaften Beschränkung unbefangen verhält. Er übt seine Kritik an der sogenannten Orthodoxie der Lutheraner oder Reformierten, daß sie nicht immer das eigentliche Anliegen von Luther oder Calvin vertreten. Vgl. Prädestination und Heilsgeschichte bei Moyse Amyraut. Ein Beitrag zur Geschichte der reformierten Theologie zwischen Orthodoxie und Aufklärung, ZKG 65–66 (1953–54) 270–303 (Auszug aus seiner Dissertation. Abkürzung: Amyraut); zur Bedeutung des Petrus Ramus für Philosophie und Theologie im Calvinismus, ZKG 68 (1957) 295–318 (Abkürzung: Ramus); Grundzüge mystischer Theologie bei Gerhard Tersteegen, EvTh 17 (1957) 205–224; Chr. Pezel und der Calvinismus in Bremen (Bremen 1958) (Habilitationsschrift); Joh. Molanus und der Übergang Bremens zum Calvinismus, in: Jahrbuch der Wittheit zu Bremen I (1957) 119–141; Geschichtstheologie und pietistisches Menschenbild bei J. Coccejus und Th. Underyck, EvTh 19 (1959) 343–361; Jacob Brocard als Vorläufer der Reich-Gottes-Theologie und der symbolisch-prophetischen Schriftauslegung des Johann Coccejus, ZKG 71 (1960) 110–129; Erwählung und Beharrung der Gläubigen nach Calvin, in: *ders.* (Hrsg.), Calvinstudien 1959 (Neukirchen 1960) 43–61; Prädestination und Perseveranz. Geschichte und Bedeutung der reformierten Lehre „de perseverantia sanctorum" (Neukirchen 1961) (Abkürzung: PP).

[4] Amyraut 276f. [5] Amyraut 277. [6] Amyraut 278f.

zeß der einen Offenbarung und ein foedus hypotheticum, d.h. einen Bund, der dem Menschen als Gottes Partner versprochen wird und dessen Erfüllung von der Antwort des Menschen abhängt. Hier wird das traditionelle Schema der Unterscheidung zwischen zwei Heilswegen, dem des Gesetzes und des Evangeliums, durchbrochen. Solch ein gründliches Nachdenken über die Heilsgeschichte ist nirgendwo anders in der reformierten Tradition zu finden als in der Akademie von Saumur[7].

Auch die Prädestinationslehre der reformierten Orthodoxie wird bei Camero nur in der Dialektik zwischen Verheißung und Erfüllung in der Heilsgeschichte aufgefaßt[8]. Der Bund der Gnade dehnt sich durch die Erlösungstat Christi auf alle Menschen aus; die Erfüllung dessen, was da verheißen ist, ist aber nur im Glauben des Menschen möglich. Christus stirbt zwar nicht nur für die schon vorher bestimmten Menschen, sondern für alle Menschen. Das im Sterben Christi Verheißene im Glauben zu empfangen ist aber nur durch die Erwählung möglich. Der Gnadenbund ist darum zugleich allgemein und begrenzt. Er ist decretum gratiae universalis et conditionalis[9]. Über diese Erwählung Gottes kann nur a posteriori geredet werden. Nach Camero ist das Sterben Christi für Petrus „conditionale", damit Petrus an Christus glauben kann; Christus stirbt aber „absolut" für Petrus, indem Petrus an ihn glaubt[10]. Das decretum conditionale wird im Kreuz Christi schon offenbar, das decretum absolutum aber bleibt bis zu seiner Wiederkunft verborgen[11].

b) Moyse Amyraut entwickelt den Gedanken von Camero weiter[12]. Er versucht gemeinsam mit Camero, Calvin in seinem humanistischen Ursprung zu verstehen, während die Orthodoxie der Reformierten ihn unter den Begriffen der scholastischen Theologie versteht[13]. Durch Amyraut wird die Föderaltheologie Cameros noch gründlicher ausgearbeitet. Er betont den menschlichen, geschichtlichen Offenbarungsprozeß im Gegensatz zur Substanz der ewigen, unveränderlichen Offenbarung Gottes. Sie wird nach Amyraut nur im eventus, im konkreten Geschehen des sie aufnehmenden Menschen verwirklicht[14]. „Für den Menschen, der in der Geschichte lebt, gibt es nicht den ewigen Willen Gottes an sich, sondern immer nur die Willenstaten Gottes, wie sie sich in seiner erfahrbaren Wirklichkeit ereignen. Die Geschichte kann darum nicht als Abbild und Exekution des ewigen Dekretes und auch nicht als Anhäufung zufälliger Ereignisse verstanden werden, sondern muß als lebendige Wechselwirkung von Gott und Mensch, nämlich als Geschichte des Bundes zwischen beiden, ergriffen werden. Nur *a posteriori* kann menschliche Theologie etwas von diesem Ereignis

[7] Amyraut 280. [8] Amyraut 284. [9] Amyraut 283.
[10] Amyraut 284. [11] Amyraut 283. [12] Amyraut 299, auch PP 160.
[13] Amyraut 285. [14] Amyraut 286.

(eventus) aussagen. So kann auch die *immutabilitas Dei* nicht *a priori* als Glaubenssatz behauptet werden. Vielmehr zeigt die Gottesgeschichte des Bundes einen Wandel des göttlichen Willens in den Ereignissen seines Offenbar- und Wirksamwerdens."[15]

Über den Erwählungswillen Gottes kann der Mensch nichts wissen. Gegen den dogmatischen Apriorismus der Orthodoxie nimmt Amyraut einen heilsgeschichtlichen Aposteriorismus an. Er behauptet später sogar eine mutatio consiliorum Dei[16]. Der Wille Gottes erscheint nämlich, auch wenn er an und für sich unter göttlicher Perspektive der Ewigkeit unveränderlich sein mag, doch in unseren Augen (erga nos) als veränderlicher Wille[17]. Gott steht dem Menschen in der Geschichte zeitlich und veränderlich gegenüber und transzendiert doch diese Geschichte[18].

Diese Theologie der Heilsgeschichte kommt schließlich zur Auflösung der sogenannten Immanenztrinität. Für Amyraut ist die Heilsgeschichte selbst der Träger der Offenbarung. Das Wesen des dreieinigen Gottes kann nur in opera ad extra, im Bereich der menschlichen Erfahrung erfaßt werden. Zwar wird die Immanenztrinität von Amyraut nicht ausdrücklich negiert, aber er interessiert sich nur für den dreieinigen Gott in seinen dem Menschen raumzeitlich erfahrbaren Taten[19]. So unterscheidet er Offenbarungszeiten des Vaters, des Sohnes und des Heiligen Geistes[20] und ihre officia distincta: Das Amt des Sohnes liegt nur in der Tat der Sühne für die Sünde der Welt. Durch das Sterben Christi wird allen Menschen das Heil gebracht, aber das kann nicht ohne den Glauben des Menschen verwirklicht werden, und diesen Glauben gibt der Vater, nicht der Sohn. Während für die reformierte Orthodoxie nur ein einziger ungeteilter Wille im göttlichen Heilsplan denkbar ist, gehört für Amyraut der allgemeine und konditionelle Wille dem Sohn und der absolute Wille dem Vater. Für Amyraut ist in seiner Konzeption der Heilsgeschichte entscheidend, daß die Heilstat Gottes in der Geschichte nicht ein bloßes Offenbar-Werden des schon von Ewigkeit bestimmten göttlichen Willens ist, sondern ein noch nicht abgeschlossener, noch zu vollendender Prozeß[21].

Moltmann ist zwar gegenüber Amyraut in dessen verschiedenen unreifen Ausführungen kritisch, übernimmt aber ohne Zweifel seine konsequent heilsgeschichtlichen, eschatologischen Ansätze, so daß die Grundlinie der Theologie Moltmanns in diesem Kontext verständlich wird. Das Kreuz Jesu selbst wird zwar hier nicht mehr thematisch behandelt, aber der Grundbegriff der Heilsgeschichte, der dem Kreuzesgedanken zugrunde liegt, findet hier seine Quelle.

---

[15] PP 158. [16] Amyraut 287. [17] Amyraut 288. [18] Amyraut 301.
[19] Amyraut 289. [20] Amyraut 290. [21] Amyraut 292.

2. Das Verheißungsmotiv der Prädestinationslehre

Die Grundkonzeption der Heilsgeschichte Moltmanns wird im Laufe der Zeit weiter entwickelt und vor allem in seiner Forschung über die traditionelle calvinische Prädestinationslehre deutlich thematisiert. Seine Auffassung der Geschichte in der Spannung von Verheißung und Erfüllung wird hier durch sein Problembewußtsein der Weltwirklichkeit geformt. „Glaube" in der Heiligen Schrift heißt auf Gottes den Menschen zum Leben rufende Verheißung hoffen und in dieser Hoffnung trotz aller Anfechtung treu verharren[22]. Die Prädestinationslehre entsteht überhaupt dadurch, daß aus der tatsächlichen Erfahrung des von Gott Gerufenen und Gerechtfertigten nach ihrer Protologie und Eschatologie gefragt wird. Sie besagt grundsätzlich den Vorrang der Gottesgnade vor der menschlichen Entscheidung zum Glauben[23]. Wenn der Mensch zum Glauben kommt, geht in diesem Prozeß die ewige Erwählung Gottes dem menschlichen Willen voraus. Dieser Vorrang des Willens Gottes vor dem menschlichen Willen wird in der Geschichte als Vorrang der Verheißungsgeschichte vor der Entstehung des Glaubens realisiert. Der Geschichte Jesu geht die Erwählung Israels voraus, so daß sie die Erfüllung aller Gotteserwählung in Israel ist. So geht eine Verheißungsgeschichte der Begegnung eines Menschen mit dem Evangelium voraus, so daß der Glaube die Erfüllung der Verheißungsgeschichte ist. Prädestination besagt die Festigkeit des in der Geschichte erwählenden und verheißenden Willens Gottes[24].

Von da aus entsteht die Zukunftsbezogenheit der Prädestinationslehre. Sie sagt die im Glauben erfahrene Treue Gottes für die Zukunft aus. Gott bleibt seiner Verheißung treu und erfüllt sie in der Zukunft so, wie er in der Vergangenheit durch seine Verheißung den Menschen erwählt und geführt hat. Das Geschehen des Glaubens meint darum gleichzeitig die ewige Erwählung Gottes und die geschichtliche Erfüllung seiner Verheißung und als solches wieder die Verheißung und Hoffnung auf die eschatologische Vollendung[25]. Der Glaube besteht zugleich in der Erinnerung an die Gotteserwählung der Vergangenheit und in der Erwartung der Gottestreue in Zukunft[26].

Moltmann versteht den christlichen Glauben hier ganz und gar eschatologisch. Der Glaube heißt das Vertrauen auf die Gottestreue in seiner Verheißung[27]. Auch die perseverantia fidei wird in diesem Vertrauen begründet[28].

---

[22] PP 9f. [23] PP 32. [24] PP 33.
[25] PP 34. [26] PP 34. [27] PP 41.
[28] Vgl. PP 129, 180. „Die Perseveranz des Glaubens ist ganz und gar angewiesen auf die transzendente Treue Gottes, die als transzendenter Ursprung aller Ereignisse auch geschichtliche Kontinuität der Ereignisse untereinander schafft auf ein bestimmtes *telos* hin, denn es ist Gottes Treue, die den geschichtlichen Zusammenhang von Verheißung und Erfüllung, von Vorsatz und Vollendung schafft ... Diese Gewißheit um die Bewahrung und Vollendung des neuen Seins durch Gottes Treue

Hier in der Erforschung der calvinischen Glaubenslehre ist schon eine unmittelbare Vorbereitung der Theologie der Hoffnung Moltmanns zu erkennen. Dabei ist zu beachten, daß das hier gewählte Verständnis der Hoffnung mit der Kreuzestheologie Luthers Gemeinsamkeiten hat[29]. Die Hoffnung auf die Gottesverheißung sieht nämlich in das uns Verborgene, Unsichtbare hinein. „Es ist deutlich, wie diese Wendung zur Hoffnung und Beständigkeit für Calvin nahezu die Stelle der lutherischen *fides justificans* einnimmt. Er faßt das Paradox der Verborgenheit aller Offenbarung viel stärker als Luther futurisch-eschatologisch auf und gibt die Dialektik des Kreuzes in der Dialektik der Hoffnung wieder, die die unsichtbaren, noch verborgenen Dinge Gottes in der vernommenen Verheißung ergreift."[30] Und darum wird bei Calvin perseverantia fidei gleichzeitig „tolerantia crucis" genannt[31].

Moltmann erwähnt dabei Verfolgung und Leiden der evangelischen Kirchen Europas, die Calvin damals vor Augen hatte. Auch für Calvin wird der Begriff der Hoffnung von den Leiden seiner Welt bestimmt als das, was von ihm fordert, im Glauben treu zu bleiben und in der Anfechtung beharrlich zu sein, bis diese Welt als ganze im Gottesreich einst gerettet und Gott alles in allem wird[32]. „Man könnte sagen, die Perseveranz des Glaubens ist Treue zur Erde, auf der das Kreuz Christi stand, ist Gehorsam im leiblichen Leben und Leiden, das Gott zur Auferstehung bestimmt hat."[33] Nur dadurch, daß man die gleiche Gestalt wie der leidende Christus annimmt, kann man seine eigentliche Gestalt als Ebenbild Gottes wiedergewinnen und so das Gottesreich erben.

3. *Die Botschaft Jesu vom Reich Gottes als Antwort auf Fragen der Weltwirklichkeit*

Die Begriffsbildung Moltmanns von „Verheißung" muß im gesamten Kontext des seit dem letzten Jahrhundert allmählich in der evangelischen Theologie geweckten Bewußtseins vom eschatologischen Wesen der Verkündigung Jesu verstanden werden[34]. Schon in seiner Forschung über die apokalyptisch-reichs-

---

schafft dem Glaubenden die Freiheit, sich mit eschatologischer Hoffnung angesichts der Zukunft dem kommenden Gott und seiner Erfüllung aller Dinge anzuvertrauen" (PP 182).

[29] PP 43ff. [30] PP 43. [31] PP 7, 43f.

[32] Vgl. Joanis Calvini Opera quae supersunt omnia. 5, 211, in: CR 33; zitiert von Moltmann, PP 43. [33] PP 44.

[34] Über das Verhältnis von dem „historisch als Kernelement entdeckten eschatologischen Gehalt im Auftreten Jesu und im Urchristentum" zur Theologie der Hoffnung Moltmanns, vgl. *H.-G. Geyer*, Ansichten zu Jürgen Moltmanns „Theologie der Hoffnung", ThLZ 92 (1967), 482; auch in: *W.-D. Marsch* (Hrsg.), Diskussion über die „Theologie der Hoffnung" (München 1967) (Abkürzung: DThH) 40ff.

theologische Tradition der Schriftauslegung hat Moltmann ständig diese eschatologische Wesensbestimmtheit der eigentlichen Botschaft Christi und die Möglichkeit ihrer politischen Prägung vor Augen[35]. Die Verkündigung Jesu vom kommenden Gottesreich ist im Horizont der uralten Verheißungen und Zukunftshoffnungen Israels als deren Erfüllung zu verstehen[36]. Die Botschaft Jesu vom Gottesreich war allerdings neu, insofern sie unmittelbar mit seiner Geschichte und Person wesentlich verbunden war. „Das unfaßliche, beglükkende und zugleich ärgerlich Neue an Jesus von Nazareth lag nicht darin, daß er eine andere Zukunft verkündete als die von den Propheten versprochene, sondern daß er mit seinem Wirken und seiner ganzen Existenz die Gegenwart dieser Zukunft zu sein versprach.“[37] Diesen eschatologischen Kerngehalt der Botschaft Christi nimmt Moltmann aus seinem Problembewußtsein der Weltwirklichkeit auf als Antwort auf die gegenwärtige Situation der Welt[38]. Das Reich Gottes, das Jesus verkündet, ist nicht ein Bergungsort der weltflüchtigen Seele, sondern „ist für diese Welt und kommt in diese Welt“[39]. Diese Hoffnung entzündet sich an einem bestimmten, konkreten geschichtlichen Ereignis, an der Auferweckung des gekreuzigten Christus[40]. Moltmann sieht im Kreuz Jesu den Grund, auf dieser Erde auf das durch die Auferstehung verheißene Reich Gottes zu hoffen. „Im Kreuz Christi hat es (sc. das Reich Gottes) seinen Platz auf dieser Erde gefunden, und in der Auferstehung entwirft es einen Horizont der Hoffnung über diese im Kreuz angenommene und in ihrem Elend entblößte Erde.“[41] Die soziale Ethik D. Bonhoeffers hat dabei keinen geringen Einfluß

---

[35] Vgl. Jacob Brocard als Vorläufer der Reich-Gottes-Theologie und der symbolisch-prophetischen Schriftauslegung des Johann Coccejus.

[36] Vgl. Das Reich Gottes und die Treue zur Erde (= Das Gespräch 49) (Wuppertal-Barmen 1963) (Abkürzung: Reich) 3.

[37] Reich 4.

[38] Die Grundkonzeption der Heilsgeschichte wird bei Moltmann existentiell durch sein Problembewußtsein der Weltwirklichkeit entfaltet. Aus der Kriegsgefangenschaft zurückgekehrt, hatte er vom Anfang seines Studiums an die Probleme der sich rapide verändernden Welt und das Elend der leidenden Menschen vor Augen. Er fragte sich, was der christliche Glaube für die tatsächliche Wirklichkeit des Menschen zu sagen hat. Dieses Motiv hat schon vor der Theologie der Hoffnung seine theologische Richtung ständig auf die Praxis bezogen. Vgl. Herrschaft Christi und soziale Wirklichkeit nach D. Bonhoeffer (= Theologische Existenz heute 71) (München 1959) (Abkürzung: Bonhoeffer); Die Gemeinde im Horizont der Herrschaft Christi. Neue Perspektiven in der protestantischen Theologie (Neukirchen 1959). Die Wahrnehmung der Geschichte in der christlichen Sozialethik, EvTh 20 (1960) 263–287, später erschienen auch im Sammelband: Perspektiven der Theologie. Gesammelte Aufsätze (München – Mainz 1968) (Abkürzung: PTh), 149–173. Die Wirklichkeit der Welt und Gottes konkretes Gebot nach Dietrich Bonhoeffer, in: *E. Bethge* u. a. (Hrsg.), Die mündige Welt III (München 1960) 42–67; „Die Rose im Kreuz der Gegenwart.“ Zum Verständnis der Kirche in der modernen Gesellschaft, MPTh. 50 (1961) 272–289 (auch in: PTh 212–231); Der verborgene Mensch. Zum Selbstverständnis des modernen Menschen (= Das Gespräch 35) (Wuppertal-Barmen 1961).

[39] Reich 8. [40] Reich 15. [41] Reich 15.

auf Moltmann ausgeübt[42]. Moltmann sieht das zentrale Verständnis Bonhoeffers von der Weltwirklichkeit darin, daß die Wirklichkeit Gottes selbst in Jesus Christus in die Wirklichkeit der Welt eingegangen ist, so daß die beiden eine einzige Wirklichkeit sind[43]. „Mit dem Kreuz ist diese Welt mit Gott versöhnt in ihrer Weltlichkeit."[44] Darum ist das Kreuz Signatur der Befreiung der Welt zum Leben, und zwar zum Leben vor Gott in echter Weltlichkeit. „Die Wirklichkeit, die den Menschen umgibt, ihn fordert und ihn beschenkt, ist also als solche nicht neutral, indifferent und dem Glauben fremd, sondern ist in ihrem tiefsten Verständnis von der Inkarnation und vom Kreuz her in ihrer vollen Diesseitigkeit Gottes Wirklichkeit."[45] Dieses Wirklichkeitsverständnis verdankt Moltmann Bonhoeffer. Er modifiziert es aber mit seiner Konzeption der Verheißungsgeschichte, so daß dessen inkarnatorischer Charakter in der späteren Entwicklung Moltmanns zum Teil verlorengeht. Der Grundgedanke der Theologie der Hoffnung, daß die Herrschaft Gottes schon in der Auferweckung des Gekreuzigten in dieser noch unerlösten Weltwirklichkeit angebrochen ist, so daß die christliche Hoffnung nur als Treue zu dieser Welt wahr ist, findet jedoch eine Quelle in seinem Studium über Bonhoeffer.

4. Das Gottesbild des heilsgeschichtlichen Offenbarungsverständnisses

Das Gottesbild, das in der heilsgeschichtlichen Konzeption gewonnen wird, steht im Gegensatz zu dem ontisch-statischen Gottesbegriff, der aus der griechischen Metaphysik stammt und tief in der mittelalterlichen Theologie und auch in der Orthodoxie der reformatorischen Theologie verwurzelt ist. Die Antipathie Moltmanns gegen Metaphysik ist schon in seiner Forschung über Petrus Ramus deutlich zu erkennen. Gegen den Aristotelismus der Scholastik, der um Melanchthon kreisenden Orthodoxie der lutherischen Theologie und der um Beza kreisenden reformierten Orthodoxie betonte die Lehre des Ramus den Humanismus und das von aller geistigen Stabilisierung und Institutionalisierung freie, existentielle Denken. Sie führte eine neue, empirische, pragmatische Lebensphilosophie in die christliche Theologie ein[46]. Nach ihrer empirisch-theologischen Erkenntnislehre ist das apriorische Wesen Gottes an und für sich dem Menschen unzugänglich. Gott ist nur in seinen Taten als Gott Abrahams, Gott Isaaks und Gott Jakobs erkennbar[47]. Das Wesen Gottes und sein Wille sind zu erschließen nur aus dem, was im Bereich der menschlichen Erfahrung

---

[42] Vgl. *D. Meeks,* a.a.O. 44ff. [43] Bonhoeffer 34f. [44] Bonhoeffer 34f
[45] Bonhoeffer 35. [46] Ramus 300. [47] Ramus 304f.

erscheint. So tritt die ökonomische Trinitätslehre durch den heilsgeschichtlichen Aposteriorismus in den Vordergrund, was durch die Akademie von Saumur weiter entfaltet wurde. Moltmann sieht hier die Quelle des heilsgeschichtlichen Denkens der reformierten Theologie. Ihm zufolge wird hier die eigentliche Denkweise Calvins, die dynamische, realistische und biblische Denkweise echter aufgenommen als in der sogenannten Orthodoxie[48].

In der Forschung über die calvinische Prädestinations- und Perseveranzlehre stellt Moltmann, wie oben gezeigt, die in der Verheißung erkennbare Treue Gottes und die Hoffnung auf diese Treue als das eigentliche Anliegen Calvins dar[49]. Er kritisiert an der Theologie der reformierten Orthodoxie, daß sie allzu einseitig von der ontologischen Unveränderlichkeit Gottes her Calvins Prädestinationslehre deutet und dadurch das Anliegen Calvins verfälscht[50]. „Was ursprünglich bei Calvin und bei Luther als die unbewegliche, aber geschichtliche Treue Gottes zu seiner Verheißung verstanden wurde, gerät im Zuge der scholastischen Orthodoxie wieder in den philosophischen Beweis der Unbeweglichkeit der Erstursache in Gott."[51]

Moltmann sucht nicht den philosophischen, ewig unveränderlichen Gott, sondern den biblischen Gott, der sich in der konkreten Geschichte als Gesprächspartner den Menschen stellt. „Gottes Wesen ist nach der Bibel nicht seine Absolutheit-an-sich, sondern... die Beständigkeit seiner erwählenden Barmherzigkeit und Treue."[52]

Dem Gott der Heiligen Schrift ist eine zeitlose, geschichtslose Absolutheit fremd. Er offenbart sich in konkreten Geschichtsereignissen. Dieser israelitisch-christliche Gottesbegriff ist nach Moltmann durch die Hellenisierung der Christenheit verstellt. Auch die Prädestinationslehre erlitt das gleiche Schicksal. Sie kann aber wahrlich nur durch die Treue Gottes begründet werden, die sich durch die Geschichte bestätigt. Sie darf nicht mit einem abstrakten Begriff der unveränderlichen Kontinuität des ewigen Seins verwechselt werden[53]. Das

---

[48] Ramus 306, 317f. [49] PP 45. [50] PP 137ff. [51] PP 132.

[52] *O. Weber,* Die Treue Gottes und die Kontinuität der menschlichen Existenz. Sonderheft der EvTh für E. Wolf (München 1952) 137. Zitiert von Moltmann, PP 171.

[53] Das gleiche gilt auch vom Begriff des Menschen. Während die Orthodoxie der reformierten Theologie unter dem Einfluß des deutschen Idealismus die Perseveranz auf den menschlichen Geist gründen wollte, will Moltmann den Menschen als geschichtliches Sein schlechthin bestimmen. Der Mensch darf nicht von einem übergeschichtlichen Wesen her bestimmt werden. „Nicht durch Erinnerung an seine ewige, aller Geschichte urbildlich vorgeordnete Natur, sondern durch das geschichtliche Ereignis des Bundes, der Berufung, der Rechtfertigung und Bewahrung gewinnt sich der Mensch. Aus der ihm geschichtlich widerfahrenden Verheißung bekommt er sich selbst neu geschenkt. Die theologische Anthropologie spricht geschichtlich-eschatologisch vom Menschen: in der geschichtlichen Begegnung mit Gott in Christus durch Wort und Geist empfängt er sich selbst als eine Verheißung" (PP 172f). Dieses Menschenbild bildet auch in der Theologie der Hoffnung die Grundlage.

heilsgeschichtliche Gottesbild Moltmanns ist entscheidend für die spätere Entfaltung der Kreuzestheologie. Im Gegensatz zur Logik der menschlichen Vernunft offenbart sich Gott in den geschichtlichen Ereignissen, und zwar in der Gestalt des Erniedrigten, bis zur Torheit des Kreuzes. Darum will Moltmann schon in der historischen Forschung über die reformierte Lehre gegen die Tendenz der theologia gloriae vom Standpunkt der lutherischen Kreuzestheologie seine Kritik vorbringen. „Es war jedoch reformatorische Erkenntnis, daß Gott dem Menschen im Kreuz auf andere Weise und mit ihm zuwider laufender Passion begegnet... Die Liebe des Kreuzes aber... ist nicht die Liebe zum höchsten Gut, nicht Begierde zum unendlichen Genuß und zur ewigen Ruhe, sondern mitleidende, schenkende und so schöpferische Liebe zum Unwerten, Häßlichen und Nichtwürdigen."[54]

II. Kreuzestheologie in der Theologie der Hoffnung

1. Begründung der Eschatologie aus der Problematik der Weltgeschichte

In der „Theologie der Hoffnung"[55] wird das, was Moltmann in seinen historischen Forschungen ständig verfolgt und zu seiner theologischen Grundkonzeption macht, systematisiert. Der Begriff der Gottesverheißung wird hier explizit zum Prinzip der christlichen Eschatologie gemacht.

Wie der Untertitel dieses Werkes erweist, ist sein Anliegen hier die Bildung einer neuen christlichen Eschatologie, die aus dem Wesen des christlichen Glaubens heraus für den Menschen heute etwas sagt. Eschatologie heißt dabei nicht Lehre über die Letzten Dinge, wie sie im System der traditionellen Dogmatik hieß, sondern das, was die gegenwärtige Weltgeschichte angeht, und nicht nur einen Teil, sondern das Ganze des christlichen Glaubens bestimmt. Denn „das Christentum ist ganz und gar und nicht nur im Anhang Eschatologie, ist Hoffnung, Aussicht und Ausrichtung nach vorne, darum auch Aufbruch und Wandlung der Gegenwart."[56] Moltmann versucht den wesentlich eschatologischen Charakter der christlichen Botschaft als Antwort auf seine Fragen nach den Weltproblemen thematisch darzustellen[57].

---

[54] Geschichtstheologie und pietistisches Menschenbild bei J. Coccejus und Th. Undereyck, a.a.O. 360f.

[55] Theologie der Hoffnung. Untersuchungen zur Begründung und zu den Konsequenzen einer christlichen Eschatologie (München 1964) (Abkürzung: ThH).

[56] ThH 12. [57] Vgl. *H.-G. Geyer*, a.a.O. 40ff.

In diesem Programm spielt sein Gespräch mit E. Bloch und dessen Hoffnungsphilosophie eine entscheidende Rolle. Es ist ein wichtiger Beitrag Blochs für die christliche Theologie, daß er wieder zum gegenwärtigen Bewußtsein gebracht hat, was eigentlich in der jüdisch-christlichen Tradition von Anfang an als Merkmal im Gegensatz zum griechischen Denken lag[58]. Bloch hat zwar von der Bibel nur seinen Denkanstoß gewonnen und daher seine Hoffnungsphilosophie mit allgemeingültigem Anspruch entfaltet. Für ihn ist die jüdisch-christliche Religion nur insofern sinnvoll, als sie am deutlichsten von diesem allgemeinmenschlichen Prinzip der Hoffnung lebt. Moltmann übernimmt das Prinzip für die christliche Theologie und gibt ihm von der Gottesoffenbarung her seinen eigentlichen Grund. Das Prinzip Hoffnung ist nur aufgrund der Gottesverheißung, die endgültig in der Auferweckung Christi gegeben ist, wahrhaft möglich[59]. Moltmann versucht, diesen philosophischen Gedankengang Blochs christlich umzuformen und dadurch eine neue Eschatologie darzustellen[60].

Zugrunde liegt der Wahrheitsbegriff: „inadaequatio rei et intellectus" statt des traditionellen Begriffs: „adaequatio rei et intellectus."[61] Diese paradoxe Aussage ist kein bloßes Wortspiel, sondern drückt seine Grundanschauung aus, die Wirklichkeit der Welt nicht als schon vorgegebene, bestimmte, unveränderliche Ordnung, sondern als sich entwickelnden, uns noch aufgegebenen Werde-Prozeß zu sehen. „Das Wahre ist das Mögliche" (Bloch). Nicht was schon ist, sondern was in Zukunft sein wird, darauf kommt es an. Darum wird die Wahrheit wiederum nicht durch Schlußfolgerung der Vernunft, sondern durch Hoffnung erkannt[62]. Dieser Wahrheitsbegriff, der an sich schon in den früheren Schriften Moltmanns implizit vorhanden ist, wird jetzt in der Theologie der Hoffnung unter dem Einfluß Blochs explizit in den Vordergrund gestellt.

Der dynamische Gottesbegriff Moltmanns wird dadurch noch einen Schritt

---

[58] Unter zahlreichen Veröffentlichungen *E. Blochs* sind besonders folgende für unser Thema zu berücksichtigen: Prinzip Hoffnung (Frankfurt a.M. 1959) vor allem Kapitel 15–17, 19, 52–55; Atheismus im Christentum. Zur Religion des Exodus und des Reiches (Frankfurt a.M. 1968); Religion im Erbe. Eine Auswahl aus seinen religionsphilosophischen Schriften, hrsg. v. *J. Moltmann* (München – Hamburg 1970).

[59] Zu J. Moltmanns Gespräch und Kritik an der Hoffnungsphilosophie E. Blochs vgl. Messianismus und Marxismus. Einführende Bemerkungen zum „Prinzip Hoffnung", KiZ 15 (1960) 291–295; später erschienen auch im Sammelband: *M. Walser,* u.a., Über Ernst Bloch (Frankfurt a.M. 1968), 42–50; Die Menschenrechte und der Marxismus. Einführung und kritische Reflexionen zu Ernst Blochs „Naturrecht und Menschenwürde", KiZ 17 (1962) 122–126; „Das Prinzip Hoffnung" und die christliche Zuversicht. Kritische Bemerkungen zu Ernst Blochs Religionskritik, EvTh 23 (1963) 537–557, später auch im Anhang zur Theologie der Hoffnung, seit 3. Auflage 1965, 313–334; Die Kategorie Novum in der christlichen Theologie, in: *S. Unseld* (Hrsg.), Ernst Bloch zu ehren (Frankfurt a.M. 1965) 243–263, später auch im Sammelband: PTh 174–188; Im Gespräch mit Ernst Bloch. Eine theologische Wegbegleitung (München 1976).

[60] Vgl. UZ 9ff; *D. Meeks,* a.a.O. bes. 15–19, 80–88, 108–117.

[61] ThH 23f, 34, 74. [62] ThH 28.

weiter entfaltet. Gott ist nicht ein ewig unveränderliches Wesen, sondern der, der in geschichtlichen Ereignissen seine Verheißung gibt und im Halten dieser Verheißung seine Treue bezeugt. „Verheißung kündigt eine Wirklichkeit aus der Zukunft der Wahrheit an, die noch nicht ist. Sie steht in einer spezifischen inadaequatio rei et intellectus zur vorhandenen und gegebenen Wirklichkeit."[63] Die Offenbarung des Gottseins Gottes ist von seiner Treue zur Verheißung abhängig. „Das Offenbarwerden der Gottheit Gottes hängt darum ganz und gar an der wirklichen Erfüllung der Verheißung, wie umgekehrt die Erfüllung der Verheißung in der Treue und im Gottsein Gottes ihren Wirklichkeits- und Möglichkeitsgrund hat."[64] Nur muß man hier wohl beachten, daß es noch um das „Offenbarwerden der Gottheit Gottes" geht und nicht um die Gottheit Gottes schlechthin wie in den späteren Schriften.

So wird der Begriff der Verheißung noch konsequenter zum hermeneutischen Prinzip des Verständnisses der Heiligen Schrift und so zum Grundstein der christlichen Eschatologie. Allein dieser Begriff macht bei Moltmann in der Problematik der Befreiung des Menschen und der Gerechtigkeit der Welt die christliche Eschatologie für die gegenwärtige Welt und Geschichte des Menschen relevant.

2. *Die Auferweckung des Gekreuzigten als endgültiger Durchbruch der Verheißungsgeschichte*

Der Begriff der Verheißung als hermeneutisches Prinzip wird in der Theologie der Hoffnung thematisch auf die Christologie angewendet. Das Christusgeschehen wird im Kontext der Verheißungsgeschichte verstanden. Ein weiterer Schritt in der heilsgeschichtlichen Konzeption Moltmanns ist hier klar zu erkennen.

Was die Religion Israels von anderen wesentlich unterscheidet, ist, daß Gottes Anwesenheit auch bei der Ansiedlung nach dem Nomadenleben immer ungebunden an bestimmte Orte oder Zeiten blieb, daß die Erscheinungen Gottes immer Verheißungscharakter hatten, so daß die Gottesoffenbarung vom Inhalt dessen, was noch nicht verwirklicht, aber für die Zukunft verheißen war, verstanden wurde[65]. Das Volk Israel empfängt sein Land als Erfüllung der Verheißung Gottes. Indem es sich an die Gottesführung in der Vergangenheit erinnert, bestätigt es die gegenwärtige Gabe des Landes als Treue Gottes zu seiner Verheißung[66]. Die Verheißung läßt aber das Volk in der gegenwärtigen Lage nicht

[63] ThH 75; vgl. auch 91, 106f.
[64] ThH 76, vgl. auch 105f.
[65] ThH 89. [66] ThH 90.

zufrieden sein, läßt nicht die vorhandene Wirklichkeit vergöttlichen oder stabilisieren. Sie stellt den Menschen ständig in eine dynamische Spannung, solange die vollkommene Erfüllung in der Wirklichkeit noch aussteht. Sie läßt die Wirklichkeit verstehen als das, was sich auf den noch nicht sichtbaren neuen Horizont ausrichtet[67]. Die Verheißung Gottes läßt in dem, was schon erfüllt ist, eine neue Verheißung für die Zukunft schauen[68]. Das war für das Volk Israel der Horizont, der ihm einen Geschichtssinn verlieh[69].

In der Auferweckung Christi von den Toten erreicht die im Alten Bund Schritt für Schritt entfaltete Gottesverheißung die höchste Erfüllung. Dadurch aber erreicht die Verheißungsgeschichte noch nicht ihr Ende, sondern in dieser Erfüllung ist gleichzeitig die neue und größte Verheißung gegeben. Die eigentliche Verheißungsgeschichte nimmt jetzt ihren wahren Beginn. Dort wird die Zukunft Christi versprochen, die auf die Frage aller Menschen antwortet und auf die alle Menschen mit Zuversicht hoffen dürfen. Diese Zukunft ist schon im Ereignis der Auferweckung Christi in der Geschichte angebrochen, muß aber in der Geschichte des Neuen Bundes weiter erfüllt werden, bis im Eschaton, im Leben und in der wahren Gerechtigkeit aller Dinge, Gott alles in allem wird[70]. Durch die Auferweckung Christi ist die Macht des Bösen endgültig besiegt, so daß der Mensch, trotz aller Wirklichkeit der noch nicht erlösten, elenden Welt, mit gesundem Realismus und gleichzeitig mit Optimismus auf das Kommen des endgültigen Reiches Gottes hoffen kann.

Auch hier übt Moltmann von seiner Verheißungskonzeption her Kritik an der Dogmenbildung der Christologie unter dem Einfluß der Metaphysik. „Seit der griechischen Formation der christlichen Dogmatik ist man durchweg von der allgemeinen Gottesidee der griechischen Metaphysik auf das Geheimnis Jesu zugegangen... Ihre Probleme ergaben sich darum daraus, daß man den Vater Jesu Christi mit dem einen Gott der griechischen Metaphysik identifizierte und ihm die Eigenschaften dieses Gottes zuschrieb. Wird aber die Gottheit Gottes in seiner Unveränderlichkeit, Unwandelbarkeit, Leidensunfähigkeit und Einheit gesehen, so wird das geschichtliche Wirken dieses Gottes in dem Christusgeschehen von Kreuz und Auferstehung ebenso unaussagbar wie seine eschatologische Zukunftsverheißung."[71] Gott, der Jesus von den Toten auferweckt, ist der Gott Abrahams, Isaaks und Jakobs, der Gott der Verheißung, der das Volk Israel führt. Erst durch Jesus offenbart sich Gott nicht nur als Gott Israels, sondern auch als Gott aller Menschen. Der konkrete Begriff Gottes, der sich in geschichtlichen Ereignissen offenbart, wird hier nämlich durch das Geschehen der Auferweckung des Gekreuzigten zu einem allgemeinen, alle Menschen

---

[67] ThH 91. [68] ThH 94f. [69] ThH 96.
[70] ThH 78, 125ff. [71] ThH 126.

umfassenden Begriff[72]; und zwar ist es nicht so, daß man einen allgemeinen Gottesbegriff voraussetzt und daraus die Auferweckung des Gekreuzigten versteht, sondern umgekehrt, daß Gott erst durch dieses konkrete Ereignis offenbar wird, und zwar als Gott aller Menschen. Hier kommt die Prägung der Offenbarungstheologie zum Vorschein, die Moltmann K. Barth verdankt.

Dasselbe gilt auch von seinem theologischen Menschenbild: Nicht, daß eine philosophische Klärung des allgemeinen Menschseins vorhanden wäre und durch das Beispiel der Geschichte Jesu ihre Bestätigung bekäme, sondern umgekehrt, daß das wahre Menschsein erst im Geschehen Jesu neu geschaffen wird[73]. „Erst im Christusgeschehen wird das geboren, was theologisch als ‚der Mensch', der ‚wahre Mensch' und die ‚Menschheit' bezeichnet werden kann ... Nur indem die wirklichen, geschichtlichen und religiösen Differenzen der Völker, Gruppen und Stände im Christusgeschehen der Rechtfertigung des Sünders zerbrochen werden, kommt das in Aussicht, was wahres Menschsein sein kann und sein wird."[74] Es geht nicht nur um die Erkenntnis des Menschseins allein durch Christus, sondern auch um die ontologische Begründung des neuen Menschseins selbst.

Das Leben, das Gott dem Volk des Alten Bundes versprochen hat, hat im Land, in der Nachkommenschaft und in ihrem Blühen seine Erfüllung gefunden. Im Neuen Bund aber wird dieses versprochene Leben als Leben aus dem Tod verstanden. Diese Verheißung kann nur erfüllt werden, weil Gott die schöpferische Macht besitzt, die Toten aufzuerwecken und das Sein aus dem Nichts herauszurufen. Indem Gott Jesus von den Toten auferweckt, bestätigt er diese Macht[75]. Die Verheißung wird darum nicht im Gesetz, in der eigenmächtigen Kraft des Menschen erfüllt. Das Gesetz kann nicht das Leben verheißen, sondern bezeugt nur das Leben als auf den Tod gerichtetes und führt es so in den Tod[76]. Die Kraft der Erfüllung liegt allein in der Treue Gottes, der den Sünder rechtfertigt und den Toten auferweckt. In der Auferweckung Christi von den Toten tritt darum die Gottesverheißung des Lebens wahrhaft in Kraft[77].

3. *Der notwendige Einschluß der Kreuzestheologie*

Insofern die Auferweckung des Gekreuzigten als entscheidender Durchbruch der Verheißungsgeschichte verstanden wird und die christliche Eschatologie auf dieses konkrete Christusgeschehen begründet wird, ist hier der Raum für die Kreuzestheologie in der Theologie der Hoffnung implizit vorbereitet. Molt-

[72] ThH 127. [73] ThH 126f. [74] ThH 128.
[75] ThH 131. [76] Vgl. Gal 3, 18. [77] ThH 131.

mann sieht nämlich, obwohl er einerseits den Begriff der Verheißung zum hermeneutischen Prinzip der Schriftauslegung und so zum Grundstein der Eschatologie macht, anderseits doch einen Bruch der Verheißungsgeschichte im Kreuzesgeschehen Christi. Die Auferstehung Jesu von den Toten kann nicht nur aus dem apokalyptischen Überlieferungshorizont als Vorwegnahme der universalgeschichtlichen Erfüllung im Eschaton verstanden werden, denn dieser Auferweckte ist eben der im Bruch mit der alttestamentlichen Erwartung Gekreuzigte. Im Kreuz Jesu liegt der Grundunterschied zwischen Heilserwartung der Apokalyptik und Eschatologie des christlichen Glaubens[78].

Gerade weil der von den Toten Auferweckte eben der Gekreuzigte ist, bedeutet dieses Geschehen der Auferstehung Hoffnung für alle Menschen. Christus nimmt durch sein Kreuz die Wirklichkeit des Menschen auf sich, die durch Sünde und Tod ins Elend versunken, aber durch seine Auferstehung durchbrochen ist. Durch die Tatsache, daß er in seiner Auferstehung das Kreuz überwindet, wird die Hoffnung für die an ihn Glaubenden ermöglicht. „Der Glaube ... kann die in Leid, Schuld und Tod vermauerten Grenzen des Lebens nur dort überschreiten, wo sie real durchbrochen sind."[79]

In der Theologie der Hoffnung führt Moltmann nicht weiter christologisch aus, inwiefern das Kreuzesgeschehen das einmalige, irreversible Heilsereignis für alle Menschen sein kann. Das bedeutet allerdings keine Vernachlässigung des Kreuzes, insofern das Kreuz Jesu als Kehrseite der vordergründigen Betonung der durch die Auferweckung eröffneten Hoffnung auf das zukünftige Reich doch impliziert ist und die tatsächliche Vorbereitung für die spätere Entfaltung in sich birgt. „Sie (sc. die Seele) erkennt in der Auferstehung Christi nicht die Ewigkeit des Himmels, sondern die Zukunft eben der Erde, auf der sein Kreuz steht. Sie erkennt in ihm die Zukunft eben der Menschheit, für die er starb. Darum ist ihr das Kreuz die Hoffnung der Erde."[80] Moltmann denkt

---

[78] Hier liegt der Unterschied der heilsgeschichtlichen Konzeption Moltmanns zu der W. Pannenbergs, der den gleichen Ausgangspunkt im Geschichtsbewußtsein nimmt, aber dabei durch die Betonung des überlieferungsgeschichtlichen Kontextes die konstitutive Bedeutung des Kreuzes Jesu für die Universalgeschichte zurückstellt. Das Kreuz Jesu sprengt nach Moltmann die Kontinuität des Heilserwartungshorizonts der Propheten und der Apokalyptik. Die Auseinandersetzung Moltmanns mit der Theologie W. Pannenbergs wird im nächsten Kapitel behandelt. Hier sei nur die Betonung der Diskontinuität der alttestamentlichen Überlieferung durch das Kreuz Jesu schon in der Theologie der Hoffnung erwähnt. ThH 73, 175, 186. „Wird aber Jesus als ‚der Erstling der Entschlafenen' bezeichnet, so fällt das insofern aus dem Rahmen der Apokalyptik, als damit gesagt wird, daß sich an diesem einen für alle die Totenauferweckung schon vollzogen habe und daß diese Auferweckung nicht an einem Gesetzestreuen, sondern an dem Gekreuzigten geschehen sei und daher zukünftige Auferstehung nicht aus dem Gesetzesgehorsam, sondern aus der Rechtfertigung des Sünders und dem Glauben an Christus zu erwarten sei. An die zentrale Stelle der Thora in der spätjüdischen Apokalyptik tritt damit die Person und das Kreuz Christi. An die Stelle des Lebens im Gesetz tritt die Christusgemeinschaft in der Nachfolge des Gekreuzigten" (ThH 175).

[79] ThH 15. [80] ThH 16.

schon hier implizit das stellvertretende Sterben Christi für die Menschen. Er sieht im Kreuz Jesu die elende Wirklichkeit von Sünde und Tod durch ihn aufgenommen. Die Auferweckung des Gekreuzigten bedeutet darum, daß Gott selber seinen Widerspruch gegen das Leiden und Sterben, gegen die Erniedrigung und Beleidigung, gegen die Bosheit des Bösen bestätigt[81].

Moltmann geht hier hauptsächlich von seinem Anliegen der Theodizeefrage aus. Er sieht die elende Situation der Leidensgeschichte des Menschen unter dem Aspekt des Kreuzes Christi. Die gegenwärtige Situation der Gottlosigkeit und Gottverlassenheit der Welt, die oft mit dem Wort „Tod Gottes" ausgedrückt wird, ist im Kreuz Jesu von Gott getragen. Die Auferweckung Jesu bedeutet darum den Widerspruch Gottes zu dieser Weltwirklichkeit. Darum wird in dieser elenden Wirklichkeit der Welt das „sperare contra spem" durch den Widerspruch der Auferstehung gegen das Kreuz selbst begründet. „Die Identität des Auferstandenen mit dem Gekreuzigten"[82] wird als Akt der Treue Gottes verstanden, die die Verheißung der noch ausstehenden Zukunft Christi begründet. Auf dieser Treue Gottes „gründet sich die Hoffnung, die den Glauben durch die Anfechtung der gottverlassenen Welt und des Todes trägt"[83]. „Der auferstandene Christus ist und bleibt der gekreuzigte Christus. Der Gott, der sich in dem Geschehen von Kreuz und Auferstehung als ‚derselbe' offenbart, ist der sich im Widerspruch seiner selbst offenbarende Gott. Aus der Nacht des ‚Todes Gottes' am Kreuz, aus dem Schmerz der Negation seiner selbst, wird

---

[81] ThH 17; *H.-G. Geyer* weist treffend darauf hin, „daß der konstitutive Charakter der Geschichte Jesu Christi zumindest nicht deutlich genug zum Vorschein kommt und ihre Funktion als Grund und Bedingung der alttestamentlichen Verheißungsgeschichte so wenig entfaltet wird" (a. a. O. DThH 65). So auch die Kritik von *A. Geense* an Moltmann: „... hören wir nun sehr viel über die Auferstehung Jesu Christi, sehr wenig oder gar nichts über seine Person und über seine Geschichte." „Die Auferweckung Christi wird aus dem Eschaton gefüllt und verstanden, nicht aus der Person und der Geschichte Jesu" (a. a. O. 177f.). Moltmann beschränkt sich in der Reflexion der Identität von Kreuz und Auferstehung auf die formale Seite des Problems, so daß sich zu Recht mit *H.-G. Geyer* fragen läßt: „Von welcher Art aber ist die Bedeutung, die in dieser dialektischen Identität Jesu Christi seinem Kreuzesleiden und -tod zukommt?" (DThH 66.) „Hier drängt eine nicht unwichtige Frage der Christologie zur Diskussion: die Frage nämlich, ob der Kreuzestod Jesu Christi als Gottes Tat im Zeichen des Gesetzes, als dessen Inbegriff zu verstehen ist, oder ob nicht gerade durch die Auferweckung für die Erkenntnis Jesu Christi unabweisbar die Aufgabe gestellt ist, seine Kreuzigung als Gottes Heilstat für alle, als die Summe des Evangeliums, zu verstehen" (DThH 68). Auch *Geense* kritisiert, „daß bei Moltmann das Kreuz Christi primär eine formelle Qualifizierung des Inhalts der Auferstehung darstellt und selber nicht als inhaltliche Füllung, als anschauliches Moment der Auferstehung oder auch als Zusammenfassung des irdischen Lebensganges Jesu erscheint" (a. a. O. 178). Gewiß vermißt man in der Theologie der Hoffnung die christologische Ausführung, besonders in bezug auf die konstitutive Bedeutung des Kreuzes Jesu. Aber das kann noch nicht als Vernachlässigung des Kreuzes verurteilt werden, insofern das Kreuz als Bedeutung der Gottverlassenheit der Welt doch implizit die Gottesannahme dieser Wirklichkeit durch dieses konkrete Geschehen Jesu voraussetzt und Raum für die spätere Entfaltung läßt.

[82] ThH 75. [83] ThH 75, vgl. auch 77.

er in der Auferstehung des Gekreuzigten, in der Negation der Negation als der Gott der Verheißung, als der kommende Gott erfahren."[84]

Die christliche Hoffnung gründet darum im Ausharren „in der Nachfolge des vom Leiden, vom Sterben in der Gottverlassenheit und vom Grabe auferweckten Christus."[85] Moltmann nennt die paulinische Haltung, die gegen den Einfluß der hellenistischen Mysterienreligion gekämpft hat, „eschatologia crucis".[86] Nach Paulus nimmt der Christ durch die Taufe am Kreuzestod Christi teil. Die Gemeinschaft mit Christus ist die Gemeinschaft im Leiden mit dem gekreuzigten Christus. Nur durch diese Nachfolge des Kreuzes hofft der Christ auf die Teilnahme an der Auferstehung Christi in der Zukunft[87]. „Indem er das Kreuz, das Leiden und Sterben mit Christus, indem er die Anfechtung und den Kampf um leiblichen Gehorsam annimmt und sich in den Schmerz der Liebe hineingibt, verkündet er die Zukunft der Auferstehung, des Lebens und der Gerechtigkeit Gottes im Alltag der Welt. Die Zukunft der Auferstehung kommt zu ihm, indem er das Kreuz auf sich nimmt."[88] Es gab schon im Prozeß der Ausbreitung des christlichen Glaubens von der ursprünglichen, jüdisch-apokalyptischen Gemeinde in die hellenistische Welt eine Tendenz zum Enthusiasmus, der aus seinem Verständnis der Auferstehung Christi Hoffnungsträume machte und nur durch kultisch-sakramentales Handeln über die harte Wirklichkeit der vom Leid erfüllten Welt hinwegtäuschte. „Mit diesem Wechsel von der Apokalyptik der verheißenen, noch ausstehenden Herrschaft Christi zur kultischen Präsenz seiner ewigen, himmlischen Herrschaft tritt zugleich die theologische Wahrnehmung des Kreuzes Christi zurück. Die Auferstehung Jesu wird als seine Erhöhung und Inthronisation verstanden und wird auf seine Inkarnation bezogen. Zwar kann seine Erniedrigung bis ans Kreuz als Vollendung seiner Inkarnation verstanden werden, durch die er alles in seine Herrschaft zieht, doch wird damit das Kreuz zu einem Durchgangsstadium seines Wegs zur himmlischen Herrschaft. Es ist das Kreuz nicht die bis zum erfüllenden Eschaton hin bleibende Signatur seiner Herrschaft in der Welt."[89]

---

[84] ThH 155. [85] ThH 15. [86] ThH 145.
[87] ThH 146. [88] ThH 148. [89] ThH 143.

III. Entfaltung der Kreuzestheologie

1. Die Kontinuität der Hoffnungstheologie in der Kreuzestheologie

a) Das in den früheren Schriften festgestellte eschatologisch-verheißungsgeschichtliche Verständnis Moltmanns von Mensch und Welt, das dialektische Wirklichkeitsverständnis und das offenbarungstheologische Gottesbild bringen ihn notwendigerweise nahe an die reformatorische Tradition der Kreuzestheologie. Seine Theologie der Hoffnung hat sogar eine innere Logik, die zur Kreuzestheologie führt. Denn die Kreuzestheologie Luthers bedeutet eben eine allen theologischen Überlegungen vorangehende Perspektive selbst, nicht also eine Lehre über das Kreuz Jesu als Gegenstand, sondern ein Prinzip des theologischen Denkens. Im Gegensatz zu der Gotteserkenntnis der theologia naturalis, die Seinsanalogie zwischen Schöpfer und Geschöpf voraussetzt und durch die die der menschlichen Vernunft eigene transzendierende Kraft vom endlichen Seienden auf das unendliche Sein rückzuschließen versucht, will Luther zwar nicht prinzipiell ausschließen, daß das unsichtbare Wesen Gottes durch seine Werke erkennbar ist[90], aber meint wohl, daß der Mensch in der Tat wegen seiner Sündigkeit[91] dazu unfähig ist und im Versuch der natürlichen Gotteserkenntnis nur seine eigene Hybris projiziert. Infolgedessen mußte sich Gott selbst nach Luther in einer gegenteiligen Gestalt offenbaren, damit der sich selbst erhöhende Mensch zum wahren Menschen wird[92]. Gott wird nur durch seine eigene Offenbarung, und zwar in der Gestalt des Gekreuzigten, erkannt, nicht als ein unendliches, absolutes und unveränderliches Wesen, sondern als Gott, der zu dem Menschen spricht und mit ihm in seiner Geschichte leidet. Für die Gotteserkenntnis der Vernunft widersprechen Leiden und Tod dem Wesen Gottes. Diese Voraussetzung hat die christliche Theologie jahrhundertelang einfach übernommen. Sie muß aber nach Moltmann „Gottes Sein im Leiden und Sterben und zuletzt im Tode Jesu denken, wenn sie sich nicht selbst aufgeben will und ihre Identität verlieren soll"[93]. Die Kreuzestheologie Moltmanns ist eine notwendige Konsequenz und Vertiefung seiner von Anfang an gegebenen heilsgeschichtlichen Grundkonzeption.

b) Das Hauptanliegen der Theologie der Hoffnung, vor allem die Begründung

---

[90] Vgl. Röm 1, 18ff.
[91] Vgl. 1 Kor 1,21.
[92] GG 193ff.
[93] GG 200; vgl. auch dazu *E. Jüngel*, Vom Tode des lebendigen Gottes. Ein Plakat, ZThK 65 (1968) 93–116, auch im Sammelband: *ders.*, Unterwegs zur Sache. Theologische Bemerkungen (München 1972) 105–125.

der christlichen Eschatologie in der Auferweckung des Gekreuzigten als endgültige Verheißung für die Welt, wird in der Kreuzestheologie Moltmanns fortgesetzt. Auch wenn die Betrachtung des Kreuzes Jesu in den Vordergrund rückt, bleibt die Theologie der Auferstehung damit untrennbar verbunden. Durch seine einheitliche Betrachtung von Kreuz und Auferstehung korrigiert Moltmann die einseitige Betonung der Problematik von Sünde und Versöhnung in der lutherischen Rechtfertigungslehre. Nach Moltmann hat die Ostererfahrung von Anfang an zwei Seiten: Die Jünger sahen einerseits den Vorschein der kommenden Herrlichkeit des Reiches an der Gestalt Jesu, und anderseits erkannten sie diesen Auferweckten eben an den Zeichen der Kreuzigung wieder[94]. Diese beiden Seiten müssen sich im Verständnis der christlichen Eschatologie gegenseitig ergänzen. Die Frage nach vorwärts wird vorausgesetzt bei der Frage nach rückwärts. Die Frage nach der Zukunft Christi stand in der Theologie der Hoffnung im Vordergrund. Auch wenn jetzt thematisch nach rückwärts gefragt wird, wird das, was die Voraussetzung ist, dadurch keineswegs vernachlässigt. „Durch sein Leiden und Sterben bringt der auferstandene Christus Gerechtigkeit und Leben zu den Ungerechten und Sterbenden. Das Kreuz Christi modifiziert also die Auferweckung Christi unter den Bedingungen der Leidensgeschichte der Welt aus einem reinen Zukunftsgeschehen zum Geschehen der befreienden Liebe. Durch seinen Tod bringt der Auferstandene die kommende Gottesherrschaft durch stellvertretendes Leiden in die gottlose Gegenwart hinein. Er antizipiert die kommende Gottesgerechtigkeit unter den Verhältnissen menschlichen Unrechts im Recht der Gnade und in der Rechtfertigung der Gottlosen durch seinen Tod.“[95] Hier ist der Grundton der Hoffnungstheologie klar wiederzuerkennen. Nur modifiziert die Erfahrung Moltmanns von der noch nicht erlösten Weltwirklichkeit seinen Optimismus. „Österliche Hoffnungstheologie muß zur Kreuzestheologie umgekehrt werden, wenn sie die Füße auf den Boden der Realität des Todes Christi und unseres eigenen Sterbens bringen will.“[96]

2. *Konstituierung der Gotteslehre durch das Kreuz*

Über die Kontinuität der Hoffnungstheologie hinaus ist auch eine neue Entwicklung der Theologie Moltmanns deutlich feststellbar. Sie ist von seiner Welterfahrung und seinem Dialog mit der gegenwärtigen geistigen Umwelt hervor-

[94] GG 155. [95] GG 172f.

[96] GG 172. Die geläufige Meinung, die Kreuzestheologie Moltmanns enthalte einen Bruch mit der Hoffnungstheologie, stützt sich nicht auf aufmerksame Betrachtung seiner gesamten theologischen Entwicklung. Vgl. *R. Soler*, A Study of Jürgen Moltmann's Eschatologia Crucis (Frankfurt a.M. 1974) (unveröffentlichte Lizentiatsarbeit) 66ff.

gebracht. Er versucht, in der Herausforderung durch die Gegenwart den christlichen Glauben zu verantworten. Sein Programm ist dabei zunächst, das Kreuz Christi „im Zusammenhang seiner Auferstehung und folglich der Freiheit und der Hoffnung“[97] des Menschen und der Welt zu begreifen, was in der Tradition der Kreuzestheologie zu kurz kam. Er versucht dann, durch das Prinzip der Kreuzestheologie die traditionellen Lehren des Glaubens neu zu begründen und praktische Konsequenzen für alle Bereiche der soziologischen und politischen Probleme zu ziehen.

Wie E. Bloch in der Theologie der Hoffnung als Gesprächspartner Moltmanns auftrat, kommt hier vor allem die Fragestellung der „Negativen Dialektik“ und der „Kritischen Theorie“ von Th. W. Adorno und M. Horkheimer ins Gespräch[98]. Ihre Herausforderung gibt Moltmann den Anlaß, durch die Kreuzestheologie den christlichen Glauben über den Gegensatz des bisher vom Christentum vertretenen naiven Theismus gegenüber dem gegenwärtigen kritisch protestierenden humanistischen Atheismus hinauszuführen[99]. Horkheimer sagt einerseits: „Angesichts des Leidens auf dieser Welt, angesichts des Unrechts, ist es doch unmöglich, an das Dogma von der Existenz eines allmächtigen und allgütigen Gottes zu glauben.“[100] Anderseits muß Horkheimer selbst zugeben, „ohne die Sehnsucht nach dem ganz Anderen ist die radikale Kritik des Hiesigen unmöglich. Ohne Gedanken an die Wahrheit und das, was sie verbürgt, ist kein Wissen um ihr Gegenteil, die Verlassenheit des Menschen.“[101] Man kann nicht auf die Sehnsucht nach der Gerechtigkeit verzichten trotz oder gerade wegen des Unrechts und Elends der Welt. Darum ist nach Moltmann die Sehnsucht nach dem ganz Anderen bei Horkheimer die Sehnsucht nach der Gerechtigkeit Gottes in der Welt. „Wäre diese Sehnsucht nicht da, so wäre auch das Leiden an Ungerechtigkeit und Bosheit kein unstillbarer Schmerz.“[102] Moltmann sieht bei Horkheimer einen protestierenden Glauben, der über den platten Gegensatz von Theismus und Atheismus hinaus[103] dem Geheimnis Gottes und des Elends der Welt nahe kommt. Für Moltmann ist die Antwort im Kreuzestod Jesu gegeben. Der humanistische Atheismus, der sich als Antithese zum naiven Theismus ergibt, verliert sein Protestmotiv im Gottesglauben der Kreuzestheologie und findet in ihm sogar sein eigentliches Anliegen wieder.

Das Programm Moltmanns, die Kreuzestheologie in der gegenwärtigen Problematik der Welt zu entfalten, bedeutet darum, die christliche Gotteslehre angesichts des Schreis „der Elenden nach Gott und Freiheit aus der Tiefe der Leiden dieser Zeit“[104] eben durch das Geschehen des Kreuzestodes Jesu

[97] GG 9. [98] GG 10. [99] GG 211, 239ff.

[100] *M. Horkheimer,* Die Sehnsucht nach dem ganz Anderen (Hamburg 1970), zitiert von Moltmann, GG 211. [101] A. a. O. 56; GG 211.

[102] GG 209. [103] GG 211. [104] GG 146.

konsequent zu konstituieren. Das bedeutet gleichzeitig einen neuen Schritt für die Trinitätslehre. Es ist schon Luthers charakteristischer Ansatz, daß er das Kreuz Jesu als Geschehen zwischen Vater und Sohn auffaßt. Die eigentlich theologisch relevante Dimension des Kreuzes liegt in diesem „Riß" in Gott selbst. Moltmann entfaltet diesen Ansatz weiter, indem er versucht, das Kreuzesgeschehen Jesu konsequent trinitarisch zu klären und dadurch eine theologische Antwort auf die Weltprobleme zu geben, und umgekehrt durch dieses konkret geschichtliche Geschehen der Kreuzigung die Trinitätslehre innerlich auszuführen. Die genauere Untersuchung dieses Programms Moltmanns soll unsere Aufgabe in den späteren Kapiteln sein.

Drittes Kapitel

Methodischer Ansatz

Hier muß der Ort des Kreuzes Jesu, seine systembildende Funktion innerhalb der Theologie Moltmanns, systematisch dargestellt werden. Wichtig ist dabei die theologische Auseinandersetzung mit W. Pannenberg, der einen der unübersehbaren Beiträge zur gegenwärtigen deutschen evangelischen Christologie geleistet hat. Zwischen Pannenberg und Moltmann bestehen nämlich aus dem gemeinsamen Problembewußtsein derselben Generation viele Gemeinsamkeiten, gleichzeitig aber differenzieren sie sich voneinander in ihren Entfaltungen.

Man muß zunächst feststellen, welche Rolle das Kreuz Jesu in der Methodik der Christologie Moltmanns spielt. Dann muß auf dieser Grundlage die Rolle des Kreuzes ausführlicher dargestellt werden, und zwar in seiner christologischen Entfaltung in bezug auf zwei Dimensionen, die sich aufeinander untrennbar beziehen, nämlich auf die Geschichte und Person Jesu selbst und auf die gesamte Weltgeschichte.

I. Kreuz und Auferstehung Jesu in der Methodik der Christologie

1. Aufgabe der Christologie

a) „Wo immer Jesus als der Christus Gottes bekannt wird, da ist christlicher Glaube.“[1] In diesem Kern des christlichen Glaubens sieht Moltmann eine doppelte Aufgabe für die Christologie. Sie muß erstens erforschen, „was mit dem Bekenntnis ‚Jesus Christus‘ eigentlich gemeint ist“[2], und zweitens, was dieses Bekenntnis zu Jesus für das heutige Wirklichkeitsverständnis bedeutet. Zunächst muß sie „die innere Begründung und Berechtigung der Christologie in der Person und Geschichte Jesu aufweisen.“[3] Es ist die Frage nach dem historischen Jesus von Nazareth hinter dem Christusglauben, der im jeweiligen weltanschaulichen Horizont verschieden ausgedrückt wird. Es fragt sich also, ob

[1] GG 78. [2] GG 80. [3] GG 80.

die Christusverkündigung dem tatsächlichen Jesus entspricht, ob sie „mit innerer Notwendigkeit aus der vernommenen Person und Geschichte Jesu“[4] entspringt. Dann muß die Christologie weiter erforschen, was dieser hinter der Christusverkündigung aufgewiesene Jesus für uns heute, vor allem hinsichtlich der Befreiung des Menschen und der Gerechtigkeit der Welt bedeutet und wie er von uns heute in unserer Sprache verkündigt werden soll. „Die erste Aufgabe der Christologie ist demnach die kritische Verifikation des christlichen Glaubens an seinem Ursprung in Jesus und seiner Geschichte. Die zweite ist die kritische Verifikation des christlichen Glaubens in seinen Folgen für Gegenwart und Zukunft. Das erste kann man die Hermeneutik des Ursprungs nennen, das zweite die Hermeneutik der Wirkungen und Folgen.“[5]

Die beiden Fragerichtungen konstituieren nach Moltmann die zwei Seiten des einen Bekenntnisses zu Jesus und müssen sich ständig aufeinander beziehen. Das Christusbekenntnis überhaupt schließt immer diese Spannung in sich, denn in ihm wird ein partikularer Eigenname „Jesus“ mit einem universalen, sogenannten Hoheitstitel als Prädikat verbunden, das aussagen will, was dieser konkrete Jesus über die zeitliche Beschränkung hinaus universal bedeutet[6]. Die Hoheitstitel sind die Aussagen des Glaubens darüber, was Jesus für ihn bedeutet, und „wechseln also bei Übersetzungen des Glaubens in neue Sprachen und neue geschichtliche Situationen“[7]. Sie müssen aus dem jeweiligen Fragehorizont ständig neu formuliert werden.

Die Person und Geschichte Jesu ist dabei der Fixpunkt und das Kriterium, so daß alle christlichen Aussagen über Gott, Welt und Menschen sich konstitutiv auf ihn beziehen müssen[8].

Hier steht Moltmann in der Tradition der reformatorischen Kreuzestheologie, die er in der durch die Offenbarungstheologie K. Barths vermittelten Form übernommen hat. Das theologische Denken darf nicht vom universalen, allgemeingültigen System der Vernunft ausgehen, sondern einzig und allein vom konkreten geschichtlichen Ereignis Jesu, in dem Gott sich offenbart hat. Es ist nicht eine allgemeine Wahrheit in Jesus konkret geworden, sondern das konkrete, einmalige Ereignis der Kreuzigung und Auferstehung Jesu wird durch den universalen eschatologischen Horizont, den es vorauswirft, allgemein[9]. So übt Moltmann Kritik an den Christologien der Tradition, die versuchten, Jesus vom Fragehorizont des ewigen, ursprünglichen Seins[10] oder der anthropologischen Humanitätsidee her[11] aufzufassen. „Eine universal relevante christologi-

---

[4] GG 80. [5] GG 80f.

[6] Dazu vgl. *F. Hahn*, Christologische Hoheitstitel. Ihre Geschichte im frühen Christentum (Göttingen 1962). Zitiert v. Moltmann, GG 81, Anm. 6.

[7] GG 81. [8] GG 82 [9] ThH 127.

[10] GG 84–89. [11] GG 90–95.

sche Konzeption vom inkarnierten Gottessohn, vom Erlöser oder vom vorbildlichen Menschen kann nicht christlich sein ohne den unverwechselbaren Verweis auf seine einmalige Person und Geschichte."[12]

Daß die Person und Geschichte Jesu das Kriterium aller Christologien ist, bedeutet allerdings bei Moltmann keine Verabsolutierung der Jesulogie. Denn der historische Jesus selbst ist seinerseits noch offen und angewiesen auf den, der er sein wird[13]. Jesu Frage an die Jünger nach sich selbst (Mt 16, 13ff) war nach Moltmann keine neugierige Testfrage, sondern eine wirklich offene Frage[14]. Jesus lebte in einer Offenheit auf den hin, von dem er seine Offenbarung erwartete, und sprach auf die Zukunft hin, die seine Identität hervorbringen würde[15]. „Sein Gott und Vater soll ihn als den offenbar machen, der er eigentlich ist. Das von ihm selbst als nahe verkündigte und praktizierte Reich Gottes zeigt ihn als den, der er in Wahrheit ist."[16] „Die spezifische Christusfrage entsteht darum erst an ihm und durch ihn selbst."[17] Die Person und Geschichte Jesu selbst birgt in sich eine unabgeschlossene dialektische Spannung, die uns ständig nötigt, sie neu auszudrücken.

Die Dialektik der Geschichte Jesu wird nun bei Moltmann in ihrem Kernpunkt, im Geschehen von Kreuz und Auferstehung begründet. In der Identität des Auferstandenen mit dem Gekreuzigten wird uns die Verheißung seiner noch ausstehenden Zukunft gegeben[18]. Denn „Jesus wird in den Ostererscheinungen als der, der er wirklich *war*", wahrgenommen[19], und gerade deswegen kann gesagt werden: „Jesus wird in den Ostererscheinungen wahrgenommen als der, der er wirklich *sein wird*."[20] Seine Geschichte fordert also die Christologie, und zwar „durch seinen doppelten Lebensausgang aus dem Leben in den Tod und aus dem Tod in das neue Leben"[21].

b) Kreuz und Auferstehung Jesu sind damit bei Moltmann der inhaltliche Mittelpunkt der Christologie. Dies ist auf dem Hintergrund der gegenwärtigen christologischen Entwürfe zu sehen, die versuchen, vor allem anhand der neuesten Ergebnisse der historisch-kritischen Forschung (welche immer klarer die entstehungsgeschichtliche und inhaltliche Rückbindung des Glaubens an die Ostererlebnisse herausarbeitet), von der Auferstehung Jesu her die Christologie

---

[12] GG 100. [13] GG 100ff. [14] GG 101. [15] GG 101.

[16] GG 101; dazu vgl. O. *Weber,* Grundlagen der Dogmatik II (Neukirchen 1962) 75. „Er ist auf den hin, der er sein wird" (zitiert von Moltmann, GG 101).

[17] GG 102. [18] ThH 75. [19] ThH 75. [20] ThH 75.

[21] GG 103; hier übernimmt Moltmann die Terminologie *M. Kählers:* die Geschichte Jesu mit dem doppelseitigen Ausgang. Vgl. Zur Lehre von der Versöhnung, in: *ders.,* Dogmatische Zeitfragen. Alte und neue Ausführungen zur Wissenschaft der christlichen Lehre II (Leipzig 1898) 75–115, zitiert von Moltmann, GG 82. Auch GG 78, Anm. 2. In bezug auf die Rolle des Kreuzes in der Methodik der Christologie steht Moltmann *Kählers* Werk vor Augen: Das Kreuz. Grund und Maß der Christologie (Gütersloh 1911) zitiert von Moltmann, GG 9, 83, Anm. 10.

zu konstituieren. Der Beitrag W. Pannenbergs ist, daß er die konstitutive Bedeutung der Auferstehung Jesu für seine Sohnschaft und gleichzeitig für die gesamte Menschheitsgeschichte wiederentdeckt hat und so die Christologie für die Menschen in der heutigen Welt zu verantworten versucht[22]. Auch Moltmann hat hier den gleichen Ansatz, indem er die definitive Bedeutung der Auferstehung Jesu sowohl für seine Person selbst als auch für die Weltgeschichte sieht, unterscheidet sich aber von Pannenberg, indem er die Auferstehung Jesu unmittelbar in Einheit mit seinem Kreuzestod sehen will. Gott offenbart sich nach Moltmann gerade „in der Selbigkeit Jesu im qualitativen Unterschied von Kreuz und Auferstehung"[23] als treuer Gott. „Darauf gründet sich die Verheißung der noch ausstehenden Zukunft Jesu Christi."[24] „Die Christustitel, mit denen diese Identität Jesu in Kreuz und Auferstehung angesprochen und bezeichnet wird, greifen zugleich alle in die noch nicht erschienene Zukunft des Auferstandenen vor."[25] Die Auferweckung des Gekreuzigten bildet für seine Geschichte und Person eine dialektische Identität und führt gleichzeitig die gesamte Menschheitsgeschichte in eine dialektische Spannung bis zu ihrer letzten Vollendung.

Das Kreuz Jesu ist dabei, ohne von der Auferstehung getrennt gedacht zu werden, der alle Universalitätssysteme negierende Stachel für die Christologie. „Nicht erst der Wandel der Zeiten nötigt den Glauben dazu, immer neu nach Jesus und seiner Bedeutung für die Gegenwart zu fragen ... Er, der Gekreuzigte selbst, ist der treibende Grund, die Freude und das Leiden aller Theologie, die christlich ist. An dem Geheimnis des Gekreuzigten selbst vollzieht sich seit den Zeiten der Apostel die Geschichte des Glaubens und der Theologie; eine Geschichte permanenter Revisionen, Reformationen und Aufbrüche, um ihn als den zu erkennen, der er eigentlich ist, und ihm durch die Veränderung des eigenen Lebens und Denkens zu entsprechen."[26]

So stellt uns die Frage nach dem historischen Jesus selbst in die Spannung der Verheißungsgeschichte. Die Zukunftsoffenheit und Exzentrizität der Person und Geschichte Jesu stiften die Verheißungsgeschichte und stellen sie in eine Spannung, bis die neue Gerechtigkeit Gottes, die Jesus verkündigte und auf die hin er starb und auferweckt wurde, kein Ärgernis mehr ist. „Indem der Glaube Jesus als den Christus bekennt, bekennt er sich zugleich zu dieser seiner

---

[22] Grundzüge der Christologie (Gütersloh 1964) (Abkürzung: GCh). Der Ansatz, vom Auferstehungsgedanken her die Christologie zu konstituieren, ist heute allgemeiner Konsensus. Vgl. etwa *K. Rahners* neuen Entwurf der Christologie: Christologie – systematisch und exegetisch (Freiburg i. Br. 1972); *ders.*, Theologische Fragen zur Osterfrömmigkeit, SchTh IV, 157–172; *ders.*, Bemerkungen zur Bedeutung der Geschichte Jesu für die katholische Dogmatik, SchTh X, 215–226; *D. Wiederkehr*, Entwurf einer systematischen Christologie, in: MySal III/1, 477–648.
[23] ThH 75. [24] ThH 75. [25] ThH 75. [26] GG 83.

realen Zukunft. Sein Bekenntnis zu Jesus entspricht Jesus dann, wenn es zugleich seine Zukunft vorwegnimmt, auf die hin er existierte, starb und auferweckt wurde."[27] Der an Christus Glaubende nimmt seine Wahrheit durch das Bekenntnis vorweg und wird so in seine Zukunftsoffenheit hineingenommen. Das Christusbekenntnis ist „ein antizipierendes Urteil der Zuversicht"[28] in dieser noch nicht erlösten Welt.

2. *Methodenfrage*

a) Wenn der historische Jesus selbst in sich eine offene Dialektik impliziert und in die Spannung der Verheißungsgeschichte stellt, dann können folglich sogenannte Jesulogie (der historische Jesus) und Christologie (der Christus des Glaubens) keine echte Alternative darstellen[29]. Während die Kerygmatheologie Bultmanns die Entstehung der Christologie ausschließlich in der Ostererfahrung der Jünger sah, suchten sie seine Schüler hinter dem Auferstehungsereignis in Verkündigung und Werk des vorösterlichen Jesus[30]. Nach Moltmann sind aber sowohl die Geschichte und Person Jesu als auch seine Auferweckung durch Gott für die Entstehung des christlichen Glaubens konstitutiv[31]. Man muß zum Verständnis Jesu Christi kommen sowohl im Licht seines Lebens und Wirkens, das zu seiner Kreuzigung führte, als auch im Licht des eschatologischen Glaubens, der seine Auferweckung von den Toten und damit ihn als Christus verkündigt[32]. Es bedarf also zweier Lesarten, der ontisch-historischen und der noetisch-eschatologischen[33]. „Beide Betrachtungsweisen müssen wechselseitig aufeinander bezogen werden, wenn seine Wahrheit sowohl wahrgenommen wie begriffen werden soll. Man kann hier weder die historische Betrachtung vom eschatologischen Begreifen trennen, noch nachträglich beide zusammensetzen... Es handelt sich um ein und dieselbe Person und ihre einmalige Geschichte. Der auferweckte Christus *ist* der historische und gekreuzigte Jesus und umgekehrt."[34]

b) Damit besteht für Moltmann kein echter Gegensatz zwischen Christologie „von oben" und Christologie „von unten". Der Gegensatz entsteht nur, wenn zwischen Seinsordnung (ratio essendi) und Erkenntnisordnung (ratio cognoscendi) ein und derselben Sache nicht unterschieden wird[35]. „Jede Erkenntnis

---

[27] GG 103. [28] GG 103.
[29] GG 105ff, 147ff; über die gesamte Entwicklungsgeschichte der Frage nach historischem Jesus und Christus des Glaubens vgl. *R. Slenczka*, Geschichtlichkeit und Personsein Jesu Christi. Studien zur christologischen Problematik der historischen Jesusfrage (Göttingen 1967).
[30] Vgl. *Slenczka*, a.a.O. bes. 102–115. [31] GG 148.
[32] GG 105. [33] GG 149. [34] GG 147. [35] GG 88.

beginnt induktiv ‚von unten' und ist aposteriori, und jede geschichtliche Erkenntnis ist post festum. Das zu Erkennende und Erkannte aber geht ihr voran. Der Gegensatz einer ‚Christologie von unten' und einer ‚Christologie von oben' ist ein nur scheinbarer."[36] Sie müssen sich aufeinander beziehen und gegenseitig ergänzen, denn um den eigentlichen Sachverhalt der Auferstehung und ihr Verhältnis zum Kreuz zu bestimmen, reicht der Ansatz der sogenannten Christologie „von unten" allein nicht aus, auch wenn sie die historische Realität der Auferweckung behaupten zu können meint[37]. Wenn nämlich gesagt wird, daß Gott sich in Jesus offenbart, dann wird dabei dieser Sachverhalt als von Gott bestimmt gedacht, und insofern muß das Verfahren der Christologie „von unten" notwendigerweise die Christologie „von oben" implizieren[38].

c) In diesem Zusammenhang muß das Wahrheitsverständnis der Christologie Moltmanns berücksichtigt werden. Wenn nämlich Moltmann den Gegensatz einer Christologie „von oben" und einer Christologie „von unten" aufheben will, folgt das nicht nur aus der sachlichen Einheit von Erkenntnisordnung und Seinsordnung, sondern aus seiner dynamischen Auffassung eben dieser Seins-

---

[36] GG 88; in bezug auf diese Frage vgl. *Slenczka*, a.a.O. 309–315; *W. Kasper*, Christologie von unten? Kritik und Neuansatz gegenwärtiger Christologie, in: *L. Scheffczyk* (Hrsg.), Grundfragen der Christologie heute (Freiburg i.Br. 1975) 141–170. Moltmann kritisiert an Pannenbergs Unterscheidung einer Christologie ‚von oben' und einer Christologie ‚von unten' (GCh 26–31), daß er das Verhältnis der Erkenntnisordnung zur Seinsordnung nicht beachte. Vgl. GG 86, Anm. 18 u. 19. Ähnlich äußert sich auch *W. Kasper*, a.a.O. 142. Nun stellt man aber in der Sache selbst eher Einstimmigkeit als Unterschied zwischen Moltmann und Pannenberg fest. Moltmann führt aus: „Wird Jesus erst von seinem Ende in Kreuz und Auferweckung her als Gottessohn erkennbar, so geht dem Sein nach seine Gottessohnschaft seiner Geschichte voran" (GG 88), aber *Pannenberg* selbst kennt dasselbe Verhältnis: „Beruht so noetisch die Erkenntnis der ewigen Sohnschaft als dialektisch identisch mit seinem Menschsein auf der Besonderheit eben dieses Menschseins in seiner Beziehung zum göttlichen Vater, so verhält es sich ontologisch umgekehrt; denn die göttliche Sohnschaft bezeichnet den Seinsgrund, in welchen das menschliche Dasein Jesu, verbunden mit dem Vater und doch unterschieden von ihm, den Grund seiner Einheit und seines Sinnes hat" (GCh 349). Es ist an sich *Pannenbergs* aufschlußreicher Gedanke selbst, den auch Moltmann anerkennt (GG 168f), „daß von der Auferweckung Jesu her, vom Ende seines Weges her rückwirkend sein Wesen begründet ist, nicht nur für unsere Erkenntnis, sondern auch seinshaft" (GCh 135). Wenn also Pannenberg die Christologie „von unten" in einen Gegensatz zur Christologie „von oben" stellt, meint er nur ihr noetisches Verfahren; und wenn Moltmann „die selbstkritische Rückfrage des Glaubens nach Jesus und seiner Geschichte" (GG 108) stellt, bedeutet das im Grunde nichts anderes als Legitimation und Notwendigkeit eben dieser Christologie ‚von unten'. Die Frage des Christen, „ob sein Glaube an Jesus Christus wahr ist und Jesus selbst entspricht oder ob die christliche Tradition ihm oder sich selbst etwas anderes an seine Stelle gesetzt hat, eine Idee, einen Geist oder ein Phantom" (GG 108), ist eine gemeinsame Frage sowohl für Moltmann als auch für Pannenberg (GCh 13).

[37] Dazu vgl. *W. Kasper*, a.a.O. 150.

[38] Auch *Pannenberg* vollzieht in diesem Punkt eine gewisse Korrektur zu seiner früheren Position, wenn er sagt: „Ist Jesu Botschaft von Gott wahr, so ist seine menschlich-historische Gestalt nur von seinem Gott her, als gänzlich von diesem Gott bestimmt, verstehbar ... auch die Christologie von unten muß die Gottheit Gottes als schon anderwärtig bekannt voraussetzen" (Christologie und Theologie, KuD 21 [1975] 161).

ordnung selbst. Es geht weder um die Enthüllung und Klärung des schon vorhandenen Wesens Christi noch um die fertige Struktur der göttlichen Ordnung, sondern eben der Christus selbst ist offen und darauf hin, was er in der Zukunft seiner Herrschaft sein *wird*.

Das entspricht der Grundkonzeption Moltmanns, die Gottesoffenbarung als Verheißung zu verstehen. „Verheißung kündigt eine Wirklichkeit aus der Zukunft der Wahrheit an, die noch nicht ist. Sie steht in einer spezifischen inadaequatio rei et intellectus zur vorhandenen und gegebenen Wirklichkeit."[39] Grundlegend ist hier der Wahrheitsbegriff als inadaequatio rei et intellectus, den er aus der Hoffnungsphilosophie E. Blochs übernommen hat und auf die christliche Theologie anwendet, im Gegensatz zum aristotelischen Wahrheitsbegriff als adaequatio rei und intellectus[40].

Darum heißt der Grundsatz Moltmanns für die theologische Erkenntnis: spero, ut intelligam, womit er den Anselmschen Satz: credo, ut intelligam, umformuliert[41]. Die Wahrheit Christi ist folglich weder von der rationalen Vernunft widerspruchslos aufzuweisen noch blind und begründungslos aufzunehmen, sondern kann in ihrer Wirkung in der Leidensgeschichte der Welt wahrgenommen werden[42], und zwar durch einen den damaligen Glauben der Jünger Jesu mitvollziehenden Glauben, der durch die Erfüllung ihrer Hoffnung in der Vergangenheit die Bestätigung für die Verheißung in der Zukunft fand[43].

d) Die Diskussion um die Historizität der Auferstehung Jesu ist mit dieser Wahrheitsfrage unmittelbar verbunden. Pannenbergs Programm der Christologie „von unten" ist nämlich ein Versuch, gegen die Trennung von Glauben und Erkennen, die durch die Trennung der dialektischen Theologie von Heilsgeschichte und Weltgeschichte entstand, den christlichen Glauben vor der gegenwärtigen Vernunft zu verantworten. Die historisch gesicherte Ausweisbarkeit des Auferstehungsgeschehens ist darum für die Christologie Pannenbergs der Angelpunkt, von dem her der faktische Glaube verstehbar wird. Der Auferstehungsglaube, auf den sich die gesamte Christologie stützt, darf nicht von der subjektiven Entscheidung des Menschen abhängig sein, sondern muß aus dem objektiven Grund, extra me kommen.

Gewiß wird in der Aussage, Jesus sei wirklich auferstanden, die geschichtliche Realität des Geschehens in ihrer inneren Logik implizit behauptet, denn was in der innerweltlichen Geschichte überhaupt geschieht, muß notwendigerweise raumzeitlich lokalisierbar sein. Es ist heute sicherlich keine Anmaßung zu sagen,

---

[39] ThH 75.
[40] Vgl. ThH 106f.
[41] ThH 28.
[42] Dazu vgl. Gottesoffenbarung und die Wahrheitsfrage, in: PTh 13–35; ThH 250–279, GG 95.
[43] GG 159f; PTh 66, 78.

daß trotz aller Verwirrung und Meinungsverschiedenheiten ein gewisser Konsens in der gegenwärtigen exegetischen Forschung in bezug auf die Realität des Auferstehungsgeschehens zu finden ist. Die Jünger erlebten tatsächlich die Begegnung mit dem Auferstandenen[44]. Allerdings heißt das nicht die Historizität im Sinne der Verifizierbarkeit durch die historisch-kritische Methode, denn in aller Betonung der Realität des „Daß" des Geschehens bleibt das „Was" des Geschehens der historischen Forschung entzogen. Nach Moltmann ist es eine ganz analogielose neue Wirklichkeit, die alle menschlichen Vorstellungskategorien übersteigt. „Die Auferweckung Jesu von den Toten durch Gott spricht noch nicht ‚die Sprache der Tatsachen', sondern erst die Sprache des Glaubens und der Hoffnung, d. h. die ‚Sprache der Verheißung'."[45] So unterscheidet sich Moltmann von Pannenberg, daß er die Auferweckung Jesu „geschichtlich" in dem Sinne, daß sie Geschichte stiftet, versteht[46]. Die alleinige Christologie „von unten" kann nichts über die eigentliche Bedeutung dessen sagen, was die Zeugen nur mit Hilfe ihrer Vorstellungsbilder aus dem apokalyptischen Überlieferungshorizont als Vorwegnahme der allgemeinen Auferstehung der Toten verstanden haben. „Doch kann eine Vorwegnahme sich als solche und damit das Vorwegzunehmende nur im Kontext des Vorweggenommenen selbst bestätigen."[47]

II. Die Geschichte Jesu mit dem doppelten Ausgang

1. Die Einheit von Verkündigung und Person

a) Hier muß die konstitutive Funktion der Auferweckung des Gekreuzigten zunächst für die eigene Geschichte und Person Jesu selbst herausgestellt werden.

---

[44] Vgl. vor allem *J. Kremer*, Das älteste Zeugnis von der Auferstehung Christi. Eine bibeltheologische Studie zur Aussage und Bedeutung von 1 Kor 15,1–11 (Stuttgart 1967); *F. Mußner*, Die Auferstehung Jesu (München 1969); *J. Kremer*, Die Osterbotschaft der vier Evangelien (Stuttgart 1967); *K. Lehmann*, Auferweckt am dritten Tag nach der Schrift. Früheste Christologie, Bekenntnisbildung und Schriftauslegung im Licht von 1 Kor 15,3–15 (Freiburg i. Br. ²1969); *E. Ruckstuhl/J. Pfammatter*, Die Auferstehung Jesu Christi. Heilsgeschichtliche Tatsache und Brennpunkt des Glaubens (Luzern – München 1968); *P. Seidensticker*, Die Auferstehung Jesu in der Botschaft der Evangelisten. Ein traditionsgeschichtlicher Versuch zum Problem der Sicherung der Osterbotschaft in der apostolischen Zeit (Stuttgart 1967); *H. Schlier*, Über die Auferstehung Jesu Christi (Einsiedeln 1968); *H. U. v. Balthasar*, Mysterium Paschale, in: Mysal III/2, 133–319; *U. Wilckens*, Auferstehung. Das biblische Auferstehungszeugnis historisch untersucht und erklärt (Stuttgart – Berlin 1970).

[45] Vgl. GG 160, ThH 204ff. [46] ThH 72, 164.

[47] GG 159; vgl. auch KKG 239ff; dazu die Stellungnahme Pannenbergs in: *I. Berten*, Geschichte, Offenbarung, Glaube. Eine Einführung in die Theologie Wolfhart Pannenbergs (München 1970) 129–141.

Sie muß im Kontext der Persongebundenheit seiner Verkündigung betrachtet werden. Denn nur diese ist der Schlüssel, um auf die Frage nach dem Verhältnis von Verkündigung Jesu und Christuskerygma der Urchristenheit eine Antwort zu finden. Die Sache selbst bleibt identisch trotz der Differenz der theologischen Situation, d. h. daß in der Geschichte Jesu die Herrschaft Gottes schon irreversibel angebrochen und seine Gerechtigkeit als das Recht der Gnade offenbar ist[48]. Die Verkündigung Jesu ist also unabdingbar und unübertragbar an seine Person gebunden[49]. Sein Wort wird in ihm Ereignis[50]. Das bedeutet gleichzeitig, daß in seiner Verkündigung der Absolutheitsanspruch implizit erhoben ist, daß das Verhältnis der Menschen zu ihm über ihr letztes Bestehen oder Nichtbestehen im Kommen des Reiches entscheidet. „Das Besondere seiner Verkündigung des Reiches liegt darin, daß er die Nähe, das Eingehen und Ererben des Reiches an die Entscheidung und Stellung der Hörer zu seiner eigenen Person bindet."[51] Gerade wegen dieser Persongebundenheit entsteht das eigentliche Ärgernis des Kreuzes im vollen Sinn, denn sein Tod ist gleich dem Tod seines eschatologischen Wortes[52]. „Wenn es richtig ist, daß Jesu Reichsverkündigung wesentlich und nicht nur zufällig mit seiner Person verbunden war, dann können auch keine historischen oder geschichtsphilosophischen, sprachgeschichtlichen oder existenzgeschichtlichen Kontinuitäten die Diskontinuität, die in seinem Tod liegt, überbrücken."[53] Darum ist die Frage, wie aus dem verkündenden Jesus der verkündigte Christus wurde, nicht nur eine historische Frage, sondern vielmehr eine christologische Frage: wie aus dem Gekreuzigten der Auferweckte wurde[54].

b) „Seine Verkündigung ist bis in seinen Tod hinein in seine Person eingegangen."[55] Daraus ergibt sich, daß die Sinndeutung des Kreuzestodes Jesu durch die urchristliche Gemeinde, in deren Kontext nur sein Leben und Tod uns zugänglich ist[56], zunächst dahingehend geprüft werden muß, ob sie dem tatsächlichen Lebensprozeß Jesu entspricht, denn „keine Deutung seines Todes kann

---

[48] Vgl. GG 113f.
[49] GG 114.
[50] GG 115. Vgl. *R. Bultmann*, Glauben und Verstehen I (Tübingen 1933) 274.
[51] ThH 198; *W. Pannenberg* sieht hier die Vorwegnahme dessen, was durch die Auferweckung Jesu von Gott bestätigt wird; d.h., der Anspruch Jesu in seiner Verkündigung, daß die Begegnung Jesu mit den Menschen schon das Geschick dieser Menschen proleptisch entscheide, wird durch seine Auferweckung von den Toten rückwirkend begründet (GCh 47ff). Die Auferweckung Jesu ist ihrerseits die Vorwegnahme der Auferstehung der Toten, die am Ende der Universalgeschichte sich ereignen wird.
[52] GG 115.
[53] GG 115.
[54] GG 112f, 117.
[55] GG 117.
[56] Vgl. GG 119.

von seiner Person und seinem Wirken absehen"[57]. Nach Moltmann muß der Kreuzestod Jesu sowohl im Kontext seines Lebens als auch im Kontext des urchristlichen Auferstehungsglaubens betrachtet werden, denn diese beiden Aspekte beziehen sich untrennbar aufeinander. Die Deutung des Todes Jesu durch die Ostererlebnisse muß darum auch auf die historischen Ursachen zurückgreifen.

Nun sieht Moltmann drei Ursachen des Todes Jesu, deren theologische Relevanz betrachtet werden muß: sein Konflikt mit dem Gesetzesverständnis der Juden, sein Konflikt mit der religiös-politischen Macht Roms und sein Konflikt mit Gott, seinem Vater[58].

1. Jesus wurde von der Autorität der jüdischen Religion im Namen des Gesetzes als Gotteslästerer verurteilt. „Jesus verkündigte mit beanspruchter Vollmacht Gott als den, der in seiner eschatologischen Hinwendung zum verlorenen Menschen frei ist von der Observanz des Menschen gegenüber den Gesetzesvorschriften und sich in zuvorkommender Liebe dieser Menschen gnädig erbarmt."[59] Er demonstrierte durch seine Hingabe für Gesetzlose und Gesetzesbrecher die neue Gerechtigkeit Gottes als voraussetzungslose und freie Gnade, die das Verlorene sucht und die Ungerechten annimmt[60]. Damit setzte sich Jesus sachlich, auch wenn er historisch keinen Messiastitel beansprucht haben mag, über die Autorität des Gesetzes. Seine Hinrichtung war nicht ein geschichtlicher Zufall, sondern eine notwendige Konsequenz seines Konfliktes mit dem Gesetz[61]. Sein Leben war ein theologischer Rechtsprozeß um die wahre Gerechtigkeit Gottes. Das Kreuz bedeutete darum zunächst die Widerlegung seines Anspruchs, der nur durch die Auferweckung wiederhergestellt werden konnte[62].

2. Moltmann hält es für nicht weniger wichtig, daß Jesus als Unruhestifter

---

[57] GG 119; das ist auch das Vorgehen *Pannenbergs*. Erst durch die Ostererlebnisse hat die urchristliche Gemeinde den gekreuzigten Jesus als den Christus bekannt und seinen Tod als Sterben für uns gedeutet. Weil aber dabei ihre aus dem Überlieferungshorizont stammenden Vorstellungsbilder zugrunde liegen, die für unser Verständnis heute nicht konstitutiv sein können, müssen die urchristlichen Verständnisse des Todes Jesu nach Pannenberg aus dem Zusammenhang der tatsächlichen Geschichte Jesu geprüft werden. Vgl. GCh 251–288; dazu auch vgl. *H. Schürmann*, Jesu ureigener Tod. Exegetische Besinnungen und Ausblick (Freiburg i. Br. ²1976); das Verständnis des Tods Jesu als Stellvertretung für uns behandeln wir später im 5. Kapitel, I (2.).

[58] GG 121–146. [59] GG 121. [60] GG 123. [61] GG 125f.

[62] GG 125f; auch *Pannenberg* sieht den historischen Weg Jesu zum Kreuz hauptsächlich in seinem Konflikt mit dem jüdischen Gesetz. Die Urchristenheit hat zwar nachträglich seinen Tod gedeutet als einen stellvertretenden Tod, der vom verborgenen Willen Gottes bestimmt war (GCh 252ff). Dabei sind aber manche ihrer Vorstellungen nicht ganz unproblematisch, denn sie entsprechen nicht dem tatsächlichen Geschehen. Die Kreuzigung ist nicht von Jesus aktiv vollzogen worden, auch wenn er die Reaktion der Juden mehr oder weniger bewußt provoziert hat (GCh 251). Die in den Evangelien oft wiederholten Leidensweissagungen Jesu sind auch nur als vaticinia ex eventu zu verstehen (GCh 251). Sein Tod war ganz und gar für ihn ein Widerfahrnis, das er als Konsequenz

von der römischen Besatzungsbehörde hingerichtet wurde[63]. Seine Hinrichtung geschah durch die Kreuzigung, die eine politische Strafe für Aufrührer gegen die religiös-politische Ordnung des Imperium Romanum war. Man kann das nach Moltmann nicht einfach als Zufall bezeichnen. Einerseits richtete sich zwar die Reichsbotschaft Jesu, anders als bei den Zeloten, die das Volk unmittelbar zum Befreiungskampf gegen Rom aufriefen, auf „die entwaffnende Freude am Gnadenrecht Gottes"[64]. Insofern kann man mit Bultmann den politischen Vorgang seiner Kreuzigung ein Mißverständnis der Römer nennen[65]. Aber anderseits war seine Verkündigung der neuen Gerechtigkeit Gottes im tieferen Sinn höchst politisch, denn sie stellte die Pax Romana mit ihren Göttern und Gesetzen radikal in Frage[66]. In damaliger Zeit fielen die politische und die religiöse Situation so untrennbar zusammen, daß man das Auftreten Jesu nicht einfach als auf den privaten religiösen Bereich beschränkt verstehen kann[67]. Vielmehr war es eine grundsätzliche Bedrohung für diejenige Weltmacht und diejenige Herrschaft des Menschen, die sich selbst, gegen das Reich Gottes, verabsolutieren will. Auch wenn Jesus wahrscheinlich nicht ein nationalistisches, revolutionäres Bewußtsein im Volk wecken wollte und so die Anklage, er stifte Unruhe gegen Rom, nur ein Vorwand war, muß man doch, die historischen Taten und die Person Jesu als eine theologische Geschichte betrachtend, seine Kreuzigung als eine innerlich notwendige Konsequenz seines Konfliktes mit der religiös-politischen Macht ansehen[68].

3. Moltmann zählt schließlich noch ein entscheidendes Moment zum historischen Prozeß des Kreuzes Jesu, nämlich seine Verlassenheit von Gott, den er seinen Vater nannte[69]. Man kann historisch im Kontext seines Lebens und Todes feststellen, daß die eigentlich innere Qual seines Leidens und Sterbens von seiner Verlassenheit von Gott kommt, dessen Nähe und dessen Gnade er selbst verkündet hatte. Für Jesus hing „nach seiner ganzen Verkündigung die Sache, für

---

seines Konfliktes mit dem Gesetz auf sich nehmen mußte. Auch die Betonung seiner Sündenlosigkeit in den urchristlichen Deutungen des Todes Jesu ist problematisch, denn dadurch wird die wirkliche Tiefe des Konflikts, die eine entscheidende theologische Bedeutung in sich birgt, nicht ernst genug berücksichtigt (GCh 257). Seine Hinrichtung entstand nicht in erster Linie aus dem bösen Willen der Feinde Jesu, sondern jeder gesetzestreue Jude müßte genau dieselbe Konsequenz aus dem Verhalten Jesu ziehen (GCh 259f).

[63] GG 129–138.

[64] GG 135; J. Moltmann stützt sich dabei auf die exegetische Forschung über Gemeinsamkeit und Unterschied Jesu mit den Zeloten, GG 131f. Dazu vgl. bes. *M. Hengel*, War Jesus Revolutionär? (Stuttgart 1970); *ders.*, Die Zeloten. Untersuchungen zur jüdischen Freiheitsbewegung in der Zeit von Herodes I. bis 70 n. Chr. (Leiden – Köln 1961); *ders.*, Gewalt und Gewaltlosigkeit. Zur „politischen Theologie" in neutestamentlicher Zeit (Stuttgart 1971); *ders.*, „Politische Theologie", und neuzeitliche Zeitgeschichte, KuD 18 (1972), 18–25.

[65] *R. Bultmann,* Das Verhältnis der urchristlichen Christusbotschaft zum historischen Jesus, Sitzungsberichte der Heidelberger Akademie der Wissenschaften (Heidelberg 1960).

[66] GG 137. [67] GG 130f. [68] GG 131, 137. [69] GG 138–146.

die er lebte und wirkte, mit seiner eigenen Person und seinem Leben so eng zusammen, daß sein Tod auch der Tod seiner Sache sein mußte. Erst das macht die Einzigartigkeit seines Kreuzestodes aus."[70] Hier wird die Gottheit Gottes und die Vaterschaft des Vaters, die er durch sein Leben bezeugt hatte, in Frage gestellt[71]. Auf diese durch das Kreuz Jesu eröffnete Frage muß darum mit der Auferweckung geantwortet werden. Daraus ergibt sich die entscheidende Bedeutung des Kreuzes Jesu für die christliche Gotteslehre überhaupt, was uns in den späteren Kapiteln beschäftigen soll.

2. *Die Auferweckung des Gekreuzigten als dialektische Identität der Person Jesu*

Weil die Sache Jesu wesentlich mit seiner Person verbunden ist, bedeutet seine Hinrichtung eine totale Widerlegung seiner Botschaft. Als nur historische Person wäre er durch seinen Kreuzestod längst erledigt gewesen[72]. Allein seine Auferweckung von den Toten qualifiziert ihn zum Christus Gottes und bestätigt seine Verkündigung. Die Botschaft Jesu, die ihn zum Kreuz führte, wird also erst im Licht der Auferweckung verstanden, obwohl dabei, wie oben gesagt, nicht vergessen werden darf, daß der Auferstehungsglaube in der Geschichte und Person Jesu sein Kriterium hat. Es ist auch das Anliegen W. Pannenbergs, im Ereignis der Auferweckung Jesu von den Toten die göttliche Bestätigung seines vorösterlichen Anspruchs zu sehen[73]. Dabei wird der Tod Jesu nur als notwendige Folge des Konfliktes, der durch seinen Anspruch entstand, verstanden, aber nicht als wesentlich konstitutives Moment für seine Person. Wenn aber diese harte Antithese von Anspruch und Scheitern nicht ernst genug genommen wird, wird auch die Identität von vorösterlichem Jesus und auferstandenem Christus nicht hinreichend zum Ausdruck kommen[74], weil gerade diese

[70] GG 142. [71] GG 143ff. [72] GG 149.

[73] *Pannenberg* versucht, den nachbultmannschen Dissens über die Entstehung des christlichen Glaubens dadurch zu lösen, daß er den vorösterlichen Anspruch Jesu noch zweideutig sieht, der erst in der Auferweckung eindeutig bestätigt werden mußte (GCh 47–61). Obwohl auch Moltmann sowohl die Ostererlebnisse der Urchristenheit als auch die vorösterliche Verkündigung Jesu konstitutiv für den christlichen Glauben hält, distanziert er sich von Pannenberg darin, daß bei Pannenberg der Skandal der qualitativen Differenz von Kreuz und Auferstehung nicht genügend berücksichtigt sei: „W. Pannenberg hat die formale Struktur der Prolepse in Jesu Anspruch und ihrer Bestätigung im Auferweckungsgeschehen so einseitig betont, daß dabei die Bedeutung der harten Antithese zwischen Anspruch und Bestätigung Jesu in seinem Kreuz leicht übersehen werden kann" (GG 163, mit Anm. 28). „Bestätigung Jesu in seinem Kreuz" heißt hier seine konsequente Einheit von Wort und Tat, die die Botschaft des Gnadenrechts Gottes bestätigt, die allerdings wie totales Scheitern aussieht und darum durch die Auferweckung im Pannenbergschen Sinn durch Gott bestätigt werden muß.

[74] Vgl. Moltmanns Kritik an Pannenberg, GG 163f, 168f.

Identität des Widersprüchlichen nach Moltmann der Inhalt des Auferstehungsgeschehens ist. Die zwei Erlebnisse der Jünger, einmal die Kreuzigung Jesu und sodann die Begegnung mit dem lebendigen Jesus, waren widersprüchlich. Das erste war für sie ein Erlebnis, daß der von Gott Gesandte und in dieser Aufgabe Treue von diesem Gott selbst verlassen wurde. Das zweite war aber das Erlebnis, daß dieser Gekreuzigte lebend erschien und darum Gott doch dem Gottverlassenen nah war. Das Geschehen, das zwischen diesen beiden widersprüchlichen Erlebnissen liegen mußte, haben die Jünger mit dem Begriff „Auferstehung der Toten" ausgedrückt. In diesem Geschehen besteht also nach Moltmann eine Identität in der Dialektik. „Weder kann die Auferstehung auf das Kreuz als dessen Bedeutsamkeit noch kann das Kreuz auf die Auferstehung als deren Vorstufe reduziert werden. Es handelt sich formal um eine dialektische Identität, die nur durch den Widerspruch besteht, und um eine Dialektik, die in der Identität besteht."[75]

Darum wird der Inhalt des Auferstehungsglaubens durch den historischen Weg Jesu zum Kreuz konstitutiv bestimmt. „Die Qualifikation seiner Person zum Christus Gottes und seine Inthronisation zum Kyrios konnten nicht von seiner Auferweckung an datiert werden, so als sei sie vorher nicht gewesen, oder als sei der irdische Jesus nur der Vorläufer des himmlischen Christus... Die Einheit seiner Person verlangt sachlich die Aussage, daß der gekreuzigte Jesus von Nazareth zum Kyrios Gottes erhöht ist."[76] Weil der auferweckte Christus der im Namen des Gesetzes verurteilte, von der politischen Macht hingerichtete und von Gott selbst verlassene Jesus ist, bedeutet das Wiederaufrollen dieses Prozesses durch Gott die Befreiung des Menschen von Werkgerechtigkeit, von religiös-politischer Autorität und von der Unmenschlichkeit der Gottverlassenheit. Moltmann sieht allein in der dialektischen Identität die Antwort auf den „Skandal der qualitativen Differenz" (Marcuse) zwischen der unerlösten Welt und dem verheißenen Reich[77]. Darum kann das Kreuz Jesu die „immanente Dimension" der Auferstehung genannt werden[78].

Moltmann dehnt diese Dialektik von Kreuz und Auferstehung ferner auf die gesamte Menschheitsgeschichte aus. Der Ausdruck „Die Auferstehung der Toten" beinhaltet die Erwartung, daß am Ende der Zeit Gott sein Gottsein erweisen werde, daß Gott im Nichts seine Schöpfermacht erweisen werde. Das Zeugnis der Auferstehung spricht also nicht nur das Geschehen in Jesus aus, sondern die eschatologische Erwartung[79]. Gott offenbart in der Auferweckung Jesu seine Treue. Er erweist nicht nur, daß er in der Verheißung der Vergangenheit treu ist, sondern garantiert auch, daß er diese Verheißung am Ende der

[75] ThH 182. [76] GG 168. [77] GG 160.
[78] Vgl. GG 174. [79] ThH 179.

Zeit vollenden wird. Er verspricht dort nicht nur die Zukunft Christi, sondern auch die Offenbarung seines Gottseins[80]. „Was an ihm (sc. Christus) geschah, wird als Anbruch und verbürgte Verheißung der kommenden Herrschaft Gottes über alles, als Sieg des Lebens aus Gott über den Tod verstanden. Kreuz und Auferstehung sind dann nicht nur modi an der Person Christi. Ihre Dialektik ist vielmehr eine offene Dialektik, die ihre aufhebende Synthese erst im Eschaton aller Dinge finden wird."[81] So stellt uns die Geschichte und Person Jesu in die Dialektik der Welt-Geschichte hinein[82]. Darüber ist später noch ausführlicher zu sprechen.

3. Das Kreuz als Grund der Heilsbedeutung der Auferstehung

Moltmann beschreibt das Verhältnis von Kreuz und Auferstehung folgendermaßen: „Es ist ein Geschehen und eine Person. Die Addition von ‚Kreuz und Auferweckung' meint nur das zeitlich unausweichliche Nacheinander der Rede, nicht eine Aneinanderreihung von Tatsachen, denn Kreuz und Auferweckung sind nicht Tatsachen auf derselben Ebene; mit dem ersten Ausdruck wird ein historisches, mit dem zweiten ein eschatologisches Geschehen an Jesus bezeichnet."[83] Das bedeutet nicht eine Bultmannsche Reduzierung des Auferstehungsgeschehens auf die Bedeutsamkeit des Kreuzes – was Moltmann ausdrücklich zurückweist[84] –, wohl aber eine untrennbare Einheit beider, wobei das eine ohne das andere unmöglich zu verstehen ist, so daß sie als Gotteswirklichkeit nur als ein einziges Geschehen betrachtet werden[85].

---

[80] ThH 182. [81] ThH 183.

[82] Vgl. auch, Die ersten Freigelassenen der Schöpfung. Versuche über die Freude an der Freiheit und das Wohlgefallen am Spiel (München 1971) (Abkürzung: EFSch), 39.

[83] GG 189.

[84] Vgl. GG 148, 170 mit Anm. 41, 173f. Vgl. *R. Bultmann*, Neues Testament und Mythologie. Das Problem der Entmythologisierung der ntl. Verkündigung, in: *H.-W. Bartsch* (Hrsg.), Kerygma und Mythos I (Hamburg 1948) 44ff.

[85] Der Ansatz, Kreuz und Auferstehung Jesu als eine einzige Gotteswirklichkeit aufzufassen, liegt vor allem im Johannesevangelium vor. Bei Johannes meint nämlich die Stunde Jesu sowohl die Stunde seines Todes als auch die Stunde seiner Verherrlichung (2, 4; 7, 6; 7, 8; 7, 30; 8, 20; 12, 23; 12,27; 13,1; 17,1); sein Erhöhtwerden heißt sowohl „am Kreuz hingerichtet werden" als auch „zum Vater zurückkehren" (3, 14; 8, 28; 12, 33f). Der Augenblick des Todes Jesu ist gleichzeitig der Augenblick seiner Verherrlichung. Die Stunde, auf die Jesus durch sein ganzes Leben hinstrebte, ist seine Erlösungstat am Kreuz und seine Erhöhung durch Gott. Das sagt zwar nicht, daß die nachfolgenden Erscheinungen des Auferstandenen unnötig gewesen wären oder daß die Historizität des Auferstehungsgeschehens nicht relevant wäre, sagt aber, daß Kreuz und Auferstehung in der Gotteswirklichkeit ein Geschehen sind, und daß die Erlösungstat Christi am Kreuz erst in der Auferstehung vollendet wird. Diesen Sachverhalt formuliert *K. Rahner* sehr treffend: „... daß Tod und A. J. (sc. Auferstehung Jesu) ein einziger, innerlich in seinen Phasen unlöslich zusammenhängender Vorgang sind... Bei Jesus muß darum die Auferstehung das vollendete und

Einerseits bestätigt die Auferweckung Jesu seine eschatologische Stellung, so daß von da aus der Tod eben dieser eschatologischen Person als Sterben für uns verstanden wird. Erst im Licht seiner Auferweckung von den Toten gewinnt sein Tod den einmaligen Heilssinn. Die Auferweckung Jesu qualifiziert darum sein Leiden und Sterben zum Heilsgeschehen für uns[86]. Moltmann sieht, einig mit Pannenberg, die Priorität der Auferweckung darin, daß sie nicht nur in der Erkenntnisordnung, sondern auch in der Seinsordnung rückwirkend die eschatologische Stellung Jesu für uns konstituiert[87]. Anderseits macht allein der Tod Jesu am Kreuz für uns gerade seine Auferweckung uns voran relevant. Jesus wird zwar durch die Auferweckung zum Christus qualifiziert, aber eben diese Qualifizierung hat ihren Grund im Kreuzesgeschehen.

„Wenn ferner ausführlich nur bei seinem Tod von einer Heilsbedeutung für uns gesprochen wird, so heißt das doch, daß sein Kreuzestod die Bedeutung seiner Auferweckung für uns darstellt, und nicht umgekehrt seine Auferwekkung die Bedeutsamkeit seines Kreuzes darstellt ... Nicht seine Auferweckung legt seinen Kreuzestod als ‚für uns' geschehen aus, sondern umgekehrt macht sein Kreuzestod ‚für uns' seine Auferweckung ‚uns voran' relevant."[88] Die hier leicht mißverständliche Terminologie Moltmanns muß nach ihrem Sinn verstanden werden. Einerseits will Moltmann im Gegensatz zur Bultmannschen Reduktion der Auferstehung als Ausdruck des Sinns des Kreuzestodes[89] die Realität und die konstitutive Bedeutung der Auferstehung betonen. Anderseits macht er seine wesentliche Differenz zu Pannenberg deutlich. Daß die Auferweckung Jesu uns voran geschieht, daß sie die Vorwegnahme der allgemeinen Auferstehung der Toten, das Unterpfand der eschatologischen Verheißung für uns ist, wird nur im Kreuzestod Jesu begründet. „Die Vorwegnahme der Totenauferweckung an ihm gewinnt ihren Heilssinn für uns nur durch seine Hingabe für uns am Kreuz."[90]

Die ältesten Christustitel, die von den Ostererlebnissen ausgehen, sagen nicht nur seine eigene Würde oder Hoheit, sondern vielmehr seine Funktion, Aufgabe und Sendung als Vermittler Gottes aus, dem Gott durch die Auferweckung die Vollmacht gibt, damit er nach der Vollendung seiner Herrschaft das Reich Gott

---

vollendende Ende eben dieses Todes sein, und beide Momente des einen Vorgangs müssen sich gegenseitig bedingen und interpretieren. Darum ist es nicht eine mythische Aussage, sondern die der Sache selbst, wenn Schrift und Tradition die Auferstehung als die reale Annahme des Todesopfers Christi betrachten, die zum Wesen des Opfers selbst gehört" (SM I, 421f). Vgl. auch *K. Rahner/W. Thüsing*, Christologie – systematisch und exegetisch, a.a.O. 36. *K. Rahner*, Dogmatische Fragen zur Osterfrömmigkeit, a.a.O. 165f; *H. U. v. Balthasar*, Herrlichkeit. Eine theologische Ästhetik I (Einsiedeln 1961) 458; *D. Wiederkehr*, Entwurf einer systematischen Christologie, a.a.O. 625.

[86] GG 169f. [87] GG 168f; GCh 134ff.

[88] GG 170. [89] Vgl. GG 170, Anm. 41. [90] GG 172.

übergibt[91]. „Durch seine Auferweckung wurde nicht nur ein Mensch allen Menschen voran von den Toten auferweckt. Er wurde dadurch zugleich für die anderen Menschen mit einem göttlichen Auftrag und Beruf versehen.“[92] Diese stellvertretende Funktion Christi wird mit seinem stellvertretenden Tod begründet. „Der Christus, der *uns voran* von den Toten auferweckt ist, wird durch sein Leiden und Sterben der Christus *für uns*.“[93] „Erst wenn der, der proleptisch auferweckt wurde, stellvertretend für uns eintritt und stirbt, hat seine Prolepse Heilsbedeutung für uns“[94], denn das Endgericht ist darin schon vorweggenommen[95], und zwar durch die neue Gerechtigkeit Gottes zugunsten der Gottlosen.

III. Kreuz und Auferstehung Jesu in der Verheißungsgeschichte

1. *Die Auferstehung Jesu als In-Kraft-Setzung der Verheißung*

Über die Bedeutung der Auferweckung des Gekreuzigten für die eigene Geschichte und Person Jesu hinaus muß nun ihre konstitutive Bedeutung für die gesamte Weltgeschichte überhaupt betrachtet werden, denn dieses gehört zur wesentlichen Aufgabe der Christologie und zugleich zum Hauptinteresse der Theologie Moltmanns.

a) Grundlegend ist dabei seine Grundauffassung der Gottesoffenbarung als Verheißung. Um seine systematische Konzeption der Verheißung zu klären, muß vor allem seine Auseinandersetzung mit W. Pannenberg hier wiederum berücksichtigt werden[96].

Das Programm Pannenbergs ist, die Geschichte als indirekte Selbstoffenba-

---

[91] 1 Kor 15, 20–28. [92] GG 167. [93] GG 172.
[94] GG 172. [95] GG 155f.
[96] Das Interesse für die Weltgeschichte als eigentlichen Ort der Gottesoffenbarung ist zu einem der Hauptthemen der gegenwärtigen theologischen Diskussion geworden. Der Begriff der Geschichte selbst aber ist dabei nicht immer einheitlich. Er ist durch die Aufklärung und durch den deutschen Idealismus vielfältig entfaltet. Die weitere Entwicklung der dialektischen Theologie, deren ursprünglicher Ansatz in der Überwindung des Historismus der sogenannten liberalen Theologie lag, neigte durch ihre Betonung der Absolutheit der Offenbarung dazu, die Weltgeschichte von der besonderen Heilsgeschichte zu trennen oder aber sie auf die Geschichtlichkeit des menschlichen Daseins zu reduzieren. Die deutsche evangelische Theologie der 60er Jahre brachte dann eine gewisse Wende, indem die Bedeutung der Weltgeschichte für die christliche Theologie wiedergewonnen wurde. Es war ohne Zweifel die Leistung vor allem von W. Pannenberg und J. Moltmann, daß sie mit ihrem Interesse für die Welt das einseitige Interesse der Theologie für die menschliche Existenz korrigierten und so eine neue Bahn für die theologische Betrachtung der Weltgeschichte eröffneten.

rung Gottes aufzufassen[97]. Die Geschichte ist nicht ein bloßer Vermittlungsort der Offenbarung, sondern als ganze ist sie Gottesoffenbarung selbst, die nicht als Kundmachung irgendwelcher Sachverhalte durch Gott, sondern als Selbstenthüllung Gottes verstanden werden soll[98]. Sie ist aber keine unmittelbare Offenbarung, denn Gott offenbart sich nicht in der Weise einer Theophanie, sondern durch Geschichtstaten[99]. Gott wird offenbar, wenn diese einzelnen Ereignisse in ihrem eigentlichen Sinn im Kontext des hinter ihnen stehenden Sinnzusammenhangs verstanden werden[100]. Die Gottesoffenbarung aber ist nach Pannenberg in ihrer vollkommenen Gestalt nur als gesamte Universalgeschichte möglich, denn „das Wahre ist das Ganze" (Hegel)[101]. Das heißt, daß sie im Prozeß der Geschichte nur teilweise und fragmentarisch wahrgenommen werden kann. Darum ist die Selbstoffenbarung Gottes nur am Ende der Geschichte wahrhaft möglich, wo die gesamte Geschichte als schon vollendet überblickt werden kann. „Die Offenbarung findet nicht am Anfang, sondern am Ende der offenbarenden Geschichte statt."[102]

Wenn Gott sich nun in Christus offenbart, heißt das nach Pannenberg, daß im Geschick Jesu von Nazareth, obwohl zu einem innergeschichtlich lokalisierbaren Zeitpunkt, die Vollendung der Universalgeschichte schon vorweggenommen ist[103]. Er sieht das an seiner Auferweckung, denn in ihr ist schon geschehen, was im Horizont der apokalyptischen Überlieferungsgeschichte als Auferstehung der Toten bezeichnet ist. „Nur insofern also, als die Vollendung der Geschichte in Jesus Christus bereits eingetreten ist, nur insofern ist Gott an seinem Geschick endgültig und vollständig offenbar. Das Ende der Geschichte aber ist mit der Auferweckung Jesu an ihm schon geschehen, obwohl es für uns andere noch aussteht."[104]

Nun ist Moltmann in vielem mit dem Entwurf Pannenbergs einig. Auch für Moltmann ist, wie wir in unserer entwicklungsgeschichtlichen Betrachtung feststellten, die Geschichte als Ort der Gottesoffenbarung von Anfang an zentral.

[97] Heilsgeschehen und Geschichte, KuD 5 (1959) 218–237; 259–288, später im Sammelband: *ders.*, Grundfragen systematischer Theologie. Gesammelte Aufsätze (Göttingen 1967) (Abkürzung: GSTh), 22–78. Dogmatische Thesen zur Lehre von der Offenbarung, in: *ders.* (Hrsg.), Offenbarung als Geschichte (Göttingen 1961) (Abkürzung: OG), 91–114. Seine Stellungnahme zu Kritiken, OG 2. Auflage 1963, 132–148; vgl. auch *J. M. Robinson – U. B. Cobb* (Hrsg.), Theologie als Geschichte (Zürich 1967).

[98] OG 7ff. [99] OG 91ff, 16ff.

[100] Diesen Gedankengang übernimmt Pannenberg aus der Überlieferungsgeschichte, die G. von Rad in seiner alttestamentlichen Forschung betont hat. *Pannenberg* weitet den Begriff der Überlieferungsgeschichte aus als Geschichte der Welt in ihrem Sinnzusammenhang. Vgl. Hermeneutik und Universalgeschichte, ZThK 60 (1963) 90–121, auch in: GSTh 91–122; Über historische und theologische Hermeneutik, GSTh 123–158.

[101] *G. W. F. Hegel*, Phänomenologie des Geistes, Vorrede (Bamberg – Würzburg 1807); ed. J. Hoffmeister (Hamburg ^{6}1952) (= Philosophische Bibliothek 114) 21.

[102] OG 95. [103] OG 103ff. [104] OG 104f.

In der früheren Beschäftigung mit der Tradition der reformierten Kirche ist seine Betonung der israelitisch-christlichen Auffassung der Welt „als einmalige, unwiederholbare, unumkehrbare, zielgerichtete Geschichte, nicht aber als ewige Natur, die im Kreislauf ihrer Prozesse sich selbst immer gleich bleibt“[105], schon auffallend. Der Glaube wird im Erlebnis der Gotteshuld in der Vergangenheit geweckt und als Verheißung seiner Treue in der Zukunft überliefert. Vor diesem Denkhorizont ist die Heilige Schrift niedergelegt, und umgekehrt bringt erst die israelitisch-christliche Weltanschauung den eigentlichen Begriff der Geschichte hinein[106]. Allerdings unterscheidet sich Moltmann von Pannenberg, indem er die Geschichte der Welt ganz und gar als offene Spannung von Gottesverheißung und deren Erfüllung versteht (was auch Pannenberg früher vertrat und später aufgab), d. h., sie nimmt ihren Anfang im Gottesruf, auf den der Mensch durch Vertrauen und Hoffnung antwortet; sie wird nach vorne weiter getrieben, indem in der Gegenwart die Verheißung aus der Vergangenheit als partiell erfüllt erlebt wird und diese Erfüllung ihrerseits eine neue Verheißung für die Zukunft vorauswirft. Die vollkommene Erfüllung der Verheißung aber wird am Ende dieser Geschichte erwartet. Während Pannenberg die Universalgeschichte als mittelbare Selbstoffenbarung Gottes auffaßt, deren volle Gestalt erst am Ende der Geschichte zu erwarten, aber schon in der Auferweckung Jesu vorweggenommen sei, so daß dieses innergeschichtliche Geschehen seinerseits die universale und endgültige Offenbarung für alle Menschen bedeutet, sieht Moltmann die Weltgeschichte als Spannung von Erfüllung und Verheißung, die durch eben diese Vorwegnahme des Eschaton ihre Offenheit gewinnt.

Dieser Unterschied kommt vor allem aus der Grundhaltung Moltmanns, die im Gefolge der Offenbarungstheologie nicht bei der menschlichen Vernunft, sondern bei der positiven Offenbarung ihren Ansatz nehmen will. Theologisches Denken muß nach ihm vom konkreten Christusgeschehen zum Universalen, Allgemeingültigen übergehen und nicht umgekehrt. Wenn er die Geschichte als Spannung von Verheißung und Erfüllung versteht, die das Eigentümliche der israelitisch-christlichen Weltanschauung konstituiert, hält er sie, im Unterschied zu Pannenberg, nicht für eine Gesamtheit als Gottesoffenbarung, sondern für einen zur Zukunft offenen, dialektischen Prozeß. Moltmann kritisiert an Pannenberg, daß er die Universalgeschichte als Ganzheit einer ontischen, statischen Ordnung auffaßt und so doch den griechischen Kosmosgedanken va-

---

105 PTh 152.

106 ThH 34f; Mensch. Christliche Anthropologie in den Konflikten der Gegenwart (Stuttgart – Berlin 1971) (Abkürzung: M), 21 f; vgl. dazu *K. Löwith,* Weltgeschichte und Heilsgeschehen (Stuttgart 1953); *M. Eliade,* Der Mythos der ewigen Wiederkehr (Düsseldorf 1953); *G. von Rad,* Theologie des Alten Testaments II (München 1960) bes. 108–133; *W. Pannenberg,* Heilsgeschehen und Geschichte, a. a. O., *H. Oki,* Shūmatzuron (Eschatologie) (Tokio 1972).

riiert. Wie die sich auf die griechische Philosophie stützende scholastische Theologie von der vorhandenen Ordnung der Welt ausging und durch Rückschlußverfahren einen universalen Gottesbegriff zu gewinnen und in diesem Rahmen auch das Christusgeschehen zu deuten versuchte, setzt nach Moltmann auch Pannenberg im Grunde eine Ordnung der gesamten Welt voraus und lokalisiert in diesem Verständnis das Geschick Jesu[107].

b) Moltmann stimmt mit Pannenberg darin überein, die Auferweckung Jesu im Rahmen der gesamten Weltgeschichte als das für sie Entscheidende aufzufassen. Die Auferweckung Jesu von den Toten durch Gott wurde vom Anfang der Urchristenheit an niemals als ein isoliertes Beglaubigungsmirakel aufgefaßt, sondern im geschichtlichen Zusammenhang als Beginn der allgemeinen Auferstehung der Toten verstanden, die sich am Ende der Geschichte ereignen würde[108], als Anfang der endzeitlichen Verwandlung der Welt durch ihren Schöpfer[109]. „Ostern war ein Vorschein und eine Realantizipation der qualitativ neuen Zukunft Gottes und der neuen Schöpfung mitten in der Leidensgeschichte der Welt.“[110] Allerdings will Moltmann in dieser schon ereigneten Vorwegnahme des Eschaton das „Noch-Nicht“ auch nicht übersehen. Er sieht gerade darin die Bestätigung von Gottes *Verheißung*. Während Pannenberg das schon definitive Vorhandensein der Selbstoffenbarung Gottes betont, sieht Moltmann, bewegt von seinem Anliegen der Weltprobleme, in der Auferwekkung die In-Kraft-Setzung der *Verheißung* für die Menschen, die in der noch unerlösten Welt des Leidens leben. Er will mit dem Ausdruck „Verheißung“

---

[107] Während Moltmann Pannenberg vorwirft, daß die von ihm als Totalität aufgefaßte Geschichte im Grunde nichts anderes sei als ein Modell des griechischen Kosmosdenkens (vgl. ThH 67–74, 120–124, 243, 254ff; PTh 16 mit Anm. 7), sieht Pannenberg dagegen im Verheißungsbegriff Moltmanns eine Variation des Barthschen Begriffs der Wortoffenbarung (vgl. GSTh 5, Anm. 2; dazu Moltmann, GG 158f, Anm. 21). Zur Debatte in bezug auf das Verständnis von Offenbarung und Geschichte zwischen Moltmann und Pannenberg vgl. *J. M. Robinson*, Offenbarung als Wort und als Geschichte, in: Theologie als Geschichte, a.a.O. 11–134; *I. Berten*, a.a.O. 79–83, 92–98, 107f; *K. Kondō*, Pannenberg to Moltmann ni okeru Keiji to Rekishi (Offenbarung und Geschichte bei Pannenberg und Moltmann), Shingaku 33 (1970) 70–112; *H. Schöndorf*, Die universale Bedeutung Jesu Christi bei W. Pannenberg und J. Moltmann (Lyon 1973) (unveröffentlichte Lizentiatsarbeit), *J. Sobrino*, Significado de la cruz y resurrección de Jesús en las cristologías sistemáticas de W. Pannenberg y J. Moltmann (Frankfurt a. M. 1975) (bisher noch nicht veröffentlichte Dissertation). Über das Verhältnis von Wort und Gottes geschichtlicher Offenbarung vgl. auch Moltmanns Stellungnahme: Wort Gottes und Sprache. Verkündigung als Problem der Exegese, PTh 93ff, 113ff; Die Sprache der Befreiung. Predigten und Besinnungen (München 1972) (Abkürzung: SB), 139ff; KKG 233–241.

[108] GG 149. [109] GG 149.

[110] GG 150; vgl. *Pannenberg:* „Erst am Ende alles Geschehens kann Gott in seiner Gottheit offenbar sein, d.h. als der, der alles wirkt, über alles Macht hat. Nur weil in der Auferweckung Jesu das Ende aller Dinge, das für uns noch aussteht, an ihm schon eingetreten ist, nur darum läßt sich von Jesus sagen, daß das Endgültige in ihm bereits da ist, und so auch, daß Gott selbst, seine Herrlichkeit, in Jesus unüberbietbar auf dem Plan ist. Nur weil in Jesu Auferweckung das Ende der

die Differenz zwischen der noch nicht erlösten Weltwirklichkeit und dem Glauben an die schon stattgefundene Versöhnung ernst nehmen [111]. Nach Moltmann spricht die Auferweckung Jesu von den Toten durch Gott noch nicht „die Sprache der Tatsachen", sondern erst „die Sprache der Verheißung" [112]. Sie ist nicht eine die Heilserwartung des Menschen erfüllende, schon entschiedene Tatsache, sondern Zukunft eröffnende, die Hoffnung des Menschen ermöglichende, und darum Geschichte stiftende Verheißung [113].

2. *Das Kreuz Jesu zwischen Kontinuität und Diskontinuität*

a) Umkehr der Verheißungsgeschichte

Wenn die Kreuzestheologie Moltmanns bei seinem geschichtlichen Bewußtsein ihren Ausgang nimmt, muß der Ort des Kreuzes in seiner Auffassung der Verheißungsgeschichte bestimmt werden. Es fragt sich nämlich, welche Rolle das Kreuz Jesu für die Verheißungsgeschichte vor allem im Kontext der alttestamentlichen Überlieferungsgeschichte und der neuen Wirklichkeit des durch Christus gestifteten Bundes spielt. Hier stößt man auf die Frage nach dem Verhältnis von Gesetz und Evangelium.

Pannenberg versteht das Christusgeschehen im Kontext der Universalgeschichte als Erfüllung der Erwartung des Menschen auf das ewige Leben, die besonders in der spätjüdischen apokalyptischen Literatur deutlich hervortritt, die aber schon in der gesamten Geschichte des Alten Testaments allgemein dem Wesen des Menschen zugrunde liegt [114]. Hier ist die Kontinuität von Universalgeschichte und Heilsgeschichte, von Geschichte der Erwählung des Alten Bun-

---

Welt schon da ist, deshalb ist an ihm Gott selbst offenbar" (GCh 64). Moltmann stimmt hier mit Pannenberg überein. Er will keineswegs den Entschiedenheitscharakter des Christusgeschehens leugnen (GG 158f mit Anm. 21). Es ist nicht so, daß Moltmann nur eine bloße „Verbalantizipation" statt einer „Realantizipation" bei Pannenberg annähme, sondern auch er versteht die Auferweckung Jesu als eine wirkliche Vorwegnahme dessen, was zwar erst am Ende der Weltgeschichte zu erwarten, aber schon in dieser Geschichte tatsächlich angebrochen ist. Vgl. auch ThH 13f, 179ff; *J. Sobrino*, a.a.O. 309ff.

[111] GG 160. Dazu *Pannenberg:* „Eine Differenz zu Moltmanns Auffassung mag jedoch in meiner Überzeugung liegen, daß die endgültige Wirklichkeit eschatologischen Lebens an Jesus selbst schon im damaligen Ereignis seiner Auferstehung, auf das wir als auf ein der Zeit nach vergangenes und so auch historisches Ereignis zurückblicken können, erschienen ist" (Theologie als Geschichte, a.a.O. 336 Anm. 45).

[112] GG 160.

[113] Vgl. ThH 204ff.

[114] Um die universale Bedeutung des Auferstehungsgeschehens als Vorwegnahme der Vollendung der Universalgeschichte zu begründen, versucht Pannenberg der Überlieferung der apokalyptischen

des und Geschichte Christi deutlich. Diese Auffassung entstand als Antithese zur seit Bultmann geläufigen existentiellen, oft allzu subjektiv scheinenden Interpretation des Evangeliums, die den christlichen Glauben von der objektiven Geschichte trennt. „Geschichte wird hier zum Inbegriff der Existenz unter dem Gesetz, des Sich-Verstehen-Müssens des Menschen aus seinen Werken und in Analogie dazu aus gesicherten, ausweisbaren Zusammenhängen der Geschichte."[115] Nach Bultmann sprengt der Glaube an Christus absolut die Kontinuität der Geschichte. Es geht im Evangelium um den Glauben „in Gestalt der unmittelbaren Subjektivität, ihrer reinen Empfängnis aus dem Unverfügbaren"[116].

Moltmann versucht diese sich widersprechenden Auffassungen von der Position der biblischen Theologie her zu kritisieren. Nach Paulus liegt die Kontinuität von Verheißung Abrahams und Christusgeschehen in der Sache der Verheißung selbst[117]. Paulus unterscheidet die Auslegung der Verheißung durch das Gesetz und durch das Evangelium. Nur durch das Evangelium wird die Verheißung Abrahams eschatologisch in Kraft gesetzt[118]. „Die Kontinuität zu Abrahams Verheißung kann darum weder als Produkt geschichtlicher Entwicklung noch als Rückentwurf des Glaubens aufgefaßt werden."[119] „Weil sein Evangelium die Verheißung als im Christusgeschehen in Kraft gesetzt verkündigt, bringt es die überlieferte Verheißung Abrahams in eine neue Geschichte. Die Verheißung findet im Evangelium ihre eschatologische Zukunft, das Gesetz hingegen sein Ende. Das ‚Neue' des Evangeliums ist also nicht ‚ganz neu'. Es erweist seine Neuheit, weil es sich gegen das Alte, gegen das Menschsein im Zusammenhang von Gesetz, Sünde und Tod, durchsetzt und dadurch das Alte zum ‚Alten' macht. Es erweist aber seine eschatologische Neuheit darin, daß es sich an der vorausverkündigten Verheißung Gottes expliziert."[120]

Literatur, in deren Horizont das Christusgeschehen verstanden wird, Allgemeingültigkeit zu geben. Nach Pannenberg ist die apokalyptische Erwartung nicht ein in Israel nachträglich eingeführtes fremdes Element, sondern im Gegenteil die eigentliche Grundlinie der jüdischen Tradition, die durch Jahwisten, Deuteronomisten und Propheten allmählich entfaltet und in der apokalyptischen Literatur bis zur kosmischen Dimension erweitert ist. Weil sie die Wesensstruktur des alttestamentlichen Glaubens ist, findet sie ihre höchste Erfüllung in der Auferstehung Jesu (GCh 69ff). Ferner versucht Pannenberg diese Erwartung über die Beschränkung auf das Volk Israel hinaus für die gesamte Menschheit anthropologisch gelten zu lassen. Der Mensch ist nämlich von seinem Wesen her auf das Unendliche hin offen, sehnt sich über den Tod hinaus nach dem ewigen Leben. Die Vorstellung der apokalyptischen Literatur ist zwar zeitlich und räumlich bedingt, aber was da ausgedrückt ist, ist nichts anderes als diese Erwartung des Menschen über den Tod hinaus. Sie findet in der Auferstehung Jesu ihre Antwort (GCh 79ff). Vgl. auch *ders.*, Was ist der Mensch? Die Anthropologie der Gegenwart im Licht der Theologie (Göttingen 1962) bes. 31ff.

[115] ThH 135f. [116] ThH 137. [117] Vgl. Röm 4,1–25.
[118] ThH 137. [119] ThH 137. [120] ThH 137f.

Der Konflikt Jesu mit der alttestamentlichen Verheißungsgeschichte und deren Gesetz bedeutet darum nicht einen Bruch in der Sache der Verheißung selbst. Vielmehr wird die Verheißung nach Moltmann, indem Jesus mit der Verheißungsgeschichte in Konflikt stand, über die Beschränkung des nationalen, gesetzlichen Rahmens hinaus für die ganze Menschheit universalisiert. „Durch das Geschehen von Kreuz und Auferstehung, das nur in Zusammenhang des Konfliktes von Gesetz und Verheißung verständlich ist, wird er (sc. Christus) zum Heil aller Menschen aus Juden und Heiden."[121] Im Christusgeschehen wird die Verheißung Gottes eschatologisch in Kraft gesetzt, so daß nur von ihm her auch die Abrahamsverheißung in ihrem wahren Sinn gedeutet werden kann. Ihr Sinn liegt also darin, daß sie nur gegeben ist, um den Menschen zum Christusgeschehen zu führen, und daß sie selber notwendigerweise im Christusgeschehen dialektisch aufgehoben wird, um in eine neue Verheißungsgeschichte verwandelt zu werden.

Gleichzeitig muß dabei beachtet werden, daß diese Kontinuität der Verheißung doch in einer Diskontinuität zu der den Alten Bund sprengenden neuen Wirklichkeit besteht. Moltmann distanziert sich von Pannenberg durch seine Betonung des Novum des Geschehens, das die apokalyptische Überlieferung durchbricht[122]. Die Auferstehungsberichte stehen zwar unmittelbar im Erwartungshorizont der Propheten und apokalyptischen Literatur Israels, weshalb das, was die Erscheinung des Auferweckten bedeutet, nicht richtig verstanden werden kann ohne Verständnis dieser Verheißungsgeschichte, aber die Deutung des wahren Inhalts der Verheißungsgeschichte ist ihrerseits nur in der Offenbarung der ganz neuen, eigenartigen Zukunft Christi möglich, auf die die Erscheinung des Auferweckten hinweist[123]. Die christliche Eschatologie besteht darum nach Moltmann nicht nur in der Erinnerung an das schon Verheißene, sondern auch in der Hoffnung auf das von Christus Vorausentworfene.

Auch Pannenberg sieht zwar das Novum des christlichen Glaubens gegenüber der Apokalyptik vor allem in einem neuen eschatologischen Zeitbewußtsein, das durch die von den Christen als schon gegenwärtig geglaubte Prolepse des Eschaton kraft der Auferstehung Jesu begründet ist[124]. Aber die der Auferstehung Jesu immanente, konstitutive Bedeutung des Kreuzesgeschehens fehlt bei Pannenberg. „Nicht daß irgendeiner allen anderen voran auferweckt, sondern daß es dieser Verurteilte, Gehenkte und Verlassene ist, macht das Neue und Anstößige der christlichen Osterbotschaft aus."[125] Pannenberg betont nach

[121] ThH 128.
[122] GG 123 mit Anm. 43; 153 mit Anm. 13.
[123] ThH 174.
[124] GG 158ff.
[125] GG 163.

Moltmann zu einseitig die formale Struktur der Prolepse in der Auferstehung Jesu, so daß die inhaltliche Personbezogenheit dieses Geschehens zu kurz kommt[126].

Durch die Kreuzigung Jesu kommt darum nach Moltmann der entscheidende Bruch in den apokalyptischen Erwartungshorizont. Der Osterglaube ist nicht nur durch die Motive und Symbole der allgemeinen apokalyptischen Naherwartung, sondern vielmehr durch Verkündigung der gnädig nahenden Gerechtigkeit des Reiches Gottes bestimmt, in welcher das apokalyptische Gerechtigkeitsschema bereits durchbrochen ist, und nicht zuletzt durch das Kreuzesgeschehen Jesu, wo dieser Bruch und damit die neue Gerechtigkeit Gottes zur Geltung kommt[127]. Gott offenbart durch diesen Gekreuzigten „das Recht der unbedingten Gnade, die Ungerechte und Rechtlose gerecht macht“[128].

Gott offenbart in der Auferweckung des Gekreuzigten seine Macht, den Sünder zu rechtfertigen und den Toten lebendig zu machen[129]. Er offenbart, daß nur in dieser Macht die Erfüllung des Abraham Verheißenen wahrlich möglich ist, daß die Erfüllung der Verheißung nicht in der Tat des Menschen liegt, daß nicht die Gesetzestreuen, sondern die an Christus Glaubenden diese Abrahamsverheißung erben[130]. So muß man sagen, daß die alttestamentliche Verheißungsgeschichte nicht im Evangelium ihre Überholung oder Beendigung findet, sondern vielmehr ihre Zukunft[131]. Darum kann das Christusgeschehen als eine „Umkehr der Verheißungsgeschichte“ bezeichnet werden[132].

b) Bruch des jüdischen Gesetzesverständnisses

Um Kontinuität und Diskontinuität der Verheißungsgeschichte im Kreuz Jesu genauer zu bestimmen, bedarf es hier einer weiteren Überprüfung des paulinischen Gedankens vom „Ende des Gesetzes“. Wie wir bereits gesehen haben, ist der historische Prozeß Jesu nach Moltmann nicht zu verstehen ohne den Konflikt mit dem Gesetz. Jesus stellte sich in seiner Verkündigung und Sündenvergebung über die Autorität des Gesetzes[133]. Seine Gesetzesinterpretation stützt sich auf die Botschaft des kommenden Gottesreiches, die zwar an und

[126] GG 163ff. [127] GG 153.

[128] GG 163; Moltmann sieht auch die apokalyptische Erwartung im Unterschied zu Pannenberg nicht nur unter dem Aspekt des anthropologischen Verlangens des Menschen nach einem Leben über den Tod hinaus, sondern auch unter dem Aspekt der Frage nach der Gerechtigkeit Gottes (GG 161ff). Hier ist wiederum die Grundbestimmtheit der Theologie Moltmanns durch die Theodizeefrage festzustellen. „‚Auferweckung der Toten‘ war kein anthropologisches oder soteriologisches Symbol, sondern ein Hilfssymbol für den Glauben an die Gerechtigkeit Gottes“ (GG 161).

[129] ThH 133. [130] ThH 132.

[131] ThH 133. [132] ThH 133. [133] GG 121.

für sich aus der eigentlichen Überlieferung des Gesetzes kommt, und steht doch mit dem nachexilischen Gesetzesverständnis, das die äußerliche Einhaltung des Gesetzes zum entscheidenden Kriterium des Heiles macht, in einem unüberbrückbaren Widerspruch[134]. Die Hinrichtung Jesu war also eine notwendige Folge seines Widerspruchs gegen dieses Gesetzesverständnis[135]. Indem Gott aber diesen im Namen des Gesetzes verurteilten Jesus auferweckt, offenbart er seinen wahren Willen, für den das überlieferte Gesetz nicht mehr die entscheidende Norm sein kann. Daraus entwickelt Paulus seine theologische Deutung des Todes und der Auferstehung Jesu als das Ende des Gesetzes[136]. Nach Paulus trägt Jesus den Fluch des Gesetzes[137]. Paulus verkündigt daher die Befreiung vom Gesetz durch das Christusgeschehen. Wer mit dem Tod Christi verbunden ist, ist frei vom Gesetz. Er steht nicht mehr unter dem Gesetz und hofft auf das Leben der neuen Gerechtigkeit (Gal 3,15 – 4,6).

Anderseits wird Jesus noch in der ältesten palästinensischen urchristlichen Gemeinde als ein neuer Moses, als der am Ende der Zeit erscheinende Prophet (Dtn 18,15f), also in der Kontinuität des Gesetzes verstanden. Das Matthäusevangelium läßt uns in die ältesten Überlieferungen hineinblicken, die die Auferweckung Jesu als Gottes Bestätigung dieses neuen Mose betrachten. Auch Paulus will das Gesetz als solches nicht ablehnen (Röm 3,31). Er scheint auch die heilsgeschichtliche Funktion des Gesetzes und dessen Vollendung in Christus zu erklären. Das Gesetzesverständnis der nachexilischen Tradition verliert seine Kraft, aber der Gotteswille, der eigentlich im Gesetz enthalten ist, nimmt statt dessen die neue Gestalt des Liebesgebotes Jesu an. Dabei entsteht aber die Frage nach der theologischen Relevanz der Aussage vom Ende des Gesetzes. Denn wenn nur zwischen Gesetzesinterpretation und eigentlichem Gotteswillen unterschieden werden müßte, so daß Jesus den wahren Sinn des Gesetzes gedeutet hätte, während die Gesetzesinterpretation der damaligen Juden falsch war (und sie folglich, obwohl sie vom eigentlichen Sinn des Gesetzes her den Anspruch Jesu hätten anerkennen müssen, ihn nur wegen ihrer Blindheit und Verstocktheit hingerichtet hätten), dann hätten sie vor Gott nichts anderes als einen Fehler gemacht – abgesehen vom tatsächlichen Neid und Haß der damaligen jüdischen Behörde –, dann wäre das Kreuz Jesu nur ein unglücklicher Unfall. Daraus entstünde keine eigentliche theologische Relevanz des Endes des Gesetzes[138].

[134] GG 127f. [135] GG 125f. [136] GG 127. [137] GG 126.

[138] Es ist an sich das Anliegen *Pannenbergs*, daß das Gesetz selbst, zu dem das ganze Volk Israel sich bekennt, die Hinrichtung Jesu fordert, so daß nicht die damalige jüdische Behörde aus bösem Willen Unrecht getan hätte, sondern jeder gesetzestreue Jude ihn genauso hätte verurteilen müssen. Jesus wird nach dem Gesetz als Gotteslästerer verurteilt, Gott offenbart aber durch seine Auferwekkung diejenigen, die Jesus verurteilen, als die wahren Gotteslästerer. Das ist gleichsam eine Umwälzung der jüdischen Religion von Grund auf (GCh 257ff). Pannenberg scheint aber, auch wenn er dieses paulinische Verständnis des Endes des Gesetzes betont und sogar das jüdische Gesetz

Wenn aber Moltmann sagt, das Gesetz habe keine Kraft des verheißenen Lebens in sich[139], dann will er zwar, wie bereits bemerkt, auch im Scheitern des Gesetzes die Kontinuität der Sache der Verheißung selbst bejahen, deren Weisung das Gesetz an sich sein sollte[140], denkt aber diesen Sinngehalt ganz und gar im Sinne der sich auf das paulinische Gesetzesverständnis berufenden reformatorischen Theologie. Wenn Moltmann sagt, das Gesetz habe keine Kraft des Lebens, soll hier unter dem mythisch-anthropomorph ausgedrückten Wort „Gesetz" nicht das mosaische Gesetz als solches, sondern die hochmütige Willenshaltung des Menschen, die den Willen Gottes aus eigener Kraft tun zu können glaubt, verstanden werden[141]. Was hier endet, ist nicht das Gesetz als Gottes Wille, sondern die Hybris des Menschen, der das Gesetz vergöttlicht und so letztlich sich selbst an die Stelle Gottes setzen will. Daraus kann geschlossen werden, daß einerseits der Wille Gottes dem Menschen zuteil wird eigentlich im jüdischen Gesetz und in dem in ihm vertretenen moralischen Gesetz des Menschen, daß aber anderseits der Anspruch Jesu notwendigerweise mit diesem Gesetz in Konflikt gerät und Gott seinen Anspruch bestätigt. Diese beiden Aussagen müssen unverkürzt zusammen gedacht werden. Einerseits ist nämlich das alttestamentliche Gesetz tatsächlich eine unentbehrliche Vorbereitung, um dem

als stellvertretend für die allgemeinen moralischen Gesetze der Menschheit in der Kontinuität aller Sittlichkeit betrachtet, doch letztlich der Position der palästinensischen Gesetzesauffassung nahezukommen, indem er sagt, der Gotteswille, der eigentlich im Gesetz ausgedrückt sein sollte, nehme seine neue Gestalt im Liebesgebot Jesu an. In der Tat mußte er, wie er selbst erwähnt, seine judenfeindliche Position in seiner früheren Christologie durch spätere Gespräche mit dem Judentum korrigieren (vgl. *W. Pannenberg*, Das Glaubensbekenntnis. Ausgelegt und verantwortet vor den Fragen der Gegenwart [Hamburg 1972] Vorwort). Er behält zwar seine Behauptung bei, die jüdische Behörde, die damals Jesus verurteilt habe, vertrete das Volk, aber gleichzeitig fügt er in den neueren Schriften hinzu, seine Legitimität, Vertreter des von Gott erwählten Volkes zu sein, werde durch die Auferweckung Jesu von den Toten für nichtig erklärt (vgl. Das Glaubensbekenntnis, 89, 91). Damit wird doch die Kontinuität des wahren Willens Gottes, der an sich im Gesetz ausgedrückt sein sollte, auch im Scheitern der Tradition der Gesetzesinterpretation durch das Christusgeschehen bewahrt.

[139] ThH 131. [140] ThH 108–112.

[141] Auch bei Paulus ist das Wort: „Gesetz" zwar vieldeutig gebraucht. Wir können aber hier, ohne näher darauf einzugehen, zunächst darunter das ganze menschliche Bemühen, sich aus einer eigenen Kraft zu rechtfertigen, verstehen. Wie Pannenberg mit Recht behauptet, ist im jüdischen Gesetz der Gotteswille dem Menschen gegeben, und das jüdische Gesetz kann als eine stellvertretende Artikulation der allen Menschen gültigen moralischen Normen betrachtet werden. Diesem Willen Gottes aber kann der der Sündigkeit verfallene Mensch nicht aus eigener Kraft folgen. Darum wird im Gesetz nur die Bosheit des Menschen offenbar, und der Mensch in der Sünde wird verurteilt. Er kann sich nicht selbst aus dieser Sündigkeit befreien. Christus nimmt aber im Kreuz den Fluch dieses Gesetzes anstelle aller Sünder auf sich, und dadurch rechtfertigt Gott alle, die unter dem Fluch des Gesetzes stehen. Im Kreuz Jesu ist also nicht der im Gesetz gegebene Wille Gottes außer Kraft gesetzt, sondern der Wille des Menschen, sich eigenmächtig zu rechtfertigen, und das Gesetzesverständnis, das das Gesetz als Mittel zur Selbstrechtfertigung betrachtet, sind als nichtig geoffenbart.

Menschen den Willen Gottes mitzuteilen und ihn zu Christus zu führen, aber anderseits stößt sich der Anspruch Jesu notwendigerweise mit diesem Gesetz, und das Gesetz muß in ihm notwendigerweise aufgehoben werden. Der Wille Gottes ist nicht im Wortlaut des Gesetzes vorgegeben, sondern kann nur dialektisch im Lauf der Geschichte aufgefaßt werden. Das gilt nicht nur vom jüdischen Gesetz, sondern auch von dem in ihm vertretenen allgemeinen moralischen Gesetz. Das Gesetz wird nicht durch das Evangelium verneint, sondern lebt in ihm weiter. Das Evangelium kann umgekehrt nicht als voraussetzungslose Neuheit, sondern nur als eine das Gesetz voraussetzende, doch dialektisch in sich aufhebende Neuheit aufgefaßt werden. Moltmanns Begriff der Verheißung meint nichts anderes als diesen Sinngehalt. Die Verheißung des Alten Bundes ist eine notwendige Vorbereitung, den Menschen zu Christus zu führen, aber muß notwendigerweise in Christus aufgehoben und in ihm in ihrem eigentlichen Sinn verstanden werden. Das Christusgeschehen steht in der Kontinuität dieser Verheißung und setzt sie in Kraft.

ZWEITER TEIL

DER SINN DES KREUZES IN DER THEOLOGIE J. MOLTMANNS

Viertes Kapitel

Die trinitarische Dimension des Kreuzes

Nach der Feststellung des theologischen Ortes des Kreuzes Jesu im Schrifttum J. Moltmanns können wir uns nun auf die Frage nach dem Sinn des Kreuzesereignisses selber konzentrieren. Wir fragen nämlich, welche Bedeutung dieses Ereignis in der Theologie Moltmanns für Gott, Mensch und Welt hat, und umgekehrt, wie Gott, Mensch und Welt durch dieses Ereignis verstanden werden. Dabei tritt das Gottesverständnis vor allem durch das Kreuzesgeschehen in den Vordergrund; denn das war das eigentliche Anliegen der reformatorischen Kreuzestheologie, durch das Kreuz Jesu Gottes Sein zu erkennen. Dieses Anliegen ist in der letzten Zeit als die eigentliche Selbstidentität der christlichen Theologie wieder zur theologischen Diskussion gestellt[1]. Bevor das Kreuzesgeschehen Jesu soteriologisch nach seinem Sinn für das Heil des Menschen befragt wird, wird hier zunächst die Frage in den Vordergrund gestellt: „Was bedeutet das Kreuz Jesu für Gott selbst?"[2] Während die altprotestantische Theologie in ihrer Betonung des Kreuzes einseitig den Sühnetod Jesu für die Sünde des Menschen in den Vordergrund stellte, und diese Tendenz auch noch heute geläufig ist[3], stellt Moltmann die Frage nach dem Sinn des Kreuzes für Gott selbst noch einmal in den Vordergrund und versucht, sie in der trinitarischen Betrachtung konsequent zu entfalten.

---

[1] „Die christliche Theologie aber muß Gottes Sein im Leiden und Sterben und zuletzt im Tode Jesu denken, wenn sie sich nicht selbst aufgeben will und ihre Identität verlieren soll" (GG 200); vgl. dazu UZ 133ff. Vgl. auch *E. Jüngel:* „Wir stehen heute vor der Aufgabe, in Auseinandersetzung mit der traditionellen Gotteslehre Gottes Sein aus demjenigen Ereignis her zu verstehen, das uns jeden metaphysischen Gottesbegriff vom Verständnis Gottes so lange fernzuhalten nötigt, bis die traditionellen metaphysischen Begriffe neu begriffen sind und das metaphysische Begreifen überwunden ist. Dieses Ereignis ist der Tod Jesu" (Vom Tod des lebendigen Gottes, a.a.O. 117). „Jedes christliche Glaubensbekenntnis muß sich mit dem Todesschrei Jesu vertragen ..." (Was ist ‚das unterscheidend Christliche'? in: Unterwegs zur Sache, 297; zitiert von Moltmann, GG 185, Anm. 2).

[2] Dazu vgl. *P. Althaus:* „Sein Sterben ist Hingabe auch der Sohnschaft; und doch: weil er stirbt, ist er der Sohn. Jesus starb für Gott, ehe er für uns starb" (Theologische Aufsätze [Gütersloh 1929] 23; zitiert von Moltmann, GG 185).

[3] Auch *F. Viering,* Der Kreuzestod Jesu. Interpretation eines theologischen Gutachtens (Gütersloh 1969) steht auf dieser Linie.

I. Das Kreuz Jesu als Gottes Streit gegen Gott selbst

1. Entzweiung Gottes im Kreuzesgeschehen

Der eigentliche Sinn des Kreuzes Jesu wird nach Moltmann nur dann verstanden, wenn das Kreuz als „Geschehen in Gott"[4] betrachtet wird, nicht daß bloß menschliches Unrecht hier geschehe und Gott es zuließe, sondern daß der Tod Jesu primär im Verhältnis zwischen Vater und Sohn geschieht. Diese Auffassung ist nach Moltmann keine vom Inhalt der neutestamentlichen Schilderung abweichende willkürliche Phantasie, sondern eine von der Logik der gesamten Heiligen Schrift her gewonnene theologische Einsicht.

Es ist nach Moltmann durchaus zu behaupten, daß Jesus am Kreuz von Gott, dessen Reich er in seinem Leben verkündigte, verlassen wurde und in Verzweiflung starb. Die größte Tragödie seines Geschicks und gleichzeitig die wichtigste theologische Bedeutung seines Kreuzes werden erst hier sichtbar[5]. Sein Tod heißt nicht bloß, daß er leiblich die grausamste Qual erlitt, auch nicht, daß er infolge seiner anspruchsvollen Verkündigung dieses Geschick auf sich nahm und das Martyrium erlitt. Vielmehr läßt uns die historische Forschung leichter das Verständnis annehmen, daß er „mit lautem Schreien und mit Tränen" (Hebr 5,7) und von Gott verlassen, auf den er ständig vertraut hatte (Mt 27,46; Mk 15,34), starb. Gewiß ist in der Schilderung des Neuen Testaments eine Tendenz festzustellen, den Tod Jesu zu verschönen und zu heroisieren; aber gerade darum wird die dieser Tendenz entgegenstehende Schilderung in Mk 15,37, Jesus sterbe laut schreiend, als der historischen Tatsache näherkommend betrachtet[6]. Und es ist ferner keine anmaßende Überinterpretation seines Leidens, die eigentliche Qual in der Verlassenheit von Gott zu sehen, so daß der Inhalt des Zitats vom Ps 22, auch wenn dieser erst nachträglich hinzugefügt sein mag, der Sache am besten entspricht[7]. Das ist es, was das Kreuz Jesu und seinen Tod von allen anderen Kreuzen und Leiden unterscheidet[8]. Das führt uns ferner zum Verständnis, daß Jesus nicht bloß subjektiv Gottverlassenheit und Verzweiflung erlitt, sondern tatsächlich von Gott verlassen war. Denn sonst wäre diese Verlassenheit nur psychologisch bedingt und hätte keine theologische Bedeutung. Luther versteht darum die traditionelle Bezeichnung der Höllenfahrt Christi so, daß Christus die von Gott verlassene Situation des Menschen

---

[4] GG 192.
[5] GG 138–146.
[6] GG 139; UZ 136f.
[7] GG 140.
[8] Vgl. UZ 83.

(Hölle), das letzte Elend des sündhaften Menschseins auf sich genommen hat[9]. „Die Qual in seinen Qualen war diese Gottverlassenheit. Sie führt uns dazu, schon im Kontext seines Lebens das Geschehen am Kreuz als ein Geschehen zwischen Jesus und seinem Gott und umgekehrt zwischen seinem Vater und Jesus verstehen zu müssen.“[10]

Wenn aber der Kreuzestod Jesu als Geschehen im Verhältnis zwischen Vater und Sohn verstanden wird, bedeutet die Gottverlassenheit Jesu gleichsam eine Entzweiung in Gott. „Denn da strehdet Got mit Gott“ (Luther)[11]. Der Vater verläßt den Sohn. Der Sohn wird aus der Liebesgemeinschaft mit dem Vater ausgestoßen und erleidet die Vaterlosigkeit. Gleichzeitig will Moltmann über den Vater selbst auch sagen, daß er die Sohneslosigkeit erleidet, indem er den Sohn verläßt, denn der Vater kann wesentlich nur in Beziehung auf den Sohn Vater sein. „Der Vaterlosigkeit des Sohnes entspricht die Sohneslosigkeit des Vaters, und wenn sich Gott als Vater Jesu Christi konstituiert hat, dann erleidet er im Tod des Sohnes auch den Tod seines Vaterseins.“[12] Darum sieht Moltmann im durch Ps 22 ausgelegten Schrei Jesu nicht nur die persönliche Gottverlassenheit Jesu, sondern auch die Frage nach dem Vatersein des Vaters selbst[13]. „Darum steht mit seiner (sc. Jesu) Verlassenheit zuletzt auch die Gottheit seines Gottes und die Vaterschaft seines Vaters auf dem Spiel, die Jesus den Menschen nahegebracht hatte... Jesus ruft dann nach seines Vaters Gottheit und Treue gegen seine Verlassenheit und die Nichtgottheit seines Vaters.“[14]

Die Selbsthingabe des Sohnes bedeutet darum gleichzeitig auch die Selbsthingabe des Vaters (Röm 8,31). „In der Verlassenheit des Sohnes verläßt auch der Vater sich selbst. In der Hingabe des Sohnes gibt auch der Vater sich hin.“[15] Zu dieser Auffassung veranlaßt nach Moltmann auch der Wortgebrauch des Neuen Testaments: das Subjekt des Wortes „Hingeben“ wird sowohl dem Vater als auch dem Sohn zugeschrieben[16]. Indem der Sohn sich in Liebe hingibt, gibt

---

[9] GG 141; vor allem: Niedergefahren zur Hölle. Meditation, in: *G. Rein* (Hrsg.), Glaubensbekenntnis. Aspekte für ein neues Verständnis (Stuttgart–Berlin 1967) 32–35; auch in: UZ 80–85; vgl. dazu Luther: „vere enim sensit mortem et infernum in corpore suo“, Vorlesung über 1. Mose (1535–1545), WA 44, 524, 7. [10] GG 142.

[11] *M. Luther*, Viel fast nützlicher Punkt (1537), WA 45, 370, 35.

[12] GG 230.

[13] Vgl. auch *H. Gollwitzer*, Krummes Holz, aufrechter Gang. Zur Frage nach dem Sinn des Lebens (München 1970) 256.

[14] GG 143f. [15] GG 230.

[16] GG 228ff; vgl. auch *Büchsel*, Art. „paradidomi“, ThWNT II, 171–174; *W. Popkes*, Christus Traditus. Eine Untersuchung zum Begriff der Dahingabe im Neuen Testament (Zürich–Stuttgart 1967), besonders 153–295. „Der Satz, daß Gott seinen Sohn preisgibt, gehört zu den unerhörtesten Aussagen des Neuen Testaments; wir müssen das ‚dahingeben‘ im Vollsinn verstehen und es nicht zu ‚Sendung‘ oder ‚Geschenk‘ abschwächen. Hier ist das geschehen, was Abraham an Isaak nicht

sich, nach Moltmann, auch der Vater gerade in diesem Akt des Sohnes selbst hin. Diese Selbsthingabe des Vaters ist darum nicht nur ein neben dem Sohn stehendes Mitleiden, sondern sein eigenes Leiden selbst. Mit anderen Worten, Gott sagt zu sich selbst nein, indem er zum sündigen Menschen ja sagt[17]. Das im Raum der Weltgeschichte sich ereignende Kreuz Jesu läßt uns diese innergöttliche Entzweiung ahnen.

2. *Trinitarisches Denken als notwendige Logik des Kreuzes*

Wo das Kreuzesgeschehen Jesu als Gottesgeschehen, d.h. als Geschehen zwischen Jesus und seinem Vater verstanden wird, dort ist nach Moltmann schon der Ansatz der Trinitätslehre. Sie meint zwar hier noch keine streng dogmatische Aussage über drei Personen in einem Wesen Gottes, sondern das Denken über Gott, insofern Gott im Bezogensein Jesu auf ihn für uns offenbar wird. Aber sie entsteht nicht aus einer willkürlichen Spekulation, sondern gerade dieses konkrete Ereignis nötigt uns, Gott trinitarisch zu denken. Nach Moltmann ist die Trinitätslehre eine notwendige Explikation des Kreuzesgeschehens Jesu. „Der Ort der Trinitätslehre ist nicht das ‚Denken des Denkens‘, sondern das Kreuz Jesu.“[18]

In der Selbsthingabe des Sohnes gibt auch der Vater sich hin. Hier existiert eine Willensgemeinschaft gerade in ihrer tiefsten Trennung. „Im Kreuz sind Vater und Sohn in der Verlassenheit aufs tiefste getrennt und zugleich in der Hingabe aufs innigste eins.“[19] Was in systematischen Begriffen von einer Wesensgemeinschaft, Homousie, reden läßt, gründet in dieser Willenskonformität zwischen Vater und Sohn[20]. Das Kreuzesgeschehen wird darum nur trini-

---

zu tun brauchte (vgl. Röm 8,32): Christus wurde vom Vater in voller Absicht dem Schicksal des Todes überlassen; Gott hat ihn hinausgestoßen unter die Mächte des Verderbens, ob diese nun Mensch oder Tod heißen“ (*Popkes*, a.a.O. 286, zitiert von Moltmann, GG 228). Allerdings bleibt bei Popkes der Sache nach der Akt des Vaters noch die Hingabe seines eigenen Sohnes und nicht seine Selbsthingabe. Moltmann geht hier ein Stück weiter, wodurch die Sache jedoch nicht unproblematisch wird. Wenn er sagt: „Theologisch ist es wichtig, daß die Hingabe-Formel bei Paulus sowohl mit dem Vater wie mit dem Sohn als Subjekt begegnet...“ (GG 230), unterscheidet er das Objekt der Hingabe nicht genau. Es ist zwar in der Heiligen Schrift gesagt: der Sohn gibt sich hin, und der Vater gibt den Sohn hin. Es ist aber fraglich, ob daraus folgt – wenn auch durch Spekulation des Verhältnisses von Vater und Sohn vermittelt –, daß der Vater sich selbst hingibt.

[17] Vgl. auch *E. Jüngel:* „Das Nein Gottes zu sich selbst ist sein Ja zu uns“ (Vom Tod des lebendigen Gottes, a.a.O. 120).

[18] GG 227; vgl. auch Das Experiment Hoffnung. Einführungen (München 1974) (Abkürzung: EH), 104ff.

[19] GG 231.

[20] GG 231; dazu vgl. auch *H. Mühlen*, Christologie im Horizont der traditionellen Seinsfrage? Auf dem Wege zu einer Kreuzestheologie in Auseinandersetzung mit der altkirchlichen Christolo-

tarisch nach seinem eigentlichen Sinn gedeutet, und umgekehrt wird das trinitarische Denken notwendig, um dieses Geschehen voll wahrzunehmen[21].

In dieser Auffassung Moltmanns wird das eigentliche Anliegen deutlich, das die Offenbarungstheologie im Gefolge der reformatorischen Tradition im Gegensatz zu allem Bemühen der natürlichen Gotteserkenntnis und der Selbstrechtfertigung des Menschen herausstellen will. Es entspricht aber auch dem eigentlichen christlichen Anspruch, daß letztlich nur christlich möglich ist, was der Mensch über Gott wissen und reden kann, d. h., daß der Mensch nur durch Christus Gott als Vater erkennen und nur durch Christus in die Gemeinschaft mit dem Vater hineingenommen werden kann. Gott offenbart sich nämlich nur, insofern der Mensch in der Bezogenheit Christi auf Gott den Vater sieht, und sich selbst auch in Christi Gemeinschaft vom Vater geliebt weiß. Das Denken und Reden über Gott ist letztlich nur durch diese Vermittlung Christi ohne Widerspruch möglich. Die Trinitätslehre ist nichts anderes als eine ausdrückliche Formulierung dieses im Christusgeschehen gegründeten Glaubens[22]. Für die Kreuzestheologie konvergiert ferner diese Vermittlung Christi im Kreuzesgeschehen und ist in ihm zusammengefaßt. Im Kreuz geschieht sie zwischen Gott und Mensch, und erst daraus wird das Sein Christi selbst als Vermittlung zwischen Gott und Mensch eschatologisch und ontologisch verstanden[23]. Darum ist das Kreuz Jesu der Ursprung des trinitarischen Denkens. Moltmann nennt mit Recht die Trinitätslehre „nichts anderes als die Kurzfassung der Passionsgeschichte Christi“[24]. „Der Inhalt der Trinitätslehre ist das reale Kreuz Christi selbst.“[25]

3. *Particula veri der Patripassianer*

Wenn Moltmann in der Selbsthingabe des Sohnes auch die Selbsthingabe des Vaters sieht und als das Leiden des Vaters selbst, sein eigenes, von sich initiiertes, aus der Negierung seiner selbst entstehendes Leiden denkt, wird ihm manchmal vorgeworfen, sie sei eine Art des Patripassianismus. Moltmann selbst sieht diese

---

gie, Catholica (1969) 205–239, Sonderdruck unter dem Titel: Die Veränderlichkeit Gottes als Horizont einer zukünftigen Christologie (Münster 1969) 32.

[21] GG 232.

[22] Dazu *W. Kasper:* „Die Lehre von der hypostatischen Union ist letztlich eine begriffliche ontologische Wendung des biblischen Satzes, daß Gott sich in Jesus Christus als Liebe erwiesen hat... *Letztlich läßt sich die Vermittlung von Gott und Mensch in Jesus Christus nur trinitätstheologisch verstehen*“ (Jesus der Christus [Mainz 1974] 296).

[23] GG 190; dazu vgl. auch *K. Rahner*, Zur Theologie der Menschwerdung, SchTh IV, 152f.

[24] GG 232.

[25] GG 232.

Problematik und unterscheidet seine von der patripassianistischen Position durch sein trinitarisches Denken. Patripassianismus heißt nämlich die Theorie, die das Leiden des Vaters selbst am Kreuz behauptete, um die Einheit Gottes zu betonen. Sie wurde von der kirchlichen Lehrautorität als Häresie verurteilt, weil sie die Dreiheit der Personen in Gott nicht anerkennen wollte[26]. Wenn aber bei Moltmann vom Leiden des Vaters die Rede ist, will er gerade darin die Trinität Gottes begründen. Er identifiziert keineswegs das Leiden des Vaters mit dem Leiden Jesu am Kreuz. Im Gegenteil unterscheidet sich nach Moltmann das Leiden des Vaters vom Leiden des Sohnes, ohne die eigene Wirklichkeit beider aufzugeben. Das Leiden des Vaters entsteht nämlich gerade in der Unterscheidung zwischen Vater und Sohn. Der Vater leidet, indem er seinen Sohn am Kreuz sterben läßt, indem eine Spaltung in die Liebesgemeinschaft von Vater und Sohn einbricht, indem der Vater seinen Sohn verliert und so sein eigenes Vatersein in Frage stellt. Wenn hier keine Entzweiung zwischen beiden wäre, wäre auch kein Leiden des Vaters. Daß in dieser innergöttlichen Spaltung der Vater sich selbst hingibt und aus sich heraustritt, darin liegt nach Moltmann das Wesen des Leidens des Vaters. So ist das eigentliche Anliegen der kirchlichen Lehrtradition bei der Verurteilung der Patripassianer, die Dreifaltigkeit: „Patrem et Filium et Spiritum Sanctum sine confusione indivisos“[27] zu bewahren, bei Moltmann durchaus gewahrt.

Umgekehrt soll das, was die Patripassianer in bezug auf den Sinn des Kreuzes Jesu erblickten, was particula veri der Patripassianer (K. Barth)[28] genannt werden soll, was aber leider in der Vergangenheit samt ihrer damit verbundenen häretischen Behauptung verschüttet worden ist, heute noch einmal wiedergewonnen und entfaltet werden, um die eigentliche Tiefe des am Kreuzesgeschehen offenbarten trinitarischen Gottes zu verstehen. So ist es berechtigt, daß Moltmann das Leiden des Vaters in der innergöttlichen Entzweiung am Kreuz Jesu zu denken wagt. Allerdings müssen wir dabei im Auge behalten, daß die mit dem vergangenen Patripassianismus verbundene Problematik auch durch den trinitarischen Ansatz Moltmanns noch nicht vollkommen geklärt ist.

---

[26] Patripassianismus war immer mit dem Monarchianismus und mit dessen Schulen verbunden. Ihre Anhänger betonten die Einheit Gottes so, daß sie die Dreifaltigkeit aufgaben. Sie betrachteten den Vater, den Sohn und den Heiligen Geist nur als Erscheinungsformen einer einzigen Person: Gott werde in der Schöpfung Vater genannt, in der Menschwerdung und Passion Sohn und in der Sendung der Kirche Heiliger Geist (Modalismus). Daraus folgerten sie die Behauptung, im Kreuz Jesu leide in Wirklichkeit Gott der Vater, und so bekamen sie den Namen „Patri-passianer“. Bei Praxeas wurde Jesus ganz und gar als Mensch betrachtet, so daß Gott, der Vater, in ihm litt (Adoptianismus). Vgl. *Tertullianus,* Adversus Praxean (CSEL 47, 227–289). In allen Fällen wurde die Trinität Gottes aufgegeben, um die Einheit Gottes zu bewahren. Vgl. auch *W. Pannenberg,* Christologie II, dogmengeschichtlich, RGG³ I, 1764; *H. Crouzel,* Patripassianismus, LThK VIII, 180–181.
[27] DS 284. [28] KD IV/2, 399.

II. Die trinitarische Geschichte Gottes mit der Welt

1. Die innergöttliche Geschichte als Urgrund des Christusgeschehens

a) Wenn man das Kreuz Jesu als Geschehen in Gott, als Gottes Geschehen betrachtet und in ihm die Selbstoffenbarung des trinitarischen Gottes, die innergöttliche Entzweiung in der Willensgemeinschaft der Liebeshingabe sieht, fragt man sich nun weiter nach dem Verhältnis zwischen diesem innerweltlichen Geschehen und dem durch es offenbarten innergöttlichen Geschehen. Für Moltmann wird dieses innerweltliche Geschehen des Kreuzes Jesu nicht nur im Wesen Gottes innergöttlich begründet und läßt uns darum ins Geheimnis des innertrinitarischen Zwiespaltes in der Einheit hineinblicken. Er geht noch weiter. Dieses innerweltliche Geschehen läßt uns nicht noetisch das innergöttliche Wesen erkennen, sondern veranlaßt ferner zu denken, daß es auch ontisch im Wesen Gottes selbst besteht. Nach Moltmann ist nämlich die innergöttliche Geschichte der letzte, nicht nur noetische, sondern auch ontische Urgrund des Christusgeschehens, und umgekehrt, das Kreuz Jesu offenbart uns nicht nur, sondern konstituiert auch wesentlich, wer Gott ist.

Wenn das Gottsein Gottes von seinem Vatersein Jesu Christi konstituiert ist, dann kann es nach Moltmann nicht ohne sein wesentliches Verhältnis zum Sohn gedacht werden. Die Sohnschaft des Sohnes ist aber nicht eine von der Menschheit Christi getrennte Gottheit Christi, sondern wird in der konkreten Geschichte der Person Jesu vollendet, in deren Mittelpunkt das Kreuz steht[29]. Wenn also der Sohn die Vaterlosigkeit erleidet, erleidet auch der Vater die Sohneslosigkeit[30]. Wenn der Sohn das Vatersein seines Vaters in Frage stellt, dann stellt Gott sein Gottsein selbst in Frage[31]. Der Sohn lernt an dem, was er leidet, den Gehorsam, der zur Vollendung gelangen muß[32]. Die Vollendung der Vaterschaft des Vaters hängt aber von dieser Vollendung der Sohnschaft des Sohnes ab. Das Geschehen ist ein innertrinitarischer Vorgang.

b) Das Kreuzesgeschehen Jesu als für das Wesen Gottes selbst ontisch konstitutiv zu betrachten nimmt den Ansatz bei der von K. Barth hervorgehobenen theologischen Reflexion. Barth entfaltete seine Trinitätslehre auf der Basis der Bundestheologie und verstand die Geschichte des Bundes zwischen Gott und

---

[29] GG 253.

[30] Moltmann wendet hier den Relationsbegriff auf die Heilsgeschichte an. Über den Begriff der Relation vgl. *J. B. Lotz*, Beziehung, in: *W. Brugger* (Hrsg.), Philosophisches Wörterbuch (Freiburg i. Br. [14]1976) 48f.

[31] GG 143f.

[32] Vgl. Hebr 5,8f.

Mensch als Geschichte des Seins und Lebens des trinitarischen Gottes selbst. Nach K. Barth wird nämlich das Wesen Gottes nicht durch philosophische Spekulation, sondern allein durch die Selbstoffenbarung Gottes erkannt. Gott offenbart sich nicht als ein absolutes, unveränderliches Wesen, sondern in der Bundesgeschichte als Bundespartner des Menschen. Das so durch Selbstoffenbarung erkannte Wesen Gottes ist in sich selbst geschichtlich[33]. Die Bundesgeschichte ist nichts anderes als die innerweltliche Fortsetzung der innergöttlichen Geschichte[34]. Durch seine absolute Freiheit will Gott, ohne sein Gottsein aufzugeben, den Menschen zu seinem Partner machen und an seiner innergöttlichen Geschichte teilnehmen lassen[35]. Die Freiheit des Menschen hat zwar zu einem Bruch in diesem Bund geführt. Dieser Bruch hat aber nach K. Barth nicht den ewigen Willen Gottes, mit den Menschen einen Bund zu schließen, vernichtet, vielmehr war im Gotteswillen die Wiederherstellung des Bundes auch schon eingeschlossen. Gott selber nimmt den Bruch des Bundes und die Sünden- und Leidensgeschichte des Menschen auf sich. Das Kreuz Jesu ist die konsequente Folge dieses Willens Gottes. Er versöhnt den Menschen mit sich im stellvertretenden Tod Christi. Bei K. Barth wird also das Kreuz vom Bund her als dessen Wiederherstellung verstanden, und umgekehrt offenbart uns das Kreuzesgeschehen diesen innergöttlichen Prozeß der Liebe. Gott will den Menschen in die Gemeinschaft seiner Liebe hineinführen und bleibt trotz aller Störungen seinem Willen unermüdlich treu. Die Trinitätslehre entsteht darum auch für K. Barth als eine notwendige Explikation der Kreuzestheologie, insofern das Kreuz diese im ewigen Willen Gottes geschehene innergöttliche Geschichte offenbart[36].

Moltmann nimmt den Ansatz K. Barths auf und führt das Programm weiter aus, Gottes Sein durch die Geschichte Christi zu bestimmen, und zwar aus seinem Interesse für die Weltprobleme. K. Barth sieht nämlich das Kreuz Jesu im Horizont der Bundesgeschichte als der trinitarischen Geschichte Gottes und versteht es darum nur wegen des durch die Sünde des Menschen verursachten Bruchs des Bundes als gleichsam nachträglich notwendig; das trinitarische Leben wird also nach Barth wesentlich durch Gottes Bundeswillen bestimmt, und dieser Wille Gottes entscheidet schon alles definitiv, so daß er auch ohne das Kreuz Jesu keine konstitutive Veränderung erführe, das Kreuz, das nur kontingent durch die Sünde des Menschen, die keineswegs im Wesen Gottes selbst

[33] KD IV/1, 122. [34] KD IV/1, 223. [35] KD IV/1, 236.

[36] Dazu *Moltmann*, GG 186–189; auch *B. Klappert*: „Gotteslehre ist nach Barths Verständnis *Kreuzestheologie*, d.h., sie hat keine andere Aufgabe, als das Ereignis des Kreuzes, das ‚Gott war in Christus und versöhnte die Welt mit sich selbst' zu entfalten ... Die Gotteslehre Barths ist damit der ausgeführte Versuch, *die Härte des Kreuzes in den Gottesbegriff einzuzeichnen*" (Tendenzen der Gotteslehre in der Gegenwart, EvTh 35 (1975) 205.

ihren Grund haben kann, verursacht wird; deshalb scheint Moltmann das Kreuz bei Barth letztlich nur ein Anlaß zu heißen, in dem die Durchsetzung des Gotteswillens offenbar wird, und doch nicht ontisch konstitutiv für das Wesen Gottes selbst zu sein[37].

Das Anliegen der Theodizeefrage bewegt Moltmann. Sein mit dem leidenden Menschen mitleidendes Denken kann nicht einfach das Elend der Welt aus der Sünde des Menschen allein erklären. Für ihn besteht die Alternative von theologischem und soteriologischem Denken überhaupt nicht. Vielmehr wird die Frage nach Gott wesentlich mit den ungelösten Problemen der Welt verbunden. Die Auffassung K. Barths, das Kreuz entstehe aus dem die Sünde des Menschen überwindenden Willen Gottes, erklärt zwar die Entschiedenheit der Versöhnung durch das Kreuz, aber gibt keine befriedigende Antwort auf die Frage nach der noch nicht erlösten Wirklichkeit der Welt selbst[38].

Moltmann versucht also, das Kreuzesgeschehen Jesu im Zusammenhang mit der Leidensgeschichte der Menschheit zu betrachten und diese beiden als für das Wesen Gottes selbst konstitutiv zu denken. „Die im Kreuzestod Jesu auf Golgatha konkrete ‚Geschichte Gottes‘ hat darum alle Tiefen und Abgründe der menschlichen Geschichte in sich und kann darum als die Geschichte der Geschichte verstanden werden. Alle menschliche Geschichte, wie sehr sie von Schuld und Tod bestimmt sein mag, ist in dieser ‚Geschichte Gottes‘, d.h. in der Trinität aufgehoben und in die Zukunft der ‚Geschichte Gottes‘ integriert.“[39]

Moltmann bezeichnet hier Geschichte Gottes als Geschichte der Geschichte und identifiziert sie nicht einfach mit der Weltgeschichte schlechthin. Er meint aber wohl, daß der „Abgrund der Gottverlassenheit, des absoluten Todes und des Nicht-Gottes“[40] im göttlichen Leben selbst zu erkennen ist[41].

Es ist eine theologische Grundhaltung Moltmanns, mit der noch nicht erlösten, nach Befreiung schreienden Weltwirklichkeit mitleidend nach Gott zu fragen; nicht abstrakt die wirkliche Leidensgeschichte des Menschen als Abfall zu begreifen, sondern vielmehr gerade von diesem Leiden selber her die Frage nach

---

[37] Vgl. Moltmanns Kritik an K. Barth, GG 68; 188f; 242; dazu Gegenkritik von *B. Klappert*, a.a.O. 204–205, Anm. 48. Klappert unterscheidet die wesentliche Bundesbestimmtheit des trinitarischen Lebens Gottes von der kontingenten Protestbestimmtheit der trinitarischen Kreuzesgeschichte Gottes. Die Frage nach dem Verhältnis beider zueinander bleibt aber dabei ungelöst. Wenn Gott in seinem ewigen Willen zum Bund schon den Bruch des Bundes einschließt, kann das Kreuz Jesu doch nicht leicht als eine bloß kontingente Geschichte gedacht werden.

[38] ThH 207f.

[39] GG 233.

[40] GG 233.

[41] Der gleiche Ansatz ist schon bei *F. W. J. Schelling* zu erkennen, wenn er im Sein Gottes selbst eine „Zertrennung“ sieht. „Denn jedes Wesen kann nur in seinem Gegenteil offenbar werden, Liebe nur in Haß, Einheit in Streit. Wäre keine Zertrennung der Prinzipien, so könnte die Einheit ihre

der Gerechtigkeit und Güte Gottes zu stellen. Natürlich ist dadurch die Theodizeefrage: „Unde malum?" noch nicht gelöst. Aber man kann in dieser zutiefst verwundeten Welt den Gott bejahen, der von sich aus dieses Elend auf sich nimmt, und in dem Gott Hoffnung haben, der dieses Elend besiegt und in Freude verwandelt.

„Es gibt kein Leiden, das in dieser Geschichte Gottes nicht Gottes Leiden, es gibt keinen Tod, der nicht in der Geschichte auf Golgatha Gottes Tod geworden wäre. Darum gibt es auch kein Leben, kein Glück und keine Freude, die nicht durch seine Geschichte in das ewige Leben, die ewige Freude Gottes integriert werden."[42]

Moltmanns Beitrag zur christlichen Gotteslehre ist, daß er die Trinitätslehre durch die konkrete Geschichte Jesu zu konstituieren versucht[43].

2. *Die innergöttliche Geschichte in Abhängigkeit von der Weltgeschichte*

a) Wenn der Gottesbegriff vom Kreuzesgeschehen Christi her bestimmt wird und das Kreuz als für das Wesen Gottes selbst konstitutiv betrachtet wird, entsteht weiter die Frage nach dem Verhältnis von innergöttlicher Geschichte und Weltgeschichte, in deren Horizont das Kreuzesgeschehen steht. Für Moltmann dient die Weltgeschichte, die durch das Kreuzesgeschehen Jesu eröffnet wird, zunächst als Anschauung für den Begriff der innergöttlichen Geschichte. Der Begriff ist immer verwiesen auf Anschauung (Kant). Die Geschichte Christi als Anschauung und die Geschichte des Heiligen Geistes, die auf Grund der Geschichte Christi fortgesetzt wird als unsere eigene Erfahrung, dienen uns, die innergöttliche Geschichte als deren letzten Urgrund zu denken.

Allmacht nicht erweisen; wäre nicht Zwietracht, so könnte die Liebe nicht wirklich werden" (Philosophische Untersuchungen über das Wesen der menschlichen Freiheit und die damit zusammenhängenden Gegenstände [München 1809] ed. M. Schröter [München 1927] Bd. 4, 265; zitiert auch von Moltmann in: GG 32). Aufgrund dieses Erkenntnisprinzips sieht Schelling, „was in Gott selbst nicht Er selbst ist" (a. a. O. 251), und macht dieses zum Schlüssel für das Verständnis der Leidensgeschichte. „Ohne den Begriff eines menschlich leidenden Gottes bleibt die ganze Geschichte unbegreiflich" (a.a.O. 295). Dazu vgl. die Kritik *W. Kaspers* an Moltmann, Revolution im Gottesverständnis? Zur Situation des ökumenischen Dialogs nach Jürgen Moltmanns „Der gekreuzigte Gott", ThQ 153 (1973), 11; die Antwort *Moltmanns* darauf: „Dialektik, die umschlägt in Identität" – was ist das? Zu einer Befürchtung W. Kaspers, ThQ 153 (1973), 347.

[42] GG 233.

[43] K. Barth hat paradoxerweise in seiner theologischen Überlegung einen souveränen Gottesbegriff vorausgesetzt und von daher die Geschichte Christi als Offenbarung betrachtet. Moltmann geht aber einen Schritt weiter, indem er durch die Geschichte Jesu die Trinitätslehre konstituieren will. Allerdings bleibt seine Ausführung auch unvollständig und stellt eine Aufgabe für die zukünftige Christologie.

Wenn das Geschehen Christi als Sendung vom Vater betrachtet wird, läßt es uns, samt unserer eigenen Sendungsgeschichte im Heiligen Geist, protologisch an die Trinität Gottes als Ursprung der Sendung denken[44]. Wenn das Geschehen Christi ferner auf die Wiederherstellung der gebrochenen Welt hin, auf den Aufbau des Reiches Gottes und auf die durch sie zu erreichende Verherrlichung des Vaters hin betrachtet wird, läßt es uns – mit unserer eigenen Geschichte (der Teilnahme) an der Befreiung und Herrlichkeit im Heiligen Geist – eschatologisch an die vollständig verherrlichte Trinität Gottes denken[45]. Umgekehrt, nur von den beiden Termini, vom Proton und vom Eschaton, her kann die Geschichte Christi mit unserer eigenen Geschichte als Teilnahme an ihr im Heiligen Geist richtig verstanden werden.

Die trinitarische Geschichte Gottes muß nach Moltmann nicht nur von der protologischen Frage nach dem Herkunftsgrund des Kreuzesgeschehens Jesu gedacht werden, sondern auch von der eschatologischen Frage nach dessen Zielgrund. Dieses eschatologische Denken ist bereits in seiner Theologie der Hoffnung deutlich. Moltmann kritisiert an der traditionellen Theologie, daß sie dieses eschatologische Denken vor allem in bezug auf die Trinitätslehre vernachlässigt hat[46]. Man muß bei dem Geschehen Jesu nicht nur nach seinem Ursprung, sondern auch nach seiner Zukunft fragen und umgekehrt, um das Geschehen Jesu zu verstehen, es sowohl protologisch als auch eschatologisch betrachten. Moltmann nennt im protologischen Denken die innergöttliche Geschichte als Urgrund „die Trinität in der Sendung“, und im eschatologischen Denken die innergöttliche Geschichte als Urgrund „die Trinität in der Verherrlichung“[47]. Wenn in der Tradition die sogenannte immanente Trinität als der Ursprung der ökonomischen Trinität, oder letztere als die Fortsetzung des ersten gedacht wird, dann geht es in der Terminologie Moltmanns nur um die Trinität in der Sendung. Sie muß nach ihm noch durch die Trinität in der Verherrlichung ergänzt werden.

Nun folgt aus dieser dynamischen Auffassung Moltmanns von der dreifaltigen Geschichte Gottes ihre Unabgeschlossenheit. Die innertrinitarische Sendung, die als Ursprung des Christusgeschehens und der Geistesgeschichte gedacht wird, ist nach Moltmann „offen für den Menschen und die ganze

---

[44] Gedanken zur „trinitarischen Geschichte Gottes“ (Abkürzung: Gedanken), EvTh 35 (1975) 211–213; KKG 69–72.

[45] Gedanken 216–219; KKG 74–77. Dieser Gedanke Moltmanns findet eine Parallele bei *A. A. van Ruler*. Vgl. *ders.*, Theologie des Apostolates, Mission heute (1954) 13–33; *ders.*, Theologie des Apostolates, Mission heute (1954) 13–33; *ders.*, Gestaltwerdung Christi in der Welt. Über das Verhältnis von Kirche und Kultur (Neukirchen 1956). Über den Einfluß van Rulers auf Moltmanns Denken schreibt er selbst in: UZ 9; vgl. auch *D. Meeks*, a.a.O. 24ff.

[46] GG 243ff; über die Trinität und Eschatologie, Gedanken 214–219; KKG 73–78.

[47] Gedanken 215; KKG 76.

geschaffene, nicht-göttliche Welt."[48] „Die Sendung des Sohnes zum Heil der Welt und die Sendung des Heiligen Geistes zur Vereinigung der Welt mit dem Sohne und dem Vater kann darum zusammenfassend auch als die aus sich herausgehende *Liebe Gottes* bezeichnet werden. Christliche, d.h. an die Geschichte Christi gebundene Trinitätslehre bezeichnet darum die von Anfang an offene Trinität der sendenden und suchenden Liebe ... In diesem Sinne ist der dreifaltige Gott menschenoffen, weltoffen und zeitoffen."[49] Gott geht aus sich heraus durch die schmerzhafte Trennung und kommt wieder zur Einheit seiner selbst zurück. Das ist nichts anderes als der trinitarische Ausdruck der weltgeschichtlichen Dialektik von Kreuz und Auferstehung, die, wie schon im letzten Kapitel gezeigt, nach Moltmann im Christusgeschehen gestiftet wird und sich durch die Geschichte bis zur Vollendung im Eschaton entfaltet. Im Kreuz Jesu stellt Gott selbst seine Gottheit in Frage. Das geschieht aber darum, damit Gott die gottlose Welt des Menschen wiedergewinnt und der leidende Mensch am göttlichen Leben teilnimmt. Gott bezeugt in der Auferweckung Jesu sein Gottsein und bestätigt dem Menschen seine Verheißung der Teilnahme an der Herrlichkeit. Die durch die Auferstehung Jesu gleichsam garantierte Geschichte der Welt geht in der Spannung von Kreuz und Auferstehung weiter. Erst wenn im Eschaton dieser Weltgeschichte und im Kommen des Reiches Gottes Gott alles in allem wird, findet Gott seine volle Herrlichkeit und wird wahrhaft Gott. Für Moltmann ist hier die Vollendung des Gottseins Gottes von der Vollendung der Weltgeschichte abhängig. „Die innertrinitarischen Beziehungen zwischen dem Vater und dem Sohn sind nicht statisch ein für allemal fixiert, sondern sind eine lebendige Geschichte. Diese Geschichte Gottes oder diese Geschichte in Gott beginnt mit der Sendung und Hingabe des Sohnes, geht fort mit seiner Auferweckung und der Übertragung der Gottesherrschaft auf ihn und vollendet sich erst in der Übergabe der Gottesherrschaft vom Sohn auf den Vater."[50]

b) Wenn aber eine wesentliche Verbindung von innergöttlicher Geschichte

---

[48] Gedanken 213.

[49] Gedanken 213.

[50] GG 253; vgl. auch GG 241–3; 252–5; Gott kommt und der Mensch wird frei (München 1975) 10. In dieser Ausführung der trinitarischen Geschichte kommt Moltmann der Geschichtsauffassung Pannenbergs sachlich wieder sehr nahe. Für Pannenberg besteht die Vollendung der Offenbarung als Geschichte nur im Eschaton, das schon im Christusgeschehen vorweggenommen ist. Wenn aber diese Offenbarung nicht nur noetisch, sondern ontisch verstanden wird, sagt sie nichts anderes als die Vollendung der Gottheit Gottes, die mit der Vollendung der Weltgeschichte zusammenfällt. Vgl. *W. Pannenberg*, Theologie und Reich Gottes (Gütersloh 1971) vor allem 22–29; ders., Gottesgedanke und menschliche Freiheit (Göttingen 1972) vor allem: Die Bedeutung des Christentums in der Philosophie Hegels, a.a.O. 78–113; *ders.*, Der Gott der Hoffnung, in: *S. Unseld* (Hrsg.), Ernst Bloch zu ehren (Frankfurt a.M. 1965) 209–225; später in: GSTh 387–398, bes. 398, zitiert und kritisiert von Moltmann, GG 252f Anm. 45; *ders.*, Über historische und theologische Hermeneutik, in: GSTh 123–158.

und Weltgeschichte behauptet wird, stößt man unweigerlich auf eine Aporie. Entweder wird die ganze Weltgeschichte auf die innergöttliche Geschichte zurückgeführt, so daß sie als eine innerweltliche Verwirklichung der in Ewigkeit geschehenen Entscheidung des dreifaltigen Gottes betrachtet wird, oder Gott wird auf die Weltgeschichte zurückgeführt, so daß die menschliche Geschichte zugleich als die werdende Geschichte Gottes selbst betrachtet wird. Im ersten Fall wird das Denken der Freiheitsgeschichte des Menschen zu kurz kommen. Im zweiten Fall aber ist die absolute Freiheit Gottes nur schwer zu begreifen. Im ersten wird noch die Souveränität Gottes der Welt gegenüber gewahrt, während die Realität der Welt nicht ernst genommen wird. Im zweiten tritt die Weltgeschichte in den Vordergrund, während das Verhältnis Gottes zur Welt so real gedacht wird, daß Gottes Gottsein nicht leicht widerspruchslos zu denken ist. Während K. Barth selber in manchen Aussagen zum ersten zu neigen scheint, verstärkt Moltmann, indem er den Ansatz Barths konsequent entfaltet und vor allem aus seinem Interesse für die Weltprobleme die Abstraktheit der Wirklichkeitsauffassung Barths kritisiert, seine von der Hegelschen Geschichtsauffassung beeinflußte Neigung, die Abhängigkeit Gottes von der Weltwirklichkeit zu bejahen[51].

Moltmann identifiziert zwar keineswegs die Geschichte Gottes mit der Weltgeschichte. Die Entscheidung Gottes in Ewigkeit wird wohl außerhalb der Weltgeschichte gedacht. „Die ‚Geschichte Gottes‘, deren Kernstück das Kreuzesgeschehen ist, kann nicht als Geschichte in der Welt gedacht werden, sondern nötigt dazu, umgekehrt die Welt in dieser Geschichte zu begreifen... Die ‚Geschichte‘ Gottes ist keine ‚innerweltliche‘ Möglichkeit, sondern umgekehrt ist die Welt eine Möglichkeit und eine Wirklichkeit in dieser Geschichte... Die Geschichte Gottes ist dann als Horizont der Welt zu denken, nicht umgekehrt die Welt als Horizont seiner Geschichte.“[52] Moltmann folgt K. Barth, indem er meint, die menschliche Geschichte soll in die göttliche Geschichte hineingenommen werden[53]. Hier wird aber das Verhältnis von innergöttlicher Geschichte und Weltgeschichte nicht weiter thematisch behandelt. „Trinitarisch verstanden, ist Gott sowohl welttranszendierend wie geschichtsimmanent.“[54] Aber wie sich innergöttliche Geschichte und Weltgeschichte zueinander verhal-

[51] Daß die Geschichtsauffassung Hegels Moltmann stark beeinflußt hat, ist schon in der Terminologie „die Geschichte Gottes“ nicht zu verkennen. GG 87f, 233, 240f. G. Greshake weist mit Recht auf die Prägung der idealistischen Denkform bei Moltmann hin. Vgl. *G. Greshake*, Auferstehung der Toten. Ein Beitrag zur theologischen Diskussion über die Zukunft der Geschichte (= Koinonia 10) (Essen 1969) 134–162. *P. Cornehl* stellt die Geschichtsauffassung Moltmanns im Perspektiv der Hegelschen Geschichtsphilosophie dar: *ders.*, Die Zukunft der Versöhnung. Eschatologie und Emanzipation in der Aufklärung, bei Hegel und in der Hegelschen Schule (Göttingen 1971) bes. 327–350.

[52] GG 204. [53] GG 242, 265. [54] GG 242.

ten, wird nicht genauer geklärt, wenn Moltmann auch sagt: „Er (sc. Gott) ist, wenn man es mit unzureichender Bildlichkeit fixieren will, als Vater transzendent, als Sohn immanent und als Geist der Geschichte zukunftseröffnend voran."[55] Trotzdem ist seine Tendenz zu einem Panentheismus nicht zu leugnen. „Eine trinitarische Kreuzestheologie aber nimmt Gott im Negativen und das Negative darum in Gott wahr, und ist auf diese dialektische Weise panentheistisch. Denn auf die verborgene Weise der Erniedrigung bis zum Kreuz ist alles Seiende und alles Vernichtende schon in Gott aufgehoben, und beginnt Gott, ‚alles in allem' zu werden. Gott im Kreuz Christi zu erkennen, heißt umgekehrt, das Kreuz, das ausweglose Leiden, den Tod und die hoffnungslose Verwerfung in Gott zu erkennen."[56]

Wenn Moltmann von der Sendungsgeschichte Christi und von der durch sie begründeten Sendungsgeschichte des Heiligen Geistes her (missio ad extra) protologisch die ursprüngliche innertrinitarische Sendung Gottes (missio ad intra) denkt, und ferner dieses Denken durch das eschatologische Denken ergänzt, das von der durch Christus eröffneten Dimension der Zukunft heran an die trinitarische Vollendung am Ende der Geschichte denkt, führt er zwar trinitarisch seinen eigenen dynamischen Gottesbegriff aus, den er von Anfang an und durch die Theologie der Hoffnung hindurch festhält, und stellt damit eine neue Herausforderung an das klassische trinitarische Denken dar, das diese Dimension vernachlässigt hat. Gleichzeitig aber wird in diesem Entwurf notwendig die Tendenz des Panentheismus verstärkt, das Verhältnis von innergöttlicher Geschichte und Weltgeschichte als relatio realis, d.h. als ein gegenseitig abhängiges, wesenskonstitutives Verhältnis, zu betrachten, wenn auch nicht als eine völlige Identifizierung. Die Weltgeschichte wird in die innergöttliche Geschichte aufgehoben, und zwar in der Weise, daß Gottes Gottheit von der Weltgeschichte ontisch abhängig ist und Gott erst durch die Vollendung der Weltgeschichte wahrhaft zu sich kommt.

So wirft die Auffassung Moltmanns eine Denkschwierigkeit auf, mit der wir uns in einem späteren Kapitel vor allem von der Position der katholischen Tradition her auseinandersetzen müssen. Hier sei nur darauf hingewiesen, daß das Anliegen seiner Kreuzestheologie, den Gottesbegriff durch das Kreuzesgeschehen Jesu zu bestimmen, die Möglichkeitsbedingung des menschlichen Denkens, die er notwendigerweise voraussetzen muß, um Gott als Gott zu denken, nicht widerspruchslos vernachlässigen kann. Seine Neigung, alle Unvollkommenheiten der Welt gleichsam in Gott selbst hineinzubringen, wird letztlich zum Widerspruch führen und keine Antwort geben auf die Weltprobleme, die ihn berühren. Wie man eine Veränderlichkeit Gottes ohne dessen Unvollkommen-

[55] GG 242. [56] GG 266.

heit denken kann, wie die lebendige Geschichte der Gottesliebe, welche die zentrale Botschaft des christlichen Glaubens – die Menschwerdung des Gottessohnes und in deren Folge der Kreuzestod – uns offenbart, widerspruchslos mit der im Denken notwendigerweise vorausgesetzten absoluten Vollkommenheit Gottes gedacht werden kann, diese Frage hat bei Moltmann noch keine befriedigende Antwort gefunden[57].

III. Die Frage nach dem Heiligen Geist

1. Der Geist der Verlassenheit und Hingabe

Moltmann handelt zwar in seinem kreuzestheologischen Entwurf noch nicht thematisch über den Heiligen Geist. Wenn das Kreuz Jesu aber als das Geschehen des trinitarischen Gottes gedacht wird, wird die darin gegenwärtige dritte Person des Heiligen Geistes schon implizit mitgedacht. „Aus dem Kreuzesgeschehen und seiner befreienden Wirkung wird der Ausgang des Geistes vom Vater uns offenbar."[58] Seine spätere Entfaltung der Pneumatologie entspricht an und für sich der inneren Logik seines Denkens der trinitarischen Kreuzestheologie und ist gleichzeitig eine notwendige Folge, die von seinem seit der Theologie der Hoffnung ständig durchgehaltenen Anliegen der Weltprobleme her gefordert wird[59].

Moltmann sieht die Wirkung des Heiligen Geistes in zwei Dimensionen. Die erste ist die Geschichte Christi, in deren Mittelpunkt das Kreuzesgeschehen steht, als Anschauung für das systematische, trinitarisch-pneumatologische Denken; die zweite ist die Geschichte der befreienden Wirkung dieses Christusgeschehens als unsere eigene Erfahrung in der Welt. Wie wir bereits gesehen haben, lassen diese zwei Dimensionen zusammen in der Erkenntnisordnung nach der innertrinitarischen Geschichte als ihrem Urgrund fragen und umge-

---

[57] Diese Frage ist überhaupt für die Zukunft aufgegeben. Auch in der katholischen Tradition ist sie nicht durch die Bestimmung der Trinitätslehre abgeschlossen, sondern erst eröffnet. Vgl. *K. Rahner*, Chalkedon – Ende oder Anfang, in: *A. Grillmeier – H. Bacht* (Hrsg.), Das Konzil von Chalkedon, Geschichte und Gegenwart III (Würzburg 1954) 3–49.

[58] GG 192; *J. E. Vercruysse*, Der gekreuzigte Gott. Zu J. Moltmanns gleichnamigem Buch, Gregorianum 55 (1974) 319–378, kritisiert darum nicht ganz mit Recht, Moltmanns Ausführung über die Entzweiung Gottes behandle nur das Verhältnis zwischen Vater und Sohn und erlaube höchstens eine binitarische Schlußfolgerung. Es kommt nur auf die methodische Weise Moltmanns an, seine jeweiligen Anliegen thematisch zu behandeln. Man sollte darum die Kritik bei der Frage ansetzen, ob eine Offenheit für die weitere Entfaltung der Pneumatologie besteht oder nicht. Und tatsächlich entfaltet Moltmann in den späteren Werken seine Pneumatologie vor allem in „Gedanken" und KKG.

[59] Dazu vgl. KKG 14.

kehrt, in der Seinsordnung gibt die innertrinitarische Geschichte den beiden ihre Erklärung[60]. Zunächst wird im Kreuzesgeschehen Jesu selbst der Ausgang des Heiligen Geistes implizit gedacht als die gegenseitige Liebe in der tiefen Kluft der Verlassenheit und zugleich in der Willensgemeinschaft der Hingabe zwischen Vater und Sohn. Der Heilige Geist wird im Kreuzesgeschehen als der Geist der Verlassenheit und Hingabe, als die einigende Liebe in der Entzweiung zwischen Vater und Sohn gedacht[61]. Der Vater gibt den Sohn in der gleichen Liebe für uns hin, der Sohn gibt aber seinerseits auch in der gleichen Liebe sich selber für uns hin. Der Heilige Geist ist hier nichts anderes als die absolute Nähe und Identität in der letzten Trennung zwischen Vater und Sohn. „Wie die Gethsemanegeschichte zeigen will, vereinigt die Hingabe zum Tod am Kreuz den Sohn mit dem Vater gerade an dem Punkt der tiefsten Trennung und gegenseitigen Verlassenheit. Der Sohn gibt sich dahin ‚durch den Geist' (Hebr 9,14). Die Kraft, die ihn in die Verlassenheit vom Vater führt, ist die Kraft, die ihn zugleich mit dem Vater vereint."[62]

Hier kann man sich wohl mit Recht fragen, ob bei Moltmann die Personalität des Heiligen Geistes deutlich genug in Erscheinung tritt oder der Geist nur als dynamis, als interpersonal wirkende Kraft aufgefaßt wird. Für Moltmann ist es aber nicht relevant, die innergöttlichen Personen in metaphysischer Terminologie durch eine für alle drei geltende substantia zu bestimmen. Wenn die Personalität des Heiligen Geistes aus dem Wir-Akt zwischen Vater und Sohn begründet werden kann, dann tritt dieser Wir-Akt Gottes am deutlichsten im Kreuzesgeschehen Jesu in den Vordergrund[63].

Ferner soll die gleiche Betrachtung sowohl über die Sendung des Sohnes vom Vater als auch über die Verherrlichung des Vaters durch den Sohn im Christus-

---

[60] Gedanken 211–219; KKG 69–78.
[61] GG 192; 231.
[62] KKG 114; eine Parallele zu diesem Gedanken findet sich auch bei *H. Mühlen*, dessen Veröffentlichungen Moltmann in seiner Entfaltung der Pneumatologie berücksichtigt. Vgl. Die Veränderlichkeit Gottes, a. a. O. 33.
[63] *H. Mühlen* versucht, durch interpersonale Analogie die Personalität des Geistes von dem Wir-Akt von Vater und Sohn her zu begründen. Vgl. Der Heilige Geist als Person – in der Trinität bei der Inkarnation und im Gnadenbund (Münster 1963). Mühlen behandelt aber in diesem Werk das trinitarische Denken im Geschehen von Kreuz und Auferstehung nicht ausführlich, sondern erst in seinen späteren Veröffentlichungen. „Das Kreuzesgeschehen ist in diesem Sinn die geschichtliche Selbstdurchsetzung des trinitarischen Wir-Aktes, nicht als ob der Vater und der Sohn sich gemeinsam opfern, oder als ob der Vater selbst gelitten hätte, sondern so, daß eben in dem radikalsten Gegensatz zwischen Vater und Sohn ihre radikale Nähe und Einheit in Erscheinung tritt" (Veränderlichkeit Gottes, a. a. O. 33; vgl. auch Die Erneuerung des christlichen Glaubens (München 1974) 186–206; Soziale Geisterfahrung als Antwort auf eine einseitige Gotteslehre, in: *C. Heitmann – H. Mühlen* (Hrsg.), Erfahrung und Theologie des Heiligen Geistes (Hamburg 1974) 253–272; Pneumatologie am Beginn einer neuen Epoche, in: *C. Heitmann – F. Schmeker* (Hrsg.), Im Horizont des Geistes (Hamburg – Paderborn 1971) 48–65.

geschehen angestellt werden. Das heißt, der Heilige Geist soll als die dritte Person gedacht werden, erstens schon im Akt des Vaters, der, um den sündigen Menschen mit sich zu versöhnen, seinen eigenen Sohn in die Welt sendet, und im Akt des Sohnes, der, um die Welt mit dem Vater zu versöhnen, dem Willen des Vaters gehorcht; Jesus wird nach Matthäus (1,18ff) und Lukas (1,26ff) im Heiligen Geist empfangen, er beginnt nach Markus (1,9) seinen Sendungsauftrag durch die Geistbegabung in seiner Taufe, er wird – nach den Evangelisten – vom Geist getrieben und getragen sein ganzes Leben der Sendung hindurch, und schließlich gibt er seinen Geist nach Lukas (23,46) und Johannes (19,30) dem Vater zurück. Dann soll zweitens der Heilige Geist schon im Akt des Vaters, der den Sohn von den Toten auferweckt und ihm wieder die Freude des Gottessohnes gibt, und im Akt des Sohnes, der in der Weise den Vater verherrlicht und sich der Gemeinschaft des Vaters freut als der Geist, der die Toten lebendig macht, und als Geist der Neuschöpfung Gottes gedacht werden.

In der Geschichte Jesu, vor allem im Kreuzesgeschehen wird dieses innertrinitarische Geheimnis offenbar. Die zweite Dimension dieses Kreuzesgeschehens, d.h. die Dimension seiner Wirkung im Heiligen Geist, die Dimension unserer Erfahrung und der Weltgeschichte, gründet in der innertrinitarischen Sendung des Heiligen Geistes, in die man im Kreuzesgeschehen hineinblicken kann, und wird als deren Durchsetzung erklärt. „Im Kreuz sind Vater und Sohn in der Verlassenheit aufs tiefste getrennt und zugleich in der Hingabe aufs innigste eins. Was aus diesem Geschehen zwischen Vater und Sohn hervorgeht, ist der Geist, der Gottlose rechtfertigt, Verlassene mit Liebe erfüllt und selbst die Toten lebendig machen wird ...“[64]

2. *Die in uns wirkende Kraft des Kreuzesgeschehens*

Man kann daher ferner das Verhältnis des Christusgeschehens zu uns in der Weltgeschichte betrachten. Das ist die Dimension unserer Erfahrung der Wirkung des Christusgeschehens im Heiligen Geist. Christus setzt nämlich seine Sendung in der Weltgeschichte weiter fort durch den Heiligen Geist, und umgekehrt wird die Wirkung des Heiligen Geistes in der Welt im Kreuzesgeschehen Christi begründet. Auch der Gottesbeistand, den das Volk des Alten Bundes damals erlebt, die Gegenwart Gottes, der mit dem leidenden Volk litt und es zum verheißenen Land führte, ist nichts anderes als das, was heute Christen durch den Heiligen Geist erfahren[65]. Auch die Gegenwart des Geistes im alttе-

[64] GG 231; vgl. auch 232, 239.
[65] Schon im Alten Testament findet sich die Unterscheidung von Gott und im Volk einwohnendem Geist Gottes: „Schekina“. Darüber GG 259–263.

stamentlichen Volk und die Begleitung des Geistes im Leben und Sterben Jesu haben in der Seinsordnung ihren Ursprung erst im Christusgeschehen. Der Heilige Geist geht aus dem Christusgeschehen hervor und setzt Christi Werk fort[66]. Gott, der durch das Christusgeschehen den Menschen von der Macht des Todes befreit, bleibt durch den Heiligen Geist die Weltgeschichte hindurch als die Macht der Neuschöpfung. Sie gibt den Leidenden Hoffnung, führt sie zur Freiheit und schafft die Welt ständig neu auf die zukünftige Vollendung hin.

Umgekehrt führt uns diese Erfahrung der Befreiung zur Kenntnis des Christusgeschehens. Der Geist befähigt den Glaubenden, die Geschichte Christi in der eigenen Lebensgeschichte als Gottesgeschichte zu verstehen, in der Christus vom Vater in die Wirklichkeit des Menschen gesandt wird, um den Menschen wiederzugewinnen und in die Gemeinschaft des Vaters zu führen, in der Christus den Gottfremden Gott gibt, die Verlassenen mit Liebe erfüllt und den Gefangenen Befreiung bringt[67]. Der Heilige Geist verbindet uns mit Christus als der uns und ihm gemeinsame Geist und führt uns mit Christus zusammen in die Gemeinschaft des Vaters[68].

3. *Die Geschichte des Geistes zwischen Sendung und Verherrlichung*

Die Erfahrung des Heiligen Geistes läßt für die Glaubenden ihren Ursprung im Kreuzesgeschehen erkennen und läßt ferner die innertrinitarische Geschichte erkennen, in der aus Einheit in Trennung zwischen Vater und Sohn der Heilige Geist hervorgeht als Urgrund des Kreuzesgeschehens. Sie läßt uns nach ihrem Urgrund sowohl protologisch als auch eschatologisch fragen. In der protologischen Fragestellung erscheint uns der Urgrund als die Trinität in der Sendung. Der Vater, der ursprungslose Ursprung, sendet den Sohn und den Heiligen Geist, der Sohn wird vom Vater gesandt und sendet zugleich von sich aus gemeinsam mit dem Vater den Heiligen Geist, und der Heilige Geist wird sowohl vom Vater als auch vom Sohn gesandt. Hier wird der Heilige Geist nur passiv betrachtet. Und umgekehrt wird in der Seinsordnung die Geschichte des Heiligen Geistes, die ihren Ursprung im Christusgeschehen hat, von der innertrinita-

---

[66] Dazu *K. Barth*, KD IV/2, 357; 363.

[67] Dazu vgl. *H. Mühlen*, Die Erneuerung des christlichen Glaubens, a. a. O. 69–104. *A. M. Aagaard*, Der Heilige Geist in der Welt, in: *H. Meyer* u. a., Wiederentdeckung des Heiligen Geistes. Der Heilige Geist in der charismatischen Erfahrung und theologischen Reflexion (= Ökumenische Perspektiven 6) (Frankfurt a. M. 1974) 97–119.

[68] H. Mühlen stellt die Bedeutung des Heiligen Geistes als die der einigenden Person in vielen Personen dar, in: Una Persona Mystica. Die Kirche als das Mysterium der heilsgeschichtlichen Identität des Heiligen Geistes in Christus und den Christen: Eine Person in vielen Personen (München–Paderborn–Wien 1968), auch in: Der Heilige Geist als Person, a. a. O. 187–197.

rischen Sendung her erklärt. In der eschatologischen Fragestellung aber erscheint der Urgrund als Trinität in der Verherrlichung. Hier wird der Heilige Geist als volle Aktivität betrachtet. Der Heilige Geist verherrlicht nämlich sowohl den Sohn als auch dadurch den Vater. Der Sohn wird durch den Heiligen Geist verherrlicht und verherrlicht zugleich den Vater. Der Vater wird sowohl durch den Heiligen Geist als auch durch den Sohn verherrlicht[69]. Und umgekehrt, in der Seinsordnung wird die Geschichte des Heiligen Geistes von der vollen Verherrlichung dieses trinitarischen Gottes her erklärt.

Der Heilige Geist geht zwischen dieser Sendung und Verherrlichung durch die Weltgeschichte hindurch, deren Mittelpunkt das Kreuzesgeschehen Jesu ist, und nimmt sie in die Geschichte des dreieinigen Gott hinein, die er uns durch die Anschauung und durch die Erfahrung erblicken läßt. Er läßt uns in dieser noch nicht erlösten Welt die Herrlichkeit der neuen Schöpfung vorwegnehmen[70]. Er gibt dem sündigen Fleisch Leben, macht den Gottlosen für die Zukunft Gottes offen, vereinigt die Menschheit so mit Christus und führt sie ins Reich Gottes. „Bruderschaft Christi bedeutet leidende und aktive Teilnahme an der Geschichte dieses Gottes. Ihr Kriterium ist die Geschichte des gekreuzigten und auferweckten Christus. Ihre Kraft ist der seufzende und befreiende Geist Gottes. Ihre Vollendung liegt im alles befreienden und mit Sinn erfüllenden Reich des dreieinigen Gottes.“[71] Diese Wirkung des Geistes in der Weltgeschichte ist die Geschichte des Geistes zwischen Sendung und Verherrlichung. „Der Hl. Geist verherrlicht Christus in uns und uns in Christus zur Ehre Gottes des Vaters. Indem er dieses bewirkt, *vereinigt* er uns und die Schöpfung mit dem Sohn und dem Vater, wie er den Sohn selbst mit dem Vater vereinigt. Der Geist ist das Band der Gemeinschaft und die Kraft der Vereinigung. Er ist der mit Gott, dem Vater, durch Gott, den Sohn, vereinigende Gott. Die Geschichte des Geistes ist die Geschichte dieser Vereinigungen.“[72]

IV. Theologie des Schmerzes Gottes

1. Versuch einer trinitarischen Kreuzestheologie im japanischen Denken bei K. Kitamori

Der Gedanke Moltmanns, daß Gott im Kreuzesgeschehen Jesu gegen sich selbst steht, würde in einer erstaunlichen Übereinstimmung schon in der Theologie

[69] Gedanken 215f. [70] GG 242, 264, 290.
[71] GG 315; vgl. auch: Gottesoffenbarung und Wahrheitsfrage, PTh 31. [72] Gedanken 218.

des Schmerzes Gottes bei K. Kitamori vorweggenommen[73]. Kitamori veröffentlichte sie erstmals 1946. Die Originalität seines Versuchs, das christliche Geheimnis im japanischen Denken aufzunehmen, ist heute noch beachtenswert. Hier soll untersucht werden, wie weit sich bei Moltmann mit dieser schon vor ihm gegebenen Theologie des Schmerzes Gottes Gemeinsamkeiten, wenn auch keine direkte Verbindungen oder Beeinflussungen finden, und wo Unterschiede bestehen, so daß man hier möglicherweise einen Ansatz zur weiteren Entfaltung der kreuzestheologischen Trinitätslehre finden kann.

a) Der Ausgangspunkt Kitamoris ist seine Frage nach der Logik des Evangeliums[74]. Als Japaner fragt er bei der Rezeption des aus dem Westen überlieferten christlichen Glaubens zunächst nach der dem Evangelium zugrunde liegenden Logik. Was er dort entdeckt, ist die Logik der „indirekten" Liebe Gottes, die am besten mit dem Ausdruck „Schmerz Gottes" bezeichnet wird. Sie wird hier „indirekt" genannt, weil sie im Gegensatz zu einem oberflächlichen Verständnis des Evangeliums, das allzu schnell von Gnade und Liebe Gottes redet, sich zunächst mit der harten Wirklichkeit des Zornes Gottes konfrontiert und ihn dann aufgehoben als Negation der Negation denkt. Der sündige Mensch kann nämlich nicht leicht seine Sündigkeit hinter sich lassen und sich leichtfertig über die Gnade Gottes freuen. Die Wirklichkeit der Sünde ist an sich unvergebbar. Der gerechte Gott muß wegen der Sünde des Menschen zürnen. Gottes Zorn befiehlt dem Sünder den Tod. Der Mensch ist zum Todesschicksal verurteilt, und das ist zunächst eine nicht leicht zu übersehende harte Wirklichkeit der Welt[75]. Gott aber überwindet selber wegen seiner Liebe zum Menschen diesen Zorn. Indem er den Menschen liebt, den er an sich nicht lieben kann, negiert

---

[73] *K. Kitamori*, Kami no Itami no Shingaku (Theologie des Schmerzes Gottes) (Tokio 1946; die deutsche Übersetzung: Göttingen 1972); hier wird aus dieser Ausgabe zitiert (Abkürzung: ThSchG). Zu unserem Problem hier sind noch folgende seiner Werke zu beachten: Fukuin no Seikaku (Der Charakter des Evangeliums) (Kyoto 1948); Konnichi no Shingaku (Theologie heute) (Tokio 1950); Kyûsai no Ronri (Die Logik der Erlösung) (Tokio 1953); Schûkyôkaikaku no Shingaku (Theologie der Reformation) (Tokio 1960); Ningen to Shūkyō (Mensch und Religion) (Tokio 1965); Ai ni okeru Jiyuno Mondai (Frage der Freiheit in Liebe) (Tokio 1966); Nippon no Kirisutokyō (Das Christentum Japans) (Tokio 1966); zur Darstellung seiner Theologie im deutschsprachigen Raum vgl. *K. Ogawa*, Die Aufgabe der neueren evangelischen Theologie in Japan (Basel 1965); *C. Michalson*, Japanische Theologie der Gegenwart (Gütersloh 1962); *H.-J. Margull*, Tod Jesu und Schmerz Gottes, in: *M.-L. Henry* u. a., Leben angesichts des Todes. Zum 60. Geburtstag von Helmut Thielicke (Tübingen 1968) 269–276; *R. Weth*, Über den Schmerz Gottes. Zur Theologie des Schmerzes Gottes von Kazoh Kitamori, EvTh 33 (1973) 431–436; *D. Sölle*, Gott und das Leiden, Wissenschaft und Praxis, 62 (1973) 358–372; *S. Takayanagi*, Christologie in der japanischen Theologie der Gegenwart, in: *J. Pfammatter – F. Fuger* (Hrsg.), Theologische Berichte II (Zürich 1973) 121–133.

[74] Kitamori nennt sie „das Herz des Evangeliums", ThSchG 15, 101.

[75] ThSchG 17; in dieser Betonung des Zornes Gottes liegt ein Charakteristikum der gesamten Theologie Kitamoris. Dort ist auch der starke Einfluß der lutherischen Tradition festzustellen. Dazu

er sein inneres Wesen der Gerechtigkeit. Dort entsteht der Schmerz der Selbstnegierung. Das ist in einem Wort die Logik der indirekten Liebe Gottes[76].

Der Schmerz Gottes ist bei Kitamori nicht gleich das Leiden Gottes. Zunächst ist der Zorn Gottes, und dann ist die entgegengesetzte Liebe Gottes zum Menschen, und schließlich entsteht zwischen beiden der Schmerz Gottes[77]. Dieser Schmerz Gottes ist darum nichts anderes als der negative Ausdruck der Liebe, der das Gegenteil auch umschließenden, das Unvergebliche vergebenden, das Unliebenswürdige liebenden Liebe Gottes, und umgekehrt ist die Liebe Gottes eine durch seinen Schmerz vermittelte indirekte Liebe.

Dieser Schmerz Gottes wird am Kreuz Jesu geschichtlich verwirklicht. Kitamori entwickelt den Ansatz Luthers vom Streit Gottes gegen sich selbst am Kreuz[78]. Am Kreuz Jesu streitet Gott, der dem Sünder den Tod befiehlt, gegen Gott, der diesen Sünder lieben will. Gott nach dem Willen des Zornes und Gott nach dem Willen der Liebe stehen hier gegeneinander[79]. Gerade in der Tatsache, daß beide derselbe Gott sind, besteht der Schmerz Gottes selbst. So ist das Kreuzesgeschehen eine innerste Tat Gottes. Hier wird eine absolute, innergöttlich begründete Notwendigkeit der Dahingabe des Sohnes vorausgesetzt. „Der Gott des Evangeliums ist nicht einfach der Gott, der als Vater den Sohn zeugt. Der Gott des Evangeliums ist der Gott, der als Vater seinen Sohn sterben läßt und in solchem Handeln Schmerz erleidet."[80] Kitamori will die Trinitätslehre ganz und gar vom Kreuzesgeschehen her verstehen, während die klassische Trinitätslehre, indem sie über die innergöttliche Tat spricht, opera trinitatis ad intra, d.h. eine immanente trinitarische Tat Gottes denkt, die nicht auf das Leiden, sondern auf das Zeugen Gottes Gewicht legt, obwohl das Leiden Gottes als Folge des Zeugens verstanden werden soll. Darum ist „das letzte Wort des Evangeliums... der Schmerz Gottes"[81]. Demzufolge ist die Aussage von der „Zeugung des Sohnes durch den Vater" die Nebensache, die nur nötig ist, um die Hauptsache, das Sterben des Sohnes durch den Vater, aussagen zu können[82].

Kitamori hat sich bereits mit demselben Problem des Patripassianismus wie Moltmann auseinandergesetzt[83] und unterscheidet in einem erstaunlich ähnlichen Ausdruck wie Moltmann die Leiden von Vater und Sohn. „Im allgemeinen

---

vgl. *Michalson*, a.a.O. 63; *Ogawa*, a.a.O. 24f; vgl. auch das von Kitamori oft zitierte Buch: *Th. Harnack*, Luthers Theologie I (Erlangen 1862), jetzt wieder neu erschienen (Amsterdam 1969); Kitamori zitiert nach der Ausgabe München 1926.

[76] ThSchG 149; Der Charakter des Evangeliums, 56; Theologie heute, 92ff; vgl. auch Michalson; a.a.O. 64f.

[77] ThSchG 17.

[78] WA 45, 370, 35; dazu *Th. Harnack*, a.a.O. 338.

[79] ThSchG 42; dazu vgl. *Th. Harnack*, Luthers Theologie II (München 1927) 242ff, 253.

[80] ThSchG 44f. [81] ThSchG 44f. [82] ThSchG 45.

[83] ThSchG 113–115, auch im Vorwort zur 5. Ausgabe (Tokio 1958) vgl. auch *Michalson*, a.a.O. 77.

kann man von Schmerz nur in bezug auf Lebende reden. Man kann nicht von Schmerz reden bei einem, der bereits starb und zunichte geworden ist. Weil Gott auf Grund des Geheimnisses der Trinität in der persona des Vaters und des Sohnes unterschieden, im Wesen jedoch eins ist, lebt der Vater jedoch auch beim Sterben des Sohnes. Da entsteht der Schmerz Gottes. In diesem Fall ist auch der Tod Gottes des Sohnes ein wirklicher Tod, die Finsternis ist der wirkliche Schmerz. Gott der Vater, der sich selbst im Tod Gottes des Sohnes verbirgt, ist Gott im Schmerz. Deshalb ist der Schmerz Gottes weder einfach nur der Schmerz Gottes des Sohnes noch der Gottes des Vaters, sondern der Schmerz Gottes, der aus zwei personae besteht, im Wesen aber eins ist."[84]

Der Schmerz Gottes ist also zunächst in dem Sinn, daß Gott dem vergibt, der es nicht verdient hat, und daß er ihn liebt[85], und dann in dem Sinn, daß Gott um dieser Vergebung willen seinen geliebten Sohn in den Tod gehen läßt[86]. Das erste ist der Grund des zweiten und wird geschichtlich im zweiten verwirklicht, und umgekehrt offenbart uns das zweite das Geheimnis des ersten. Dieser Zusammenhang entspricht der Rede Luthers über deus absconditus und deus crucifixus, was Moltmann sachlich gleich mit dem Schema der Seins- und Erkenntnisordnung ausdrückt[87].

b) Wie in der Kreuzestheologie Moltmanns steht hinter der Theologie des Schmerzes Gottes Kitamoris seine persönliche Welterfahrung. Auch er mußte das bittere Schicksal der Menschheit vor allem durch den zweiten Weltkrieg erleben. Er sucht nach Gott durch die tatsächliche Erfahrung der zerschlagenen Menschenwürde, der zerstörten Gesellschaft und der seufzenden Menschen. Er nennt diese Gegenwart „die Zeit der Schmerzen"[88]. Wenn er statt des klassischen Begriffs „analogia entis" einen neuen Begriff „analogia doloris" zum Schlüssel für das Verständnis der Wirklichkeit macht[89], ist das nur von seiner Erfahrung der gefallenen Natur her erklärbar. Das Leiden der Welt wurde aber bei Kitamori auf dem Boden der japanischen geistigen Tradition aufgenommen. Dort entsteht eine unterschiedliche Nuancierung des gemeinsamen Ausgangspunkts der Welterfahrung.

Von dieser geistigen Tradition Japans kann der Einfluß der Philosophie der Kyôto-Schule auf sein Denken nicht getrennt werden, die von Nishida und Tanabe gegründet wurde und die er in seiner Jugend studierte[90]. Hier wurde die

---

[84] ThSchG 113f; vgl. auch GG 230. [85] ThSchG 118. [86] ThSchG 118.

[87] Kitamori beschreibt ausführlich den Zusammenhang des Begriffes von Schmerz Gottes und deus absconditus bei Luther, ThSchG 104–114.

[88] ThSchG 84ff, 136f.

[89] ThSchG 52ff, 147.

[90] Vgl. *K. Kitamori*, Das Christentum Japans, besonders 301–351; *C. Germany*, Protestant Theologies in Modern Japan (Tokio 1965) 123–126; *Ogawa*, a.a.O. 24–30.

westliche Tradition der Philosophie, vor allem des deutschen Idealismus, auf dem Boden des Buddhismus aufgenommen. Die Hegelsche Dialektik von Negation der Negation des absoluten Geistes wird in der buddhistischen Terminologie neu ausgedrückt.

Wenn die Liebe Gottes zunächst von einem negativen Begriff „Schmerz" begriffen wird, obwohl der Schmerz nicht als solcher, sondern nur wegen seiner Kehrseite, Liebe, zu bejahen ist, dann spielt hier nicht nur die Hegelsche Dialektik, sondern vielmehr die gesamte Mentalität Japans eine Rolle. Liebe kann zunächst einmal in der östlichen Wirklichkeitsauffassung nicht so direkt wie im Westen ausgedrückt werden. Vielmehr wird eine Liebe in der direkten Ausdrucksweise als eine Art der menschlichen Begierde verachtet. Da ist sicherlich der buddhistische Einfluß zu spüren, aber der Buddhismus selber konnte nur dort entstehen, wo dessen Grundeinsicht in der These, alles sei Leiden, formuliert wurde, und nur dort weiter leben, wo in eigener Welterfahrung und Mentalität diese Einsicht angenommen, verarbeitet und überliefert wurde. Der Begriff der „Liebe" in der Heiligen Schrift kann in eine andere Lebenswirklichkeit und Geistesumgebung trotz aller Korrekturen und Erklärungen nicht leicht übersetzt und überliefert werden. Darum kann der Begriff „Schmerz", um den sachlichen Inhalt der Liebe genauer weiterzugeben, eine positive Rolle spielen.

Das Verständnis von Liebe, in dem Liebe als Selbsthingabe aufgefaßt wird, kann in vielfältigen Gestalten durch die Tradition der Kultur und auch heute durchaus in der Alltäglichkeit des japanischen Geistes festgestellt werden, ohne auf das von Kitamori genannte Beispiel eines klassischen Dramas zurückzugehen, wo der Vater seinen Sohn hingibt und der Sohn von seiner Seite spontan dieses Opfer auf sich nimmt[91]. Die Theologie des Schmerzes Gottes Kitamoris soll darum als ein Versuch geschätzt werden, das Geheimnis der Liebe Gottes im Geschehen Christi in der eigenen Tradition aufzufassen und auszudrücken. Dieses Anliegen bleibt ferner als Aufgabe der japanischen Theologie bestehen, die in Zukunft weiter entwickelt werden soll[92].

2. *Differenzierung Moltmanns in der ethischen Entfaltung*

Moltmann kommt, wie wir bereits gesehen haben, der trinitarischen Auffassung des Kreuzesgeschehens bei Kitamori erstaunlich nahe, obwohl er von ihm völlig unabhängig ist. Gleichzeitig zeigt die Bestimmung des Begriffes durch das japa-

[91] ThSchG 132ff.

[92] Versuche, in buddhistischen Begriffen die Trinitätslehre zu konstruieren, treten heute langsam in Erscheinung. Der Absolutheitsanspruch des Christentums, der oft bis zum Zweiten Vatikanischen Konzil in der katholischen Kirche falsch verstanden und mehr oder weniger von Missionaren prakti-

nische Denken bei Kitamori schon eine notwendige Differenzierung zwischen beiden. Das ist vor allem in der praktischen Folge dieses Begriffes für die ethische Entfaltung deutlich festzustellen[93].

Bei Kitamori ist das Leiden des Menschen zunächst der Ausdruck des Zornes Gottes[94]. Der Einfluß der lutherischen Theologie, vor allem deren individualistische Tendenz und das ausgeprägte Sündigkeitsbewußtsein, tritt stark in den Vordergrund. Der Schmerz des Menschen als solcher ist nichts anderes als die Wirklichkeit der Sündigkeit des Menschen[95]. Dieser Schmerz gewinnt nur dann einen Sinn, wenn er zum Zeugnis des Schmerzes Gottes von Gott in seinen Dienst genommen wird. Wir können nämlich nicht in direkter Weise erfahren, was der Schmerz Gottes eigentlich ist, sondern nur durch unseren eigenen Schmerz, in analoger Weise (analogia doloris). „Hier muß unser Schmerz dem Zeugnis für den Schmerz Gottes dienen. Dieser Dienst wird getan, indem unser Schmerz zum Symbol für den Schmerz Gottes wird."[96] Das Symbol bedeutet hier nach Kitamori in seinem ursprünglichen Sinn von Sym-ballein Verbinden, die menschliche Wahrheit mit der göttlichen Wahrheit zu verbinden und so die göttliche Wahrheit zu bezeugen.[97] „Der Schmerz Gottes muß bezeugt werden. Deshalb muß sich der Schmerz des Menschen ereignen, damit er zum Symbol wird. Deshalb wiederum muß sich der Zorn Gottes realisieren."[98] Darum muß man nach Kitamori den Zorn Gottes suchen, und zwar nicht um des Zornes selbst willen, sondern um den Schmerz des Menschen zum Zeugnis des Schmerzes Gottes entstehen zu lassen[99]. Der Schmerz des Menschen als Symbol muß immer gegenwärtig sein. Die Christen sollen Menschen der Schmerzen sein, wenn auch andere ihre Schmerzen vergessen[100].

Kitamori geht also von der Wirklichkeit der Sündigkeit des Menschen aus. Er verwendet hier sogar einen Ausdruck, als ob er das Leiden des Lebens um

---

ziert wurde, und die nur einseitig verstandene Offenbarungstheologie K. Barths, die vor allem in den führenden Schichten der protestantischen Kirchen Japans herrschte, waren in manchen Hinsichten ein Hindernis für die christliche Theologie, die verschiedenen Werte der nichtchristlichen Religionen, vor allem des Buddhismus, der in Japan eine hochentwickelte Geistestradition bildet, anzuerkennen. Ein auf hohem Geistesniveau stehender Buddhist könnte ohne weiteres den Schmerz Gottes als den Ausdruck der wahren Liebe Gottes annehmen, wenn auch dabei das Ärgernis des Kreuzes, diesen konkret geschichtlichen Menschen als Sohn Gottes zu bekennen, bestehen bleibt. Das Geheimnis des Kreuzes als des Ausdrucks der Liebe ist der Natur der Japaner nicht unzugänglich. Hier muß versucht werden, durch andere Begriffe als den ontologischen Personbegriff die Liebe des im Kreuz Jesu sich offenbarenden trinitarischen Gottes zu begreifen.

[93] Über den Vergleich von Kitamori und Moltmann, vgl. *K. Hasumi,* Moltmann Shingaku no Shatei (Tragweite der Theologie Moltmanns), Fukuin to Sekai (Evangelium und Welt), 6 (1973) 32–37; Berichte über das Symposium Moltmanns mit den japanischen Theologen, Fukuin to Sekai 5, 6 und 7 (1973), vgl. auch *K. Kitamori,* Moltmann no Jûjika no Shingaku o megutte (Zur Kreuzestheologie Moltmanns), Shingaku 9 (1973).

[94] ThSchG 49f, 142. [95] ThSchG 51. [96] ThSchG 57.

[97] ThSchG 58. [98] ThSchG 60f. [99] ThSchG 61. [100] ThSchG 61.

des Schmerzes Gottes willen, in der traditionellen Terminologie gleichsam als Buße, bejaht. Natürlich wird das Leiden nicht um seiner selbst willen bejaht, sondern nur um der Erlösung willen. Nach Kitamori wird das Heil nur versprochen, wenn unser Leiden im Dienst am Zeugnis des Zornes (Schmerzes) Gottes steht. Wer durch seinen Schmerz mit dem Schmerz Gottes verbunden ist, dessen Schmerz wird durch den Schmerz Gottes geheilt[101]. Das ist nichts anderes als condolere mit Christus[102], nichts anderes als das Mit-Christus-Sterben des alten Menschen, um mit ihm ins neue Leben aufzuerstehen[103]. Die Teilnahme an der Auferstehung Christi ist also bei Kitamori das eigentliche Ziel unseres Leidens. Allerdings hat seine vorläufige „büßende" Annahme des Leidens der Welt die Neigung zu einem individualistischen, quietistischen Ausharren im Leiden, wovon Moltmann sich distanzieren will.

Kitamori kennt zwar auch die Immanenz des Schmerzes Gottes im Leiden der Welt[104]. „Gottes Schmerz ist also immanent im Schmerz der Weltwirklichkeit. Deshalb ist der Dienst am Schmerz Gottes als solcher überhaupt nicht möglich, sondern nur als Dienst am Schmerz der Wirklichkeit[105]. Gleichzeitig wird aber die Transzendenz des Schmerzes Gottes so betont, daß die horizontale Dimension des Glaubens doch von der vertikalen Dimension verdeckt wird. Wer wahrhaftig den Schmerz Gottes eingesehen hat, vergißt nach Kitamori allen Schmerz der Gegenwart[106]. Denn die Erlösung der Welt von gegenwärtigen Schmerzen kann durch nichts anderes als durch das Evangelium gebracht werden[107]. Damit das Evangelium sich in der Welt durchsetzt, muß zunächst der Schmerz der Welt sich durchsetzen. „Auch die verschiedenen das Weltende begleitenden schrecklichen Erscheinungen dürfen unser Interesse nicht auf sich ziehen. Durch all das hindurch müssen wir auf die völlige Offenbarung des Schmerzes Gottes als der Tatsache der Erlösung warten."[108]

Das Böse in der Welt hat zwar auch nach Moltmann in seiner Tiefe mit der individuellen und kollektiven Sünde des Menschen zu tun. Auch für ihn ist die Sünde und der daraus resultierende Tod der letzte Feind des Reiches Gottes. Aber während Kitamori vom Problemkreis der Sünde des Menschen und der sie vergebenden Liebe Gottes ausgeht, steht das Sündenbewußtsein, das im Leiden büßt und so zu Gott zurückkehrt, nicht in der Mitte der Theologie Molt-

---

[101] ThSchG 61.
[102] Vgl. *M. Luther*, Sermo I de passione Christi, WA 1, 336–340.
[103] ThSchG 69, 80, 112, 119, 157.
[104] Über die Immanenz und Transzendenz des Schmerzes Gottes, ThSchG 98–103.
[105] ThSchG 98.
[106] ThSchG 100.
[107] ThSchG 140.
[108] ThSchG 141.

manns, sondern er setzt bei seinem existentiellen Problem der Leidensgeschichte der Welt an, und fragt von daher nach der Gottesgerechtigkeit. Er sieht im Kreuz Jesu die Antwort. Gott selbst leidet im Leiden der Welt. Er selbst ist unterwegs zur Vollendung seiner selbst. Die im Kreuz Jesu offenbarte Entzweiung Gottes meint bei Moltmann nicht nur die das Gegenteilige umfassende Liebe Gottes, sondern auch die trinitarische Geschichte Gottes mit der Welt selbst, die die Leidensgeschichte der Welt auf sich nimmt.

Die trinitarische Kreuzestheologie Moltmanns ist darum ganz und gar auf die Welt und die Geschichte bezogen, während Kitamori den Schmerz Gottes innerseelisch versteht, weshalb die praktische Folge seiner Theologie vor allem in bezug auf die Gerechtigkeit der Welt und die Befreiung des Menschen zu kurz kommt. Diese weiter zu entfalten nennt er selbst seine künftige Aufgabe[109]. Die Kreuzestheologie Moltmanns ist nichts anderes als die Antwort auf die Weltprobleme; sie muß konkret in Praxis übersetzt werden. Der Gekreuzigte fordert von dem an ihn Glaubenden, gegen die Ungerechtigkeit der Welt, Unterdrückung und Diskriminierung des Menschen, gegen politische, wirtschaftliche, kulturelle Entfremdung zu kämpfen und sie zu beseitigen. Wer an Christus glaubt, kann nach Moltmann nur Christ sein, die Versammlung der Glaubenden kann nur die Kirche Christi sein, wenn sie sich gegen das Böse einsetzt, die elende Lage der Welt verändert und so an der Neuschöpfung Gottes teilnimmt. Während Kitamori das Leiden der Welt als Buße annimmt, um Gottes Liebe zu erkennen, muß das Leiden der Welt nach Moltmann verändert werden, um dem kommenden Reich Gottes zu entsprechen. Es geht nicht um innere Emotion noch um Frömmigkeit der Reue oder Liebe, sondern um die konkrete Situation der Weltgeschichte. Näheres über das Verhältnis seiner Kreuzestheologie zum Heil der Welt muß noch in der folgenden Überlegung der soteriologischen Dimension des Kreuzesgeschehens untersucht werden.

---

[109] Vorwort zur 3. Auflage (Tokio 1951).

Fünftes Kapitel

Die soteriologische Dimension des Kreuzes

Was die Kreuzestheologie Moltmanns charakterisiert, ist einerseits die Offenbarungstheologie, die in der reformatorischen Tradition immer hervorgehoben, vor allem von K. Barth mit äußerster Schärfe betont wurde und heute noch als wesensbestimmendes Merkmal des Protestantismus betrachtet wird, und anderseits sein existentielles Interesse für die Probleme der unerlösten Welt, das Anliegen der Gerechtigkeit in der Welt, der Befreiung des Menschen. Bei ihm sind darum Christologie und Soteriologie außergewöhnlich eng und wechselwirkend verbunden.

Einerseits wird für Moltmann die wahre Selbsterkenntnis des Menschen nicht aus der philosophischen Reflexion über seine Natur gewonnen, sondern allein im Christusgeschehen offenbart[1]. Die Erkenntnis des Menschen geschieht zugleich mit der Gotteserkenntnis in der Offenbarung[2], und zwar so, daß im Kreuzesgeschehen Jesu die Sünde des Menschen mit ihren elenden Folgen, die Kosten für dessen Erlösung[3] und gleichzeitig die Gerechtigkeit Gottes, zu der dieser sündige Mensch gerufen ist, offenbar werden. „Für den Glauben fallen darum Gotteserkenntnis und Selbsterkenntnis in eins zusammen in der Christuserkenntnis ... Denn in seinem Kreuz wird mit dem Elend menschlicher Verlassenheit zugleich die Liebe Gottes offenbar, die Menschen in ihrem Elend annimmt."[4] Der Mensch wird darum im Kreuzesgeschehen als einer offenbar, der trotz seiner Sünde von Gott geliebt und in seine Gemeinschaft der Liebe gerufen ist[5].

Anderseits wird das Kreuz Jesu nur durch die Wahrnehmung der elenden Wirklichkeit des Menschen und seiner Heilserwartung als wahrhaft „für uns" erkannt. Moltmann hat das soteriologische Anliegen vor Augen, und von da aus wird die Antwort im Kreuz Jesu gesucht. Auch seine *theo*logische Aussage über die trinitarische Geschichte Gottes ist nichts anderes als die Antwort auf seine soteriologische Fragestellung. Allerdings scheinen für Moltmann *theo*-lo-

---

[1] PP 172f. [2] M 33ff, 155.
[3] SB 47; GG 229. [4] M 33. [5] Vgl. M 165.

gisches Denken und soteriologisches Denken überhaupt keine Alternative darzustellen[6]. Denn der Mensch kann nicht anders über Gott denken als durch seine eigene Bezogenheit auf ihn, in seiner Heilsbedeutsamkeit für den Menschen[7].

Darum muß hier das trinitarische Verständnis des Kreuzes Jesu noch durch die soteriologische Dimension ergänzt werden. Nachdem wir nämlich mit Moltmann gefragt haben, was das Kreuzesgeschehen für Gott selbst bedeutet und welcher Gottesbegriff daraus resultiert – obwohl auch das in der Tat nichts anderes sein kann als eine Überlegung über Gott in bezug auf unser Heil und damit als soteriologische Trinitätslehre –, fragt sich nun, was das Kreuzesgeschehen nach Moltmann für uns Menschen bedeutet und welches Menschenbild durch das Kreuz Jesu offenbar und theologisch gewonnen wird. „Wer ist der Mensch angesichts des ausgestoßenen und in die Freiheit Gottes auferweckten Menschensohnes?“[8]

Dabei ist entscheidend, daß es im soteriologischen Interesse Moltmanns nicht nur um das Heil des individuellen Menschen geht, sondern auch um das Heil der leidenden Menschheit und der gesamten gequälten Kreatur. Darum darf die soteriologische Dimension nicht auf die oft einseitig betonte Lehre von Sünde und Rechtfertigung des einzelnen Menschen beschränkt werden, obwohl diese auch eine wichtige Grundlage für die weiteren Überlegungen ist, sondern wir betrachten von der Heilserwartung des heutigen Menschen her die traditionelle Rechtfertigungslehre sowie ihre Aufnahme und Entfaltung durch Moltmann.

---

[6] Vgl. GG 88; im Zusammenhang der Frage nach der „Christologie von oben und Christologie von unten“ erwähnt Moltmann seine Kritik an die Fragestellung Bultmanns: „Es besteht hier so wenig eine Alternative wie in der berühmten Frage: ‚Hilft mir Jesus, weil er Gottes Sohn ist, oder ist er Gottes Sohn, weil er mir hilft?‘“ (GG 88).

[7] Der Vorrang der Christologie vor der Soteriologie wurde neuerlich von *Pannenberg* stark betont. „Das Bekenntnis zu Jesus ist nicht zu trennen von Jesu Bedeutung für uns. Aber das soteriologische Interesse kann nicht Prinzip christologischer Lehre sein“ (GCh 32). Dabei hat Pannenberg, wie bereits gezeigt, den Zusammenhang von Tod und Auferstehung Jesu nicht für konstitutiv gehalten und das Auferstehungsgeschehen nur aus universalgeschichtlicher Sicht zu deuten versucht, was allerdings getrennt vom Verständnis der soteriologischen Bedeutung seines Todes unmöglich erschien. Vgl. 3. Kaptiel. Gewiß darf die Christologie keine Projektion der Soteriologie sein, aber diese geschichtliche Person Jesus als den Christus, d. h. sein Leben, Wort und Tun als für uns bedeutsam zu erkennen, ist abgesehen von unserer eigenen Heilserwartung unmöglich. Dazu vgl. *K. Rahner*, Soteriologie, LThK IX, 894–897.

[8] GG 268.

I. Das Kreuz Jesu als Versöhnungstat Gottes

1. Hingabe des Sohnes für das Heil der Menschen

In der trinitarischen Überlegung Moltmanns über das Kreuzesgeschehen Jesu ist die Willenseinheit der Hingabe in der Entzweiung der Verlassenheit zwischen Vater und Sohn hervorgehoben. Dabei ist die soteriologische Dimension des Geschehens schon mit ausgesagt, denn diese Hingabe geschieht nicht anders als für das Heil des Menschen. Gott der Vater gibt seinen eigenen Sohn für die Menschen dahin, der Sohn gibt sich durch Gehorsam gegen den Vater für die Menschen hin. Gottes Wille ist es, den Menschen mit sich zu versöhnen und in seine Gemeinschaft der Liebe hineinzuführen. Moltmann baut ferner darauf seinen Gedanken von der trinitarische Geschichte Gottes mit der Welt auf. Wie bereits gezeigt, ist diese Überlegung überhaupt von seinem soteriologischen Interesse getragen. Moltmann findet nämlich im Kreuz Jesu diese Antwort auf seine Frage nach dem Heil der noch unerlösten Welt. Durch das Kreuz Jesu ist die Leidensgeschichte der Menschheit zur Geschichte Gottes selbst geworden. Hier soll dieser Gedankengang Moltmanns ausführlicher in bezug auf seinen soteriologischen Zusammenhang erläutert werden.

a) Gott gibt seinen Sohn für die Gottlosen, der Sohn gibt sich hin, damit Gott des Dahingegebenen Vater wird[9]. Weil der Mensch Gott verlassen hat und so gottlos geworden itt, will der Sohn ihn mit Gott versöhnen, indem er die Wirklichkeit des Menschen annimmt. Er solidarisiert sich mit dem Gottlosen und schafft so Gemeinschaft mit ihm, damit der Gottlose in ihr Zugang zu seinem Gott findet. Das ist zunächst eine Basis für das, was Moltmann unter „Stellvertretung Christi“ versteht: der Sohn tritt nämlich an die Stelle des gottlosen Menschen. In dieser Gemeinschaft geschieht gegenseitiger Tausch: was einer hat, wird dem anderen, der es nicht hat, mitgeteilt. Der Sohn schafft die Gemeinschaft mit dem Gottlosen, damit die Armut des Gottlosen zu seiner Armut wird, sein Vater aber zum Gott des gottlosen Menschen. Der Mensch begegnet Gott in seiner eigenen Wirklichkeit. Leiden und Tod des Menschen werden so von Gott angenommen.

Dieser Vorgang, der im Kreuz Jesu innerweltlich geschieht, aber zugleich seinen Urgrund in der innertrinitarischen Geschichte hat, ist nach Moltmann nichts anderes als das, was die christliche Tradition unter „Inkarnation“ versteht. Was die Menschwerdung des Sohnes bedeutet, offenbart sich im Kreuz[10]. Er über-

[9] GG 230.

[10] GG 190; 264ff. Über die Kenosis Gottes, vgl. auch das von Moltmann zitierte Werk *H. U. v. Balthasars,* Mysterium Paschale, a.a.O. 133–326.

nimmt hier das Verständnis Luthers von der Inkarnation: Gott selbst nimmt die Menschlichkeit an, die der Mensch „perverse" verlassen hat. Gott wird Mensch, damit der Mensch zu sich selbst kommt und in seiner wahren Wirklichkeit Gemeinschaft mit Gott hat[11].

b) Der Abstieg des Sohnes vom Vater in die Wirklichkeit des Menschen, bis in ihren letzten Abgrund, führt aber dann zur glorreichen Rückkehr des Sohnes zum Vater, und zwar mit der gesamten Kreatur, mit der er sich solidarisiert hat. Das neu geschaffene Leben in seiner Auferweckung von den Toten wird auch dem sündigen Menschen, mit dem er alles Menschliche, auch Leiden und Tod teilt, zugeteilt. Damit ist die Möglichkeit der Anteilnahme des Menschen am ewigen Leben eröffnet. Die letzte Antwort auf die Heilserwartung des Menschen, auf das Verlangen nach der Gerechtigkeit in der Welt und Befreiung des Menschen ist nun durch die Auferweckung Christi allen Menschen versprochen. Die Auferweckung des Gekreuzigten offenbart darum den endgültigen Heilswillen Gottes, den sündigen Menschen mit sich zu versöhnen und an seinem Leben teilnehmen zu lassen.

Die Auferweckung des Gekreuzigten ist darum ein Sieg der göttlichen Liebe über die Macht des Todes. Der Stachel des Todes ist hier endgültig gebrochen. Darum kann das Kreuz Jesu der stellvertretende Tod genannt werden, der ein für allemal für das Heil des Menschen geschehen ist. Er stirbt an unserer Stelle den gottverlassenen Tod, damit wir nicht mehr solch einen Fluchtod zu sterben brauchen. Das ist der Tausch: Christus nimmt die Tödlichkeit des Todes vom Menschen auf sich, und der Mensch empfängt sein Leben. „Wegen unserer Verfehlungen wurde er hingegeben, wegen unserer Gerechtmachung wurde er auferweckt" (Röm 4, 25).

c) Dieser innergöttliche Prozeß von Abstieg und Aufstieg wird durch den Heiligen Geist in der Weltgeschichte fortgesetzt. Die Menschen werden vereinigt durch den Heiligen Geist in der Gemeinschaft Christi und so in der Liebesgemeinschaft des dreieinigen Gottes. Die Gerechtigkeit der Welt und die Befreiung des Menschen werden wahrhaft vollendet in der Vollendung des Reiches Gottes, wo Gott alles in allem wird. Die Auferweckung des Gekreuzigten ist Beginn dieser Geschichte des Geistes. Sie bezeichnet „den göttlichen Prozeß der Neuschöpfung des schuldiggewordenen verbitterten und verlassenen

---

[11] *M. Luther:* „(Christus) Humanitatis seu (ut Apostolus loquitur) carnis regno, quod in fide agitur, nos sibi conformes facit et crucifigit, faciens ex infoelicibus et superbis diis homines veros, id est miseros et peccatores. Quia enim ascendimus in Adam ad similitudinem dei, ideo descendit ille in similitudinem nostram, ut reduceret nos ad nostri cognitionem. Atque hoc agitur sacramento incarnationis. Hoc est regnum fidei, in quo Crux Christi dominatur, divinitatem perverse petitam deiiciens et humanitatem carnisque contemptam infirmitatem perverse desertam revocans" (Operationes in Psalmos [1519–1521], WA 5, 128, 36–129, 4; zitiert auch von Moltmann, GG 73, 198).

Lebens ... Dieser Prozeß der Neuschöpfung wird vollendet, wenn diese Liebe auch die Toten erreicht und die sterblichen Leiber durch sie lebendig werden."[12] Das Kreuz des Auferweckten kann darum als die Inkarnation der Gottesherrschaft mitten in der Leidensgeschichte der Menschen bezeichnet werden[13]. „Der kommende Gott ist in Jesus von Nazareth Fleisch geworden. Die Zukunft der qualitativ neuen Schöpfung hat durch die Leidensgeschichte Jesu mitten in der Leidensgeschichte der verlassenen Welt schon begonnen."[14]

2. *Denkmodelle des stellvertretenden Todes*

Wenn Moltmann über den stellvertretenden Tod Jesu spricht, setzt er Analyse und Prüfung verschiedener, in den Denkmodellen der Tradition erfaßter Momente voraus[15]. Er versucht, kritisch die Bilder der neutestamentlichen Sinndeutung des Kreuzes Jesu in Dienst zu nehmen, um den theologischen Sinn des Geschehens für uns heute in unserer Sprache zu erschließen[16].

Das Kreuz Jesu wurde seit der Urkirche immer als ein Sterben „für uns" verstanden und ausgedrückt. Die Jünger Jesu, die vom Osterereignis ergriffen wurden, erkannten Jesus als den Christus; daher entstand die Frage, warum dieser Christus leiden und sterben mußte[17]. Erst dann deutete man seinen Tod als „den Tod für uns". Zunächst heißt es allgemein „zu unseren Gunsten", d. h., daß durch sein Sterben das Gute allen Menschen mitgeteilt wird[18]. Wenn genau nach dem Inhalt dieses Pro-nobis-Charakters gefragt wurde, wurde es durch die Bedeutung „an unserer Stelle" ergänzt, was schon eine weiter entwickelte Interpretation war. Im Sinn „zu unseren Gunsten" wird das ganze Volk zwar von ihm repräsentiert, ist aber nicht unbedingt von ihm wesentlich verschieden; dabei bleibt noch offen, ob diese Vertretung inklusiv oder exklusiv ist. Wenn aber das „an unserer Stelle" weiter im Sinn des Rollentausches verstanden wird, ist der Christus im Unterschied zu anderen Menschen schuldlos, aber tauscht mit dem sündigen Volk seine Rolle. Hier wird das „für uns" als „für unsere Sünden" interpretiert[19]. Die Ursache des Todes Jesu ist nach dieser Sinndeutung unsere Sünde. Der Tod kommt als Folge der Sünde. Christus aber, obwohl selbst sündenlos, übernimmt an unserer Stelle diese Folge der Sünde.

Hinter diesem Verständnis liegt die in der alttestamentlichen Überlieferungsgeschichte verwurzelte Denkstruktur der Stellvertretung. Sie ist ein durchge-

---

[12] SB 137. [13] GG 253f. [14] GG 156. [15] GG 166–174.
[16] Vgl. dazu *H. Kessler*, Die theologische Bedeutung des Todes Jesu (Düsseldorf 1970); *W. Pannenberg*, GCh 251–288; ich berücksichtige hier auch die unveröffentlichten Schriften Moltmanns für sein in Tübingen (WS 1973/74) gehaltenes Seminar über die neuen Entwürfe der Christologie.
[17] GG 166, 168. [18] GG 169. [19] GG 169.

hendes Strukturgesetz des jüdischen Denkens, das es für selbstverständlich hält, daß ein von Gott erwählter Mensch, Adam, König, Gottesknecht, usw. durch seine guten oder bösen Taten das ganze Volk vor Gott vertritt und Gottes Gnade oder Zorn auf das Schicksal des Volkes überträgt, oder daß ein von Gott erwähltes Volk gleicherweise die gesamte Menschheit vor Gott vertritt. Auf diesem Denkhorizont wurde auch das Geschehen Jesu verstanden[20].

a) Die älteste Überlieferung vom Kreuz Jesu beruht auf dem Verständnis von Verfolgung und Tod der alttestamentlichen Propheten[21]. Das Schema, daß der von Gott erwählte Gerechte anstelle des Volkes dessen Sünden auf sich nimmt und Sühne leistet[22], wird auf Jesus angewendet: Jesus sei, dem Willen Gottes gehorsam, obwohl selbst schuldlos, im Dienst der Menschen zur Sühne für unsere Sünden gestorben. Zu diesem Verständnis gehört auch das Vorstellungsbild vom Lösegeld[23].

Ein anderes Motiv, den Tod Jesu als Sühne zu verstehen, ist der alttestamentliche Gedanke des Sühneopfers[24]. Nach diesem Verständnis gibt Christus sich als Opfer zur Sühne hin (Röm 3,25; Hebr 9,12ff). Dieses Bild verbindet sich mit dem in der Abendmahlstradition geläufigen Gedanken des für uns vergossenen Blutes (1 Kor 11,25; Lk 22,20). Der Gedanke des Bundesopfers (Ex 24,8) hat noch breiteren Sinngehalt als der des Sühneopfers, denn Jesu Tod wird in diesem Bild nicht nur als Sühne zur Wiederherstellung des schon vorhandenen Bundes, sondern als einen neuen Bund schaffende Tat verstanden (Hebr 13,20; 1 Kor 11,25; Lk 22,20 und Par)[25]. Dieses Verständnis des stellvertretenden Todes Jesu hat seinen „Sitz" in der Mitte der Abendmahlstradition; Stellvertretung gehört dadurch bis heute zur Grundbestimmtheit der christlichen Existenz[26].

Diese alttestamentlichen Bilder von Lösegeld, Sühneopfer, Leiden des Gottesknechtes usw. wurden von den neutestamentlichen Schriftstellern direkt auf das Verständnis des Todes Jesu angewendet und als dessen Typoi betrachtet, die auf den Tod Jesu vorwegnehmend hinweisen und ihre eigentliche Vollendung nur in ihm erwarten. Moltmann betrachtet aber diese Bilder des Urchri-

---

[20] Dazu vgl. *J. Ratzinger*, Stellvertretung, in: HThG II, 566–575; *L. Scheffczyk*, Stellvertretung, in: SM IV, 730–733; *ders.*, in: LThK IX, 1036; *Lanczkowski*, Stellvertretung, in: RGG³ VI, 356; *K. Barth*, KD II/2, 375–453.

[21] Vgl. Mk 12,2ff; dazu *Pannenberg*, GCh 252–254.

[22] Vgl. Jes 52, 13–53, 12.

[23] Mk 10,45; vgl. dazu *A. Vögtle*, Lösegeld, in: LThK VI, 1150f.

[24] Vgl. Lev 16,15; dazu *K. Prümm / W. Kornfeld / J. Schmid / A. Vögtle / J. Ratzinger*, Sühne, in: LThK IX, 1152–1158; *P. Neuenzeit*, Sühne, in: HThG II, 586–596; *Lanczkowski*, Sühne, in: RGG³ VI, 474–476.

[25] Dazu vgl. *Pannenberg*, GCh 254f.

[26] Vgl. *J. Ratzinger*, a.a.O.

stentums, die dessen Vorverständnis voraussetzen, nicht als für unser Glaubensverständnis heute konstitutiv. Sie sind für Moltmann nichts mehr als Denkmodelle unter anderen, die den wahren Sinngehalt des Geschehens zu klären versuchen, aber nicht als solche einen Anspruch der Verbindlichkeit erheben können[27]. Für Moltmann ist maßgebend, daß die Bedeutung des Todes Jesu im Zusammenhang mit seiner Auferweckung gedacht wird. Die Jünger Jesu konnten erst durch das Ostererlebnis einsehen, warum er sterben mußte[28], so daß „alle näheren Auslegungen der Heilsbedeutung seines Todes ‚für uns' von seiner Auferweckung ausgehen müssen"[29]. Die Auferweckung Jesu von den Toten qualifiziert nach Moltmann seinen Kreuzestod als ein Sterben für uns, aber das Kreuz macht die Auferstehung Jesu für uns uns voran relevant[30]. Nur aus dieser Einheit von Kreuz und Auferstehung kann die stellvertretende Bedeutung seines Todes verstanden werden[31].

Darum scheint für Moltmann problematisch zu sein, die Stellvertretung des Todes Jesu, die zunächst nur das Sterben für uns und dann das Sterben an unserer Stelle aussagt, weiter im kultisch-materiellen Sinn als Sühne für unsere Sünde zu deuten. Nach ihm zeigt „die alte judenchristliche und in Variationen von der Tradition immer wiederholte Vorstellung vom Sterben Christi als Sühneopfer für unsere Sünden keinen inneren theo-logischen Zusammenhang mit dem Auferweckungskerygma"[32]. Die Vorstellung, durch das Blutopfer die Sünde des einzelnen oder des Volkes zu sühnen und die Bundesgerechtigkeit wiederherzustellen, ist vor allem im Opferkult des Jerusalemer Tempels entwickelt[33]; wenn sie aber auf den Tod Jesu angewendet wird, paßt sie nicht mit seiner Auferstehung zusammen. Das Bild vom Sündenbock (Lev 14–15) hat hier den entscheidenden Fehler, daß der Bock zwar mit der Schuld des ganzen Volkes beladen in die Wüste geschickt werden kann, aber nie mit neuem Leben zurückkehrt.

---

[27] Dazu vgl. auch *H. Kessler*, a.a.O. 331. Das war auch die Fragestellung Pannenbergs. Für ihn bestand die Aufgabe darin, mit Hilfe der Ausdrücke der Tradition zunächst zum objektiv-historischen Faktum zurückzukehren, dort seinen eigenen Sinncharakter zu erkennen und dann daraus umgekehrt die Verständnisse und Ausdrücke der Tradition zu beurteilen (vgl. GCh 256f). Der typologische Sinn der alttestamentlichen Bilder gelte für uns heute erst dann, wenn in irgendeiner anderen Weise der Sinn des Todes Jesu als zu unseren Gunsten und an unserer Stelle geklärt werde. Der historische Vorgang der Kreuzigung Jesu sei an erster Stelle die Folge des Konflikts mit dem Gesetz. Von da aus gesehen entsprechen die traditionellen Vorstellungen nach Pannenberg nicht adäquat dem tatsächlichen Geschehen. Das Verständnis des Todes Jesu als Sühneopfer schwäche wegen der Betonung seiner Schuldlosigkeit das Gewicht des Konfliktes mit dem Gesetz ab. Wir haben schon die Problematik der Methodologie Pannenbergs bemerkt (vgl. 3. Kapitel). Der Sinngehalt des Ereignisses kann nicht, vom Glaubensverständnis der Jünger getrennt, allein aus dem historischen Vorgang erkannt werden. Moltmann versucht darum, zunächst in der Überlegung der traditionellen Bilder mit Pannenberg einig, sie doch ferner vom größeren Glaubenszusammenhang her zu erfassen.

[28] GG 166, 168. [29] GG 170. [30] Vgl. 3. Kapitel 2 (3).

[31] GG 170. [32] GG 170. [33] GG 170.

Dasselbe gilt auch von der Sühnekraft des Märtyrertodes des Gerechten. Solche „Sühneopfervorstellungen bewegen sich durchweg im Rahmen des Gesetzes“[34], d. h. „Sünden verletzen das Gesetz, Sühne stellt das Gesetz wieder her“[35]. Dabei wird nur retrospektiv gedacht, aber von der neuen Zukunft, die die Auferstehung Jesu eigentlich offenbart, ist überhaupt keine Rede. „Jede Sinndeutung seines Todes wird ohne Voraussetzung seiner Auferweckung von den Toten eine hoffnungslose Sache, weil sie jenes Novum des Lebens und des Heils nicht mitteilen kann, das in seiner Auferweckung zum Vorschein gekommen ist. Christus ist nicht nur als jenes Sühneopfer gestorben, in dem das Gesetz wieder hergestellt oder die ursprüngliche Schöpfung aus dem Sündenfall der Menschen restituiert wurde.“[36]

Moltmann erkennt zwar auch die positive Seite dieser Sinndeutungsbilder. Durch sie ist klargestellt, daß Jesus als der Christus Gottes stellvertretend für den ohnmächtigen Menschen an seine Stelle getreten ist und ihm dadurch ermöglicht, in seiner Gemeinschaft vor Gott zu treten, vor dem er sonst nicht stehen und bestehen kann[37]. Durch das Bild vom Sühneopfer kommt ferner zum Ausdruck, daß die neue Zukunft für den Menschen nicht ohne Annahme der Schuld und Befreiung von ihr durch Gott möglich ist[38]. Moltmann scheint aber hier zu übersehen, daß das Sühneopfer nicht so schwer mit dem Auferstehungskerygma harmonisierbar ist, denn wenn dieses Opfer von Gott angenommen werden soll, ist diese Annahme des Opfers durch Gott selbst schon eine Dimension der Auferweckung[39]. Wenn wir den Glauben der gesamten Überlieferungsgeschichte mitvollziehen und so den Sachgehalt des Kreuzesgeschehens verstehen wollen, können wir den neutestamentlichen Ausdruck für das selbsthingebende Opfer für die Sünde des Menschen durchaus als ein Denkmodell bejahen, das doch die Sache selbst trifft, obwohl es durch andere Denkmodelle ergänzt werden muß, weil die Sache selbst eine neue Dimension eröffnet, die weit über diese Vorstellungen hinausgeht[40].

---

[34] GG 171. [35] GG 171. [36] GG 173. [37] GG 171. [38] GG 171.

[39] *K. Barth* deutet gerade vom Gesichtspunkt der Auferstehung das Bild vom Sündenbock im gesamten Zusammenhang von Lev 14–15. Vgl. KD II/2 402ff.

[40] Die Vorstellungsbilder vom stellvertretenden Tod Jesu sind, worauf Moltmann mit Recht hinweist, in der späteren Entfaltung in der Dogmengeschichte nicht immer mit dem Auferstehungskerygma in Übereinstimmung gedacht worden. Das Bild vom Lösegeld z. B., das ursprünglich im palästinensischen Urchristentum nur ein Darstellungsmittel war, wurde in hellenistischen Gemeinden so realistisch verstanden, daß eine Spekulation entwickelt wurde, dieses Lösegeld werde dem Teufel bezahlt, um die Menschen von seiner Macht zu befreien. Vgl. dazu *Tertullian*, De Fuga, PL 2, 114; *Origenes*, zu Mt 20, 28, GCS 40, 498; *Origenes*, Contra Celsum, 7, 17, GCS 169, 3ff; *Augustinus*, De Trinitate, 13, 13, PL 42, 1026ff; vgl. dazu auch *H. Kessler*, a. a. O. 75ff; *W. Pannenberg*, GCh 283ff. Solche mythischen Schilderungen entfernen sich vom eigentlichen Sinngehalt des Geschehens Jesu, vor allem von dem Zusammenhang mit seiner Auferstehung. Die Satisfaktionstheorie Anselms entspricht zwar dem Sinngehalt des Geschehens Jesu, insofern da verstanden wird,

b) Paulus stellt sein eigenes Denkmodell des stellvertretenden Todes Jesu anhand seiner theologischen Überlegung zu Gesetz und Evangelium dar. Nach ihm hat Jesus am Kreuz an unserer Stelle den Fluch des Gesetzes auf sich genommen und uns dadurch von der Bindung des Gesetzes befreit. Dieses Denkmodell ist natürlich für die reformatorische Rechtfertigungslehre maßgebend. Moltmann will aber dabei die Einseitigkeit der traditionellen Rechtfertigungslehre wieder durch den Auferstehungsgedanken ergänzen.

Das paulinische Verständnis des Todes Jesu als Ende des Gesetzes entspricht nach Moltmann dem tatsächlichen Vorgang des Weges Jesu bis zum Kreuz. „Seine Hinrichtung wird man als notwendige Konsequenz seines Konfliktes mit dem Gesetz ansehen müssen.“[41] Daß Jesus im Namen des Gesetzes verurteilt und hingerichtet wurde, bedeutet aber für Moltmann seine Solidarisierung mit den vom Gesetz Verurteilten. Christus tritt an die Stelle des Gesetzesbrechers und nimmt sein Schicksal auf sich, so daß dieser in seiner Gemeinschaft Zugang zu Gott hat. Seine Auferweckung heißt, daß der Sünder in seiner eigenen elenden Wirklichkeit durch Christus in die Gottesgemeinschaft gerufen ist und das Leben Gottes nicht durch das Werk des Gesetzes, sondern durch die voraussetzungslose Liebe mitgeteilt wird.

Das paulinische Denkmodell der Stellvertretung Christi wird aber nicht immer im gleichen Sinne verstanden. Pannenberg erklärt die in ihm implizierte Struktur der Stellvertretung auf folgende Weise: Jesus wurde im Namen des Gesetzes als Gotteslästerer verurteilt und trug die Strafe des Gotteslästerers.

---

der Mensch, der den unendlichen Gott beleidigt habe, sei selbst unfähig, diese unendliche Beleidigung wiedergutzumachen, und darum müsse der Sohn Gottes selber an die Stelle des Menschen treten und für ihn sühnen. *Anselmus*, Cur Deus Homo, MPL 158; dazu *Kessler*, a.a.O. 83–165; *Pannenberg*, GCh 36f; *W. Kasper*, Jesus der Christus, 260–263; *K. Rahner*, Der eine Jesus Christus und die Universalität des Heils, in: SchTh XII, 262. Dabei aber ist die Gottesvorstellung problematisch, denn, wie Moltmann klarstellt, ist es letztlich so, daß nicht der Mensch den zürnenden Gott mit sich zu versöhnen bräuchte, sondern daß Gott den gottlosen Menschen heimholen will. Der Gedanke Anselms kommt der Vorstellung von der verdienstlichen Kraft des Leidens der Gerechten nahe. Wahrscheinlich bildet die Bußpraxis der mittelalterlichen Kirche seinen Denkhorizont. Das Kreuz Jesu darf aber nicht in erster Linie als Leistung Jesu aufgefaßt werden, denn das Subjekt der Versöhnungstat ist Gott der Vater selbst (2 Kor 5, 19). Auch bei Anselm wird der Zusammenhang mit der Auferweckung Jesu nicht berücksichtigt. Von dem neuen Sein, das wir durch Christus empfangen, ist keine Rede. Die Versöhnungslehre Luthers hat das Kreuz Jesu nicht als Leistung, die der Mensch Jesus Gott gegenüber getan hätte, sondern vielmehr als Gottes Akt selbst, den Menschen durch die Hingabe seines Sohnes mit sich zu versöhnen, aufgefaßt. Luther betont im Gefolge des Paulus einen seligen Tausch, daß Jesus wegen unserer Sünde verflucht wurde, aber wir dadurch Anteil an seiner Gerechtigkeit empfangen. Vgl. De Libertate Christiana (1520), C 12, WA 7, 25ff. Dazu vgl. auch *Pannenberg*, GCh 37f, 286f. Allerdings wird auch bei Luther das Kreuz Jesu nicht im Zusammenhang mit seiner Auferweckung gedacht. Luther sieht mit der altkirchlichen und mittelalterlichen Tradition den stellvertretenden Charakter des Todes Jesu als Strafleiden nur vom Gesichtspunkt der Inkarnation her.

[41] GG 125.

Gott aber, in dem er diesen Jesus von den Toten auferweckte, bestätigte sein Recht. Dadurch wurde offenbar, daß Jesus in der Tat kein Gotteslästerer war, sondern umgekehrt die Juden, die ihn im Namen des Gesetzes verurteilten, wahre Gotteslästerer waren. Hier geschah ein Rollentausch, in dem die wahren Gotteslästerer keine Strafe bekamen, sondern der von Gott Gerechtfertigte an ihrer Stelle die eigentlich von ihnen zu tragende Strafe auf sich nahm. Darin ist nach Pannenberg eine dreifache Stellvertretung impliziert. Das ganze, gesetzestreue Volk Israel wurde, erstens, von der damaligen Behörde des Judentums, indem sie Jesus im Namen des Gesetzes verurteilte, vertreten. Diese Verurteilung geschah nicht primär aus bösem Willen der Behörde, sondern war vielmehr eine notwendige Folge des Konfliktes Jesu mit dem Gesetz, so daß jeder gesetzestreue Jude sich Jesus gegenüber notwendigerweise so hätte verhalten müssen[42]. Indem aber, zweitens, das jüdische Gesetz Jesus verurtelte, vertraten in diesem Akt die Juden alle Menschen auf der Erde. Wie Paulus im Römerbrief zu entfalten versucht, wird das für alle Menschen allgemein gültige Moralgesetz im jüdischen Gesetz, das nichts anderes ist als eine explizite Erscheinung dessen, was im Gewissen aller Menschen vorhanden ist, vertreten[43]. Dazu kommt schließlich, drittens, das Entscheidende: der Rollentausch zwischen der Gott lästernden Menschheit und Jesus. Jesus, obwohl selbst schuldlos, nimmt anstelle des wahren Gotteslästerers (der damaligen jüdischen Behörde, des ganzen jüdischen Volkes, der gesamten Menschheit) die Schuld auf sich[44]. Moltmann ist mit Pannenberg einig im Verständnis des Todes Jesu aufgrund des Konfliktes

[42] GCh 266. [43] GCh 267–270.

[44] Der Versuch Pannenbergs, das paulinische Denkmodell vor der Vernunft zu verantworten, kann allerdings letztlich die Denkvoraussetzung des jüdisch-christlichen Überlieferungshorizonts nicht begründen. In seiner Darstellung der bei Paulus implizierten Logik, der dreifachen Stellvertretung, bleiben noch folgende Fragen unbeantwortet: 1) Warum ein Akt eines einzelnen Menschen das Schicksal aller Menschen beeinflussen kann; vor allem in bezug auf die Universalität der Stellvertretung Christi fragt sich, warum der Rollentausch Jesu mit dem Henker das ganze Volk und über die Grenze seiner Gesellschaft hinaus die gesamte Menschheit beeinflussen kann. Pannenberg versucht zwar, die universale Bedeutung der Stellvertretung Jesu aus der Universalität der Sündigkeit des Menschen zu begründen. Der Mensch habe von Natur aus die Bestimmung der Weltoffenheit, erwarte ständig ein Leben über den Tod hinaus, versuche aber durch eigene Sünde sich selbst zu verschließen, und verfalle dadurch dem Tod. Dieses Verhängnis von Sünde und Tod sei allen Menschen gemeinsam, werde aber im mosaischen Gesetz vertreten. Die Befreiung vom Gesetz durch das Sterben Jesu bedeute darum die Befreiung aller Menschen vom Todesschicksal. Dabei bleibt aber doch noch ungeklärt, warum die Verurteilung Jesu das jüdische Gesetz selbst vertreten kann und das Gesetz seinerseits das Todesschicksal aller Menschen, so daß die Aufhebung des Gesetzes universale, über jede raumzeitliche Beschränkung hinausgehende Bedeutung hat. (Die Kontinuität der Sünde aller Menschen wird von anderen Denkmodellen oft im bösen Willen der Henker gesehen. Vgl. *P. Schoonenberg*, Der Mensch in der Sünde, MySal II, 895–898.)

2) Es ist ferner nach der Möglichkeit des Rollentausches in moralischen Dingen zu fragen; m. a. W.: Warum kann ein Mensch anderen ihre Strafe abnehmen? Was einer materiell geschadet hat, kann zwar von einem anderen wiederhergestellt werden. Ob dieses materielle Schema aber auch auf die moralische Verantwortung übertragen werden kann, ob einer die Strafe als Folge der

mit dem Gesetz. Er versteht aber im Unterschied zu Pannenberg den Tod Jesu nicht als bloße Folge seines Anspruchs, dessen Recht durch die Auferweckung bestätigt wurde, sondern selbst als Solidarisierung mit den Gesetzlosen, die seine Auferweckung im voraus für die Gesetzlosen relevant macht. Die Logik des Rollentausches erklärt nicht den positiven Sinngehalt dessen, was Paulus unter dem stellvertretenden Tod Jesu verstand. Nachdem Jesus in seinem Sterben das Todesschicksal aller Menschen getragen hat, brauchen sie nicht mehr diesen von Gott verlassenen Tod zu sterben. Er starb allein und definitiv diesen Fluchtod anstelle aller Menschen. Das ist eine exklusive Stellvertretung, die Jesus allein gilt. Die an ihn glauben, sterben darum nicht von Gott verlassen, sondern in der Hoffnung auf das Leben, das durch seine Auferstehung von den Toten versprochen ist. Aufgrund der Exklusivität des ein für allemal stellvertretenden Todes Jesu eröffnet sich die Möglichkeit für alle, die an ihn glauben, an seiner Auferstehung teilzunehmen (Röm 6,2ff; 2 Kor 5,14ff; Gal 2,20; Gal 6,14; Kol 2,20; Kol 3,3)[45]. Das paulinische Verständnis vom Ende des Gesetzes soll darum nur im Zusammenhang mit dem Auferstehungskerygma, im Licht der Offenbarung der neuen Gerechtigkeit Gottes, die den Sündern bedingungslos zukommt, gedeutet werden. Der stellvertretende Tod Jesu kann weder bloß aus dem historischen Vorgang noch aus seiner logischen Struktur erklärt werden, sondern nur aus dem Glauben, der im Kreuzesgeschehen nicht die Leistung des Menschen Jesu, sondern die Versöhnungstat Gottes selbst sieht.

Schuld eines anderen tragen kann und dadurch die Schuld von diesem selbst vergeben werden kann, ist nicht selbstverständlich. Pannenberg versucht das zwar durch anthropologische Überlegungen zu erklären. Im jüdischen Denken waren immer Tat und Tatfolge untrennbar. Die böse Tat birgt schon in sich Unglück, die Sünde schon Tod. Daß Christus das aus unseren Sünden folgende Unglück auf sich nahm, heißt darum gleich, daß er zur Sünde gemacht wurde (2 Kor 5,21; Gal 3,13). Die Sünde wird schon vergeben, wenn ihre Strafe weggenommen wird (GCh 272ff). Ferner wurde von dem schon genannten sozialen Solidaritätsdenken her geglaubt, daß die Verantwortung für die Tat eines Menschen von einem anderen getragen werden kann. Dieser Gedanke stieß schon auf eine Schwierigkeit im Horizont des ethischen Individualismus der Aufklärungszeit. In diesem Punkt klärt die heutige Anthropologie die wesentliche Sozialität des menschlichen Daseins deutlicher. Die Tat des einzelnen Menschen kann nicht unabhängig von der Verantwortung in seiner Gesellschaft sein, vor allem in einer solchen Gesellschaft, in der die Bindung unter Menschen immer intensiver und gegenseitige Stellvertretung immer gewöhnlicher wird. Pannenberg meint darum, Stellvertretung sei als solche nicht außergewöhnlich beim Christusgeschehen, sondern allgemein menschlich. Die Geiststruktur des Menschen, die im Urchristentum die Grundvoraussetzung für das Verständnis des stellvertretenden Todes Jesu war, sei auch heute noch anthropologisch begründbar (GCh 276f). Allerdings kann die Analyse der dem Rollentausch zugrunde liegenden Logik, daß Jesus trotz seiner eigenen Unschuld die Strafe des Gotteslästerers auf sich nahm, daß Gott aber durch die Auferweckung seine Henker umgekehrt als wahre Gotteslästerer erklärte, nur eine paradoxe, geschichtsironische Tatsache darstellen. Dabei wird noch nicht geklärt, daß Jesus diesen Menschen ihre Strafe abnahm und sie dadurch gerechtfertigt wurden. Um so weniger wird erklärt, daß die Menschen, mit denen Jesus die Rollen tauschte, das ganze Volk und die gesamte Menschheit theologisch vertreten hat und darum Jesus allen Menschen ihre Strafe abnahm.

[45] Vgl. auch *K. Barth*, KD IV/1, 278ff, 324ff.

3. Anbruch des Reiches Gottes

Moltmann versucht das einseitige Verständnis von Stellvertretung in der Tradition durch die Verbindung mit dem Auferstehungskerygma zu ergänzen und vor allem aus dem Horizont unserer heutigen Heilserwartung heraus neu zu denken. Wenn der Tod Jesu nur im Zusammenhang mit der Auferstehung richtig zu verstehen ist, wenn die Rechtfertigung nicht nur als Vergebung der Sünden, sondern auch als Berufung zur Gemeinschaft der Freiheit zu verstehen ist, dann soll das Sterben Jesu für uns auch nicht nur Tod für unsere Sünden, Tod als Sühneopfer, Stellvertretung als Notmaßnahme sein, sondern auch Tod zu unseren Gunsten, und zwar Stellvertretung im personalen Verhältnis und aus Liebe[46]. „Jesu Adoption und Inthronisation durch seine Auferweckung von den Toten definiert seine sachliche und zeitliche Mittlerrolle zwischen Gott und den Menschen."[47] „Der Kyrios vermittelt zwischen den vergehenden Menschen und dem kommenden Gott, sowie zwischen dem Vergehen der Menschen, das sie in solche Vergänglichkeit stürzt, den Sündern also, und dem richtenden und heiligen Gott, der kommt."[48] Hier wird Moltmanns eschatologische Auffassung von der Stellvertretung Christi deutlich, die zu den Grundbegriffen seiner Theologie der Hoffnung gehört. Dazu ist der Beitrag von D. Sölle beachtenswert[49]. Moltmann ist mit ihrem Anliegen einig, wenn sie die traditionelle Terminologie von Stellvertretung beizubehalten und doch aus dem heutigen Verständnis neu zu interpretieren versucht[50]. Die Stellvertretung Christi wird bei Sölle als „vorläufiges Eintreten von Person für Personen"[51] aus dem Horizont der heutigen Gesellschaftsstruktur heraus begriffen. Erstens vertritt Christus uns vor Gott. Von der Identitätsfrage ausgehend, will Sölle die Stellvertretung Christi inklusiv verstehen, d. h. im Gegensatz zu Ersatzleistung macht seine Stellvertretung unseren Einsatz nicht überflüssig, sondern er vertritt uns, damit auch wir an dem teilnehmen, was er tut[52]. Christus ist der Vorläufer des Reiches Gottes, damit auch wir nach ihm laufen[53]. Während in seiner exklusiven Stellvertretung der unschuldige Christus mit den Schuldigen seine Rolle tauscht und darum der Stellvertreter nicht als Gleicher zu den Vertretenen gehört, bleibt der Christus in seiner inklusiven Stellvertretung der Erstgeborene der neuen

---

[46] Moltmann behandelt den Gedanken der Stellvertretung schon beim Studium über D. Bonhoeffer. Vgl. Bonhoeffer 19–25 und 38ff; Bonhoeffers Ausdruck: „Für-andere-da-sein" ist nach Moltmann nichts anderes als dieser personale Gedanke der Stellvertretung Christi, a. a. O. 23.

[47] GG 167. [48] GG 167.

[49] *D. Sölle*, Stellvertretung. Ein Kapitel Theologie nach dem „Tode Gottes" (Stuttgart–Berlin 1965; Taschenbuchausgabe: Gütersloh 1972); Seitenangabe hier nach dieser Ausgabe.

[50] GG 64; 167; 205; 244; 266; insbes. 250–255.

[51] *D. Sölle*, a. a. O. 22, vgl. auch 50f.

[52] A. a. O. 105f. [53] A. a. O. 107–113.

Schöpfung. Er ist ganz und gar einer von uns. Mit diesem Gedanken von Sölle stimmt Moltmann überein. „Daß Christus *für uns* gestorben ist, hat sein Ziel und seine Zukunft darin, daß er mit uns ist, und *wir mit ihm* leben, lachen und herrschen werden. Das Für-Andere-Dasein in der stellvertretenden Liebe hat zum Ziel, einmal *mit anderen* in Freiheit da zu sein.“[54] Zweitens vertritt Christus Gott vor uns als der Platzhalter Gottes in einer gottlosen Welt und als der vorläufige Stellvertreter des noch abwesenden Gottes[55]. Auch hier stimmt Moltmann mit Sölle überein. „Der Christus Gottes repräsentiert Gott selbst in der noch unerlösten Welt. Der Sohn Gottes vertritt den Vater in einer gottlosen und verlassenen Welt.“[56] Die Auferstehung Jesu meint seine Inthronisation zur eschatologischen Person; sie qualifiziert ihn als Stellvertreter Gottes, der statt Gott regiert. Die ältesten Christustitel drücken nicht bloß eine persönliche Ehre Jesu aus, sondern seine Sendung, die ihm durch seine Auferweckung vom Vater aufgetragen ist[57]. Aber „Die Herrschaft des Christus dient ... einzig dem Zweck, der Alleinherrschaft Gottes Platz zu schaffen. Christus ist der Platzhalter Gottes gegenüber einer Welt, die Gott noch nicht völlig unterworfen ist.“[58] Seine Stellvertretung ist nur vorläufig, bis das Reich der Freiheit in seiner Vollendung vom Sohn dem Vater übergeben wird und Gott alles in allem wird (1 Kor 15, 20–28)[59].

Diese hier dargestellte eschatologische Vermittlung Christi ist zwar eine berechtigte Korrektur zur einseitigen Betonung der traditionellen Rechtfertigungslehre, aber sie hat ihre Grundlage doch nur in Christi stellvertretendem Tod am Kreuz. Die hier in den Vordergrund gestellte inklusive Stellvertretung hat jene exklusive Stellvertretung zu ihrer Voraussetzung. Darum will Moltmann sich von Sölle trotz vieler Wahrheitsmomente in ihrer Auffassung distanzieren und nochmals diese eschatologische Vermittlung Christi auf Grund seines Kreuzes denken[60]. „Gerade als eschatologischer Vorläufer bahnt er (sc. Christus) den Menschen einen Weg durch Gericht und Gottverlassenheit, der für den Menschen erst in seiner Gemeinschaft gangbar wird. Nicht daß durch Chri-

[54] EFSch 76.
[55] *D. Sölle*, a.a.O. 132–151.
[56] GG 167; auch vgl. GG 243f.
[57] ThH 184; GG 81f.
[58] GG 252.
[59] GG 167; ThH 147f.
[60] Dazu vgl. *H. Gollwitzer*, Von der Stellvertretung Gottes. Christlicher Glaube in der Erfahrung der Verborgenheit Gottes. Zum Gespräch mit Dorothee Sölle (München 1968). Gollwitzer kritisiert Sölle von seiner Position der Offenbarungstheologie her, in der die göttliche Stellvertretung nicht ganz durch die Fragestellung des Menschen gedeckt werden kann (a.a.O. 28ff; 60ff; 65f) und nach Luther nicht nur als exemplum, sondern auch als sacramentum gedacht werden soll (a.a.O. 36ff; 44f). Gollwitzer will damit den exklusiven Charakter der Stellvertretung Christi betonen, daß er an die Stelle unserer Verdammnis tritt, damit wir nie mehr an diese Stelle geraten (a.a.O. 43).

sti Vertretung dem Menschen etwas von der Not abgenommen wurde, wohl aber erfährt Christus eine Hölle der Verstoßung und der Einsamkeit am Kreuz, die von den Glaubenden so nicht mehr erlitten werden muß. Als Vorläufer bahnt er den Weg. Dem Nachfolgenden ist der Weg gebahnt. Christus erfährt Tod und Hölle in Einsamkeit. Der Nachfolger erfährt sie in seiner Gemeinschaft."[61] Gegen Sölles These von der Selbsterübrigung des Stellvertreters meint Moltmann, daß Christus nicht bloß die alte gebrochene Wirklichkeit wiederhergestellt hat, sondern eine neue für alle Menschen schafft, daß diese neue Schöpfung aber allein durch ihn, mit ihm und in ihm dem Menschen zugänglich ist, daß seine Platzhalterschaft zwar vorläufig ist, aber seine Sohnschaft sich nicht selbst erübrigen kann[62]. „Seine Sohnschaft vollendet sich in dieser Übergabe des Reiches an den Vater."[63] Moltmann betrachtet diesen Vorgang innertrinitarisch; darum ist bei ihm „die eschatologisch-funktionale Christologie ... in eine trinitarische Christologie aufgehoben"[64]. In der eschatologischen Vollendung des Gehorsams des Sohnes vollendet sich auch die Bruderschaft der Glaubenden; die Vollendung des Heils der Welt liegt in der Vollendung der innertrinitarischen Geschichte Gottes[65]. „Daraus folgt, daß der Gekreuzigte nicht verschwindet, wenn die Erfüllung kommt, sondern vielmehr zum Grund für das erlöste Dasein in Gott und die Einwohnung Gottes in allem wird."[66]

II. Die Offenbarung des Menschen als Sünder und Gerechter zugleich

1. *Noch unerlöste Wirklichkeit*

a) Verborgenheit des Menschen

Moltmanns Betonung der Einheit von Christologie und Soteriologie fällt nicht ohne innere Logik zusammen mit seiner Grundkonzeption, die Offenbarung Gottes als Verheißung aufzufassen. Denn die Offenbarung in Christus als die Inkraftsetzung der Verheißung bezieht sich auf die Heilserwartung des Menschen, die aus seinem Leiden am Identitätsverlust entsteht. Der Mensch besitzt nach Moltmann sein Wesen nicht als vorgegebene Natur. Das, was er eigentlich sein soll, ist ihm aufgegeben, und das wird ihm in der Offenbarung Gottes als

[61] GG 251; vgl. SB 48. [62] GG 252. [63] GG 253.
[64] GG 254. [65] GG 254. [66] GG 254.

Verheißung zuteil. „Nicht aus seiner Naturverbundenheit und nicht aus seiner Selbstbetätigung wird der Mensch verstanden, sondern aus der Geschichte, in der ihm seine Zukunft angesagt wird. Nicht was der Mensch ist, sondern daß er etwas werden und was er werden soll, wird ihm enthüllt."[67] Daß der Mensch noch nicht er selbst ist, darin liegt seine Verborgenheit. „Der Mensch, der von dieser Offenbarung Gottes in Verheißung betroffen wird, wird identifiziert – als das, was er ist – und zugleich differenziert – als das, was er sein wird."[68]

Diese Verborgenheit des Menschen entspricht der in der reformatorischen Tradition betonten Verborgenheit Gottes in seiner Offenbarung. Zunächst ist Gott verborgen, weil er sich nicht in der Natur offenbart, sondern in der Geschichte, und dann ist er verborgen, denn „er offenbart sich dem suchenden Menschen nicht in seiner *Herrlichkeit*, vor der alles Fragen glücklich verstummt, sondern in seinem eigenen *Leiden* an dieser unglücklichen Welt, das alles Fragen, Suchen und Beten hervorruft ... Dem *Deus absconditus* entspricht der *homo absconditus*. Und nur in der Achtung des verborgenen Gottes wird der Mensch sich selbst und andere in ihrem *messianischen* Geheimnis achten."[69]

Daraus folgt, daß das wahre Menschenbild nur in der Armut gefunden werden kann[70], d. h., indem der Mensch seine selbstherrlichen Versuche aufgibt und redlich auf sein tatsächliches Elend schaut und seine Schuld bekennt, aber gerade darin den für ihn sich erniedrigenden und diese elende Wirklichkeit auf sich nehmenden, ihn liebenden und in seine Gemeinschaft rufenden Gott erkennt. Darin liegt das Wesentliche der Offenbarung, daß in dem für uns das Todesgeschick auf sich nehmenden, sterbenden, aber von Gott auferweckten Christus das wahre Menschsein mitten in dieser noch unerlösten Welt im ewigen Leben versprochen wird.

Diese Verborgenheit des Menschen ist nach Moltmann mit der Unerlöstheit der Wirklichkeit zutiefst verbunden. Weil der Mensch gegenwärtig noch nicht ist, was er eigentlich sein soll, und weil er das ihm für die Zukunft Aufgegebene ständig erstreben soll, darum liegt hier in der Erkenntnis des wahren Menschseins, zu dem er berufen ist, zugleich die Erkenntnis seiner gegenwärtigen „tödlichen Verfehlung des menschlichen Daseins."[71] Wenn Moltmann bei den tatsächlichen Problemen der Welt ansetzt und die Heilserwartung des heutigen

---

[67] Der verborgene Mensch. Zum Selbstverständnis des modernen Menschen (= Das Gespräch 35) (Wuppertal-Barmen 1961) (Abkürzung: VM) 27f; vgl. auch ThH 78–82, 262, 264, 317; Wer ist „der Mensch"? (= Theologische Meditationen 36) (Einsiedeln – Zürich – Köln 1975) (Abkürzung: WM), 9, 11, 25f; M 16, 83f.

[68] ThH 80; vgl. auch PTh 33.

[69] WM 23; vgl. auch dazu: Prinzip Hoffnung und christliche Zuversicht, EvTh 23 (1963), 537–557, und in: ThH 317–321; WM 22–30; VM 6f; M 28f.

[70] WM 23. [71] M 27.

Menschen analysiert, bleibt diese theologische Anthropologie die Grundlage. Der Identitätsverlust des Menschen, der psychologisch und soziologisch feststellbar ist, hat seine Wurzel in der theologischen Verborgenheit des Menschen.

b) Leiden der Welt

Die Heilserwartung des Menschen heute kann nach Moltmann in einem Wort zusammengefaßt werden: Suche nach der Befreiung des Menschen und der Gerechtigkeit der Welt[72]. Der Mensch wird heute nicht nur von natürlichen Katastrophen, Armut und Hungersnot bedroht. Gerade indem er durch die Technik Macht gewinnt, diese Natur zu beherrschen, verliert er sich selbst; indem er sich von der Macht der Natur befreit zu haben glaubt, ist er gefangen von der Macht seiner eigenen Werke und Organisation[73]. „Menschen leiden an der ökonomischen Ausbeutung des Menschen durch den Menschen und schreien nach sozialer Gerechtigkeit. Menschen leiden an der politischen Unterdrückung des Menschen durch den Menschen und kämpfen um öffentliche Anerkennung ihrer Menschenwürde. Menschen leiden an der kulturellen Entfremdung des Menschen von Menschen und suchen nach Solidarität miteinander. Menschen leiden an der Leere ihres persönlichen Lebens, das so spurlos im Getriebe dieser bürokratischen Gesellschaft vergeht, und fragen nach dem Sinn ihres persönlichen Lebens. Menschen leiden endlich unter jener tiefsitzenden Ur-Angst, die sie so aggressiv und feindlich gegen ihre Mitmenschen macht, und sehnen sich nach Erlösung."[74] Die Welt ist voll von Leiden und sehnt sich nach Erlösung. Der Mensch sucht sein wahres Sein. Das ist die Suche nach Befreiung von verschiedenen Herrschaften und Unterdrückung, nach Überwindung seiner Entfremdung, die Suche nach Selbstidentität[75], nach dem vollkommenen Leben[76]. Diese Heilserwartung bleibt nicht nur ein individuelles cor inquietum[77], sondern umfaßt die gesamte Geschichte der Welt, sie ist Hunger nach dem Gottesrecht in der gottlosen Welt[78] und Durst nach dem wahren Leben[79].

Diese tatsächliche Unerlöstheit der Welt ist zwar der Fragehorizont Moltmanns, um die Erlösungstat Christi zu verstehen. Darum muß die christliche Theologie „das Christusbekenntnis in seiner Relevanz für das heutige Wirklichkeitsverständnis und den gegenwärtigen Streit um die Wahrheit Gottes und

[72] GG 79. [73] M 39f, 48f.
[74] Gott kommt und der Mensch wird frei, 9; dazu vgl. auch EFSch 9ff.
[75] Zur Identitätsfrage, vgl. M 72, WM 9, 11, 17–19.
[76] M 51. [77] M 29; ThH 78.
[78] ThH 205. [79] ThH 203.

Gerechtigkeit des Menschen und der Welt erweisen“[80]. Gleichzeitig ist aber diese unerlöste Wirklichkeit erst in dem im Christusgeschehen Versprochenen als wahrhaftig unerlöst offenbart. Darum sind auch viele andere Ideologien und Weltanschauungen, die der Welt das Heil versprechen, als selbst in diesem „Teufelskreis“[81] der menschlichen Gesellschaft steckend und darum zur wahren Befreiung des Menschen unfähig offenbart. „Im Kreuz wird die Gottverlassenheit aller Dinge erkennbar, und mit dem Kreuz wird die reale Ausständigkeit des Reiches Gottes, in dem alle Dinge zu Recht, Leben und Frieden gelangen, erkennbar.“[82] Die Offenbarung der Unerlöstheit fällt mit der Offenbarung der Richtung, in der die wahre Erlösung ermöglicht wird, zusammen.

c) Das Wesen von Sünde und Tod

Wenn Moltmann das Leiden der unterdrückten, diskriminierten, verarmten, verlassenen Menschen im Teufelskreis der heutigen Welt in den Vordergrund seiner theologischen Frage stellt, wird ihm manchmal vorgeworfen, daß die in der reformatorischen Theologie traditionelle Konzeption der Sünde des Menschen und ihrer eigentlichen Bosheit wegen der Betonung des Unglücks und Übels der Welt zu kurz komme[83]. Gewiß spielt das in der Tradition oft einseitig betonte Sündenbewußtsein des im einzelnen Gewissen vor Gott stehenden Menschen bei Moltmann nicht unbedingt die Hauptrolle. Das aber bedeutet nicht eine Mißachtung der Sündhaftigkeit des Menschen. Für Moltmann ist die Sünde nicht nur eine Sache der individuellen Seele, sondern vielmehr eine Sache der gesamten Menschheit und Geschichte. Gerade das Elend der Welt wird im Zusammenhang mit der Sündigkeit des Menschen als eine Gefangenschaft unter der Macht der Sünde betrachtet[84]. Die Ungerechtigkeit der Welt hat im Licht des Evangeliums ihre letzte Wurzel in der persönlichen und kollektiven Sünde.

Moltmann sieht das Wesen der Sünde nach dem Grundverständnis der Heiligen Schrift und vor allem nach dem seit Luther zum Grundbegriff der reformatorischen Theologie gewordenen Verständnis darin, daß der Mensch sich selbst „perverse“ zu rühmen, zu verabsolutieren und zu vergöttern versucht und gerade dadurch zum Unmenschen wird[85]. In dieser Unmenschlichkeit liegt die Wurzel

---

[80] GG 8.
[81] Über den Teufelskreis der Armut, der Gewalt, rassischer und kultureller Entfremdung, der industriellen Naturzerstörung, der Sinnlosigkeit und Gottverlassenheit, GG 9, 270f, 306–308; WM 44; SB 153ff.
[82] ThH 203.
[83] Vgl. *Sölle*, Gott und das Leiden, a.a.O. 367. [84] Über die Sünde als Macht, EFSch 33.
[85] M 35–37; WM 42f, 58f; VM 30; Das Leiden des Menschensohnes und Ruf in die Nachfolge, in: *J. B. Metz – J. Moltmann*, Leidensgeschichte. Zwei Meditationen zu Markus 8, 31–38 (Freiburg i. Br. [2]1975) 23; SB 45, 127.

des Teufelskreises der heutigen Welt. Das alttestamentliche Bilderverbot soll hier noch einmal hervorgehoben werden[86]. Die Götzen der Macht, der Ehre und des Erfolges versklaven heute noch Menschen[87]. Darin liegt eine Illusion des Menschen über sich selbst[88], daß er seine eigene Verwirklichung zu erreichen glaubt, ohne sich dabei selbst zu verlieren[89].

Durch die Sünde kommt der Tod in die Welt. „Der Lohn, den die Sünde zahlt, ist der Tod" (Röm 6,23).[90] Die Sünde ist eine „Grund- und Rechtlosigkeit" und schließt „die Verfallenheit an den Widerspruch gegen Gott und an die Lüge in sich" und darum „das Sterben und das Versinken ins Nichts"[91]. Der Tod folgt aus dem Wesen der menschlichen Sünde[92]. Denn durch Selbstvergötterung bricht der Mensch sein Verhältnis zu Gott ab und verfällt der Gottlosigkeit. Der Tod ist nichts anderes als die radikale Gottverlassenheit[93], die schon in der Sünde eingeschlossen und gleichzeitig ihre Strafe ist, Gericht und Fluch, Ausschluß vom verheißenen Leben, Verwerfung und Verdammnis[94]. Darum wird der Tod als „der letzte Feind" (1 Kor 15,26) bezeichnet[95].

Die Welt ist noch von diesem Tod bedroht und beschädigt[96]. Hinter Trauer und Leiden der Welt versteckt sich noch dieses „Nichtige, Widersprüchliche und Quälende"[97]. Es ist kein Anliegen Moltmanns, über diese Macht des Bösen zu spekulieren und sie zu personifizieren. Allerdings ist nicht zu verleugnen, daß da irgendwelche „Mächte des Nichtigen"[98], die über die individuelle Macht des Menschen hinausgehen, im Spiel sind. Das Leiden des Menschen und der Welt wurzelt in ihnen, „das Leiden an der Verlassenheit und Unerlöstheit, an der Unterworfenheit aller Dinge unter das Nichtige"[99].

---

[86] M 154, 156, 158.
[87] WM 23f, 28f, 39–41, 43–45, 48f.
[88] M 36, 154.
[89] WM 44f.
[90] dazu ThH 107.
[91] ThH 187: *E. Jüngel* bezeichnet diese Selbstvergötterung als „totale Selbstbezogenheit, die freilich de facto gerade in totale Verhältnislosigkeit führt" (Unterwegs zur Sache, 298). Diese Verhältnislosigkeit ist nichts anderes als Tod (Tod [Stuttgart–Berlin 1971] 94, 98–201, 111, 138f, 141, 165, 169).
[92] Dazu vgl. *Jüngel*, Tod, 112; *K. Rahner*, Zur Theologie des Todes (= Quaestiones Disputatae 2) (Freiburg i. Br. 1958) 45.
[93] ThH 189. [94] ThH 194.
[95] SB 137, UZ 76; hier ist natürlich vom Fluch-Tod die Rede, im Unterschied zum natürlichen Tod. Über den Sprachgebrauch des Neuen Testaments vgl. *Jüngel*, Tod, 103–120; *K. Barth* nennt dies „den wirklichen Tod, den Tod als Verdammnis und Vernichtung des Geschöpfes, den Tod als den Beleidiger seines Schöpfers, den Tod als den letzten Feind" (KD III/3, 355).
[96] ThH 205.
[97] ThH 179.
[98] ThH 204.
[99] ThH 203.

Für K. Barth ist das Nichtige „in jenem in Jesus Christus vollbrachten Heilsgeschehen gebrochen, gerichtet, widerlegt und erledigt"[100]; es hat keine wirkliche Macht mehr, sondern nur noch die eines gefährlichen Scheins; „Es ist und tut es doch nur noch in der Kraft eines schon gebrochenen Daseins, nur noch im Nachklang und als Schatten dessen, was es war"; „Es kann das Nichtige nur noch insofern in Geltung stehen und zur Geltung kommen, als die allgemeine Offenbarung seiner Erledigung noch nicht geschehen ist."[101] K. Barth betont dabei die Entschiedenheit des Christusgeschehens, aber die wirkliche Unerlöstheit der Welt wird dadurch nicht genügend ernst genommen. Für Moltmann ist dieses Nichtige heute noch tatsächlich wirkend und bedrohend[102].

Moltmanns Begriff von Sünde wird in einer weiteren Dimension radikalisiert: nämlich als Sünde gegen den Heiligen Geist. Die bisher geschilderte Sünden- und Todessituation des Menschen ist von Christus getragen und in seinem Geschehen zur Erlösung gerufen. Dabei kann sich die menschliche Selbstvergötterung und Selbstverschließung noch weiter steigern, indem der Mensch sich diesem Ruf Gottes gegenüber verweigert. Das ist der eigentliche Unglaube, der nicht an die Rechtfertigung durch Christus glauben will. Dieses Mißtrauen und Verweigern gegenüber der Verheißung Gottes wird als Hoffnungslosigkeit, Resignation, Trägheit, Traurigkeit[103] ausgedrückt. Das ist die Hölle selbst[104]. Das Wesen der Sünde kommt hier theologisch explizit zur Erscheinung, denn die Willensfreiheit des seit Beginn der Schöpfung zum Bundespartner Gottes erhobenen Menschen wird auch durch die Erlösungstat Christi nicht negiert. Die Verstocktheit des Menschen, die eigentlich die Wurzel der ersten Sünde gewesen ist, kann hier noch bestehen. „Verzagtheit und Verzweiflung sind Sünde, und zwar Ursprung der Sünden."[105] Darin liegt das Wesen dessen, was Paulus als Rechtfertigung durch das Gesetz verworfen hat. Die Thora-Gerechtigkeit ist nichts anderes als die Kehrseite dieses Unglaubens. Die ist „Abfall in den Kleinglauben und Furcht"[106]. „Mangelnde Zuversicht und Zweifel am Erfüllungswillen Gottes ist darum ein Raub an Gottes Ehre."[107]

---

[100] KD III/3, 424. [101] Ebd.

[102] Kritik Moltmanns an K. Barth, ThH 77, 207ff. [103] ThH 18. [104] ThH 27.

[105] ThH 109; „... so müssen wir auch sagen, daß die eigentliche Sünde dann in der Hoffnungslosigkeit liegt" (Die Auferstehung des Gekreuzigten und die Zukunft Christi, in: *B. Klappert* [Hrsg.], Diskussion um Kreuz und Auferstehung [Wuppertal 1967] 258). Vgl. dazu *K. Barth*, KD IV/2, § 65, Des Menschen Trägheit und Elend. [106] GG 24.

[107] ThH 131; dazu auch *K. Barth:* „Eben in diesem Sinne ist das Nichtige wirklich Privation: Raub an Gottes Ehre und Recht und zugleich Raub am Heil und am Recht des Geschöpfs. Denn das ist Gottes Ehre und Recht, gnädig zu sein; und eben das ist es, was ihm durch das Nichtige streitig gemacht wird. Eben das ist auch das Heil und das Recht des Geschöpfes: Gottes Gnade zu empfangen, von Gottes Gnade zu leben, und eben das ist es, worin es durch das Nichtige gestört und gehindert ist" (KD III/3, 408).

Im Kreuzesgeschehen Jesu ist diese menschliche Wirklichkeit von Sünde und Tod offenbar[108]. Nach Paulus wird „Gottes Zorn über die Gottlosigkeit der Menschen darin offenbar, daß er sie an ihre Gottlosigkeit und Unmenschlichkeit ‚dahingibt'"[109], d. h., wer Gott verläßt, ist schon darin von Gott verlassen; wer nicht an Gott glaubt, ist schon darin von Gott gerichtet[110]. Aber im Kreuzesgeschehen „hat Gott seinen eigenen Sohn dahingegeben, verlassen, verstoßen und dem Fluchtod ausgeliefert"[111]. Im Kreuz Jesu ist das Gericht Gottes schon geschehen[112], und zwar ist das göttliche Nein zur Gottlosigkeit des Menschen darin offenbar und zugleich durch das Ja Gottes überwunden. Der Zorn Gottes ist also so aufgehoben, daß Gott selber in seiner Hingabe des Sohnes die Gottlosen rechtfertigt. Die Wirklichkeit des sündigen Menschen ist darin mit offenbar, daß er trotz seiner Sündigkeit durch Christus von Gott bejaht wird.

Gott hat seinen Sohn hingegeben, damit der Mensch seine von Gott verurteilte Unmenschlichkeit erkennt und zu seinem von Gott angenommenen wahren Selbst zurückkehrt. In diesem Menschenbild, das durch das Kreuz offenbart ist, folgt Moltmann dem Erbe Luthers. „Für Martin Luther macht die Erkenntnis des ‚Gekreuzigten' uns aus ‚unglücklichen und stolzen Göttern' wieder zu ‚wahren Menschen', d. h. Menschen, die ihre Niedrigkeit, Unsicherheit und Offenheit annehmen."[113]

2. *Die neue Schöpfung*

a) Gott versöhnt sich mit der gottfremden Welt durch die Hingabe des Sohnes. Der Sohn tritt an die Stelle der Gottlosen, die von sich aus nicht vor Gott bestehen können, so daß sie in ihm Zugang zu Gott finden. In der Auferweckung des Gekreuzigten ist den Menschen inmitten ihrer Leidensgeschichte die Zukunft des Reiches Gottes versprochen, durch die schöpferische Liebe eröffnet

---

[108] GG 71–72; „An seinem Tode wird offenbar, was alles im menschlichen Leben nicht stimmt, was übel ist, unmenschlich und gegen Gott" (Die Auferstehung des Gekreuzigten und die Zukunft Christi, a. a. O. 257, auch in: UZ 76). „Ist im Kreuz die ganze unverkürzte Wirklichkeit des Menschen von Gott angenommen, so wird dem Menschen im Kreuz doch zugleich auch seine Wirklichkeit als eine von Gott gerichtete und verlassene Wirklichkeit enthüllt" (Die Wahrnehmung der Geschichte, PTh 154). Darauf lag die Betonung K. Barths, daß die eigentliche Sünde des Menschen erst im Kreuz Jesu offenbar ist. „Nur Jesus Christus kann mir das sagen; nur in ihm, d. h. ihm gegenüber, ist ja das wirklich Nichtige, die wirkliche, d. h. die gegen Gott streitende und von Gott bestrittene und besiegte Sünde, und diese als die Sünde des Menschen offenbar geworden" (KD III/3, 349).

[109] GG 229.

[110] Vgl. Röm 1,18ff; Joh 3,18.

[111] GG 229.

[112] Vgl. K. Barth über das Gericht Gottes im Kreuzesgeschehen, KD II/1, 443ff.

[113] WM 42f; vgl. auch ebd. 58–60; SB 127; VM 30; Leidensgeschichte 23.

sich ihnen die Möglichkeit, in die Gottesgemeinschaft einzutreten. Durch diese die gesamte Schöpfung umfassende, dynamische Auffassung Moltmanns von der Versöhnungstat Gottes hat die traditionelle Rechtfertigungslehre eine gewisse Korrektur erhalten. Rechtfertigung heißt nach Moltmann, daß „Gott an allen zu seinem Recht und die Kreatur darin zu ihrem Heil kommt."[114] Sie hat im Christusgeschehen begonnen und wird in der ihm versprochenen Zukunft des Reiches Gottes vollendet.

Moltmann nimmt den Ausgang für seine Überlegung bei der Rechtfertigung im ursprünglichen Sinn, daß Gott zu seinem Recht kommt, indem der Mensch gerecht wird. Dieser Ansatzpunkt entsteht sowohl aus dem Erbe Luthers als auch aus seiner theologischen Grundhaltung, die ständig nach der Gottesgerechtigkeit fragt.

Luther deutet die Rechtfertigung als „ein wechselseitiges Geschehen von justificatio Dei activa et passiva"[115]. Die Rechtfertigung bedeutet nämlich nicht nur, daß der Mensch von Gott gerecht gesprochen wird, sondern auch, daß Gott selbst dadurch seine Gerechtigkeit offenbart, und umgekehrt, das Geschehen der Rechtfertigung des Menschen ist nichts anderes als Anfang und Vorschein der Herrlichkeit Gottes, wo er in allem zu seinem Recht kommt[116].

Die nachfolgende reformatorische Theologie hat wegen ihrer Polemik gegen die Werkgerechtigkeit und wegen der Betonung der Rechtfertigung durch den Glauben das gesamte Gewicht der Rechtfertigungslehre oft einseitig auf eine anthropozentrische und juristische Interpretation der Gerechtigkeit des Menschen vor Gott gelegt[117]. Dabei ist die Rechtfertigung oft mit der Vergebung der Sünde identifiziert worden. Die Dimension der neuen Gerechtigkeit, bei der Gott alles in allem wird, ist manchmal zu kurz gekommen[118].

Moltmanns Versuch besteht darin, die oft anthropozentrisch von der lutherischen Orthodoxie betonte Konzentration der Wirkung Gottes auf die Gegenwart und die oft theozentrisch von der reformierten Theologie betonte futurisch-eschatologische Herrlichkeit Gottes zusammenzubringen, die Einseitigkeit der traditionellen Kreuzestheologie nochmals im Licht der Auferstehung zu korrigieren und heute zu verantworten[119].

---

[114] ThH 148.

[115] ThH 188; *Luther*, Vorlesung über den Römerbrief (1515/16): „Per hoc autem ‚Iustificari Deum' Nos Iustificamur. Et Iustificatio illa Dei passiva, qua a nobis Iustificatur, Est ipsa Iustificatio nostri active a Deo... Ergo dum Iustificatur, Iustificat, et dum Iustificat, Iustificatur" (WA 56, 226, 23–25/227, 7–8). [116] ThH 189.

[117] Dazu vgl. *Ph. Melanchthon*, Loci praecipui theologici (1599), ed. Stupperich II/2, 359, 10–360, 4; 360, 9; 361, 16; Römerbrief-Kommentar (1532), a.a.O. V, 99, 9–101, 5; Confessio Augustana, BSLK 55f. Vgl. auch *P. Stuhlmacher:* Gerechtigkeit Gottes bei Paulus (Göttingen 1965) 19–25.

[118] Vgl. *A. Schlatter*, Luthers Deutung des Römerbriefs (1917), BFchTh 27, 7, 48–60.

[119] ThH 187.

Darum muß die Rechtfertigung als Prozeß gedacht werden, der zwar schon begonnen hat, aber noch in Zukunft aufgegeben ist. Das meint auch Luther, wenn er sagt: „Daß der Mensch gerechtfertigt wird, verstehen wir so, daß der Mensch noch nicht gerecht ist, sondern eben in der Bewegung, im Lauf hin auf die Gerechtigkeit ist.“[120] Die Rechtfertigung des Menschen befindet sich noch im Tun Gottes und im Werden. Sie wird nach Luther vollendet in der Auferstehung der Toten[121]. Der Mensch wird erst in dieser Rechtfertigung zu dem, was er eigentlich sein soll. Der Prozeß der Rechtfertigung meint darum nichts anderes als das Werden des verborgenen Menschen[122]. Der Mensch findet in der Rechtfertigung seine wahre Identität[123]. Die reformatorische Formel: „simul iustus et peccator“ ist auch in diesem dialektischen Denken des Werdens zu verstehen. Der Mensch ist auf dem Wege. Er findet sich im Geschehen von Kreuz und Auferstehung Christi als Sünder und zugleich gerade als Sünder von Gott angenommen und in seine Gemeinschaft der Liebe gerufen. Er ist in den Prozeß der Neuschöpfung gestellt.

b) Damit ist schon mitgesagt, daß die Gerechtigkeit Gottes, die in der Rechtfertigung des Sünders erscheint, eine schöpferische, über das menschliche Maß weit hinausgehende Gerechtigkeit ist.

Moltmann kritisiert im Gefolge der reformatorischen Tradition[124] die aristotelisch-scholastische Auffassung von Gerechtigkeit als sogenannter iustitia distributiva, d.h. iustitia suum cuique distribuendi. Nach dieser ist die Gerechtigkeit Gottes ein Oberbegriff über Strafe und Lohn, über Zorn und Heil. Sie ist eine formale Gerechtigkeit, die dem Frommen mit Gnade und dem Sünder mit Strafe vergilt. Wenn die Gottesgerechtigkeit diese iustitia distributiva wäre, gäbe es, nach Moltmann, für den sündigen Menschen keine Hoffnung. Die Gerechtigkeit Gottes aber, die in der biblischen Offenbarung uns zuteil wird, bedeutet im Gegensatz zu diesem von der menschlichen Vernunft erdachten Gerechtigkeitsbegriff einen dem Menschen positiv entgegenkommenden, sein Heil ermöglichenden Akt des schöpferischen Gottes; sie ist eine die Macht der Sünde

---

[120] Zitiert bei *G. Ebeling,* a.a.O. 183; „Iustificari enim hominem sentimus, hominem nondum esse iustum, sed esse in ipso motu seu cursu ad iustitiam“ (WA 39/1, 83, 23).

[121] „Ja ubi compleverit Deus suam operationem, sed ipsa est adhuc in actu, et complebitur tandem in resurrectione mortuorum. In fieri, non in esse. Interim dum hic iustificamur, nondum est completa. Est in agendo, in fieri, non in actu aut facto, nec in esse. Es ist noch inn bau“ (WA 39/1, 252, 5–12); dazu vgl. *G. Ebeling;* a.a.O. 183.

[122] ThH 128, 149, 178, 197.

[123] PP 172; ThH 160, 165, 166.

[124] Vgl. *M. Luther,* Vorrede zum 1. Band der Gesamtausgabe seiner lateinischen Schriften (1545). Hier unterscheidet Luther die iustitia passiva, „qua nos Deus misericors iustificat per fidem“, im Gegensatz zur iustitia activa, „qua Deus est iustus, et peccatores iniustosque punit“ (WA 54, 185, 12–186, 20).

besiegende, alles neu bestimmende Macht[125]. Diese schöpferische Liebe Gottes ist vor allem im Kreuz Jesu sichtbar geworden. Die Gottesgerechtigkeit, die im Kreuz offenbart ist, besteht darin, daß Gott den Gottlosen mit sich versöhnt und in die Gemeinschaft seines Lebens ruft. Gott der Vater gibt seinen Sohn nicht für den Gerechten, sondern für den Gottlosen und dadurch Gottverlassenen dahin.

Das ist die schöpferische Liebe Gottes. Sie wird schöpferisch genannt, weil sie erstens gegen jede menschliche Vorstellung gerade die Liebesunwürdigen liebt. „Unsere Liebe wird vom Liebenswerten erweckt. Aber die göttliche Liebe, die Liebe, die aus dem Kreuz geboren ist, ist eine schöpferische Liebe zum Unwerten, Häßlichen, Peinlichen und zum Herabziehenden."[126] Paulus hat am Kreuz Jesu diese Liebe Gottes erfahren: Christus hat sein Leben für uns hingegeben, „als wir noch Sünder waren" (Röm 5, 8), „als wir noch Feinde waren" (Röm 5, 10). Diese Liebe ist schöpferisch, weil sie zweitens uns über uns selbst hinaus hebt[127]. Sie ist „eine schöpferische Liebe, die das Häßliche schön macht, das Falsche in die Wahrheit bringt und Böses in Gutes verwandelt."[128] Sie macht uns erst fähig zu lieben, sie gibt uns im Leiden der Welt „die wahre Kraft der Hoffnung"[129].

Diese schöpferische Liebe ist bedingungslos. Auch der Glaube ist keine Bedingung für sie, denn Gott verschont den Gottlosen, damit dieser zum Glauben kommt[130].

Die Betonung der schöpferischen Liebe, der neuen Gerechtigkeit Gottes, die den Ungerechten rechtfertigt, wirft allerdings wegen ihrer einseitigen Entgegensetzung zur menschlichen Vernunft einige Denkschwierigkeiten auf. Darauf müssen wir später noch zurückkommen.

c) Moltmann versteht die Bedeutung des Kreuzesgeschehens für die Rechtfertigung ständig aus der dialektischen Einheit von Kreuz und Auferstehung[131]. „Wegen unserer Verfehlungen wurde er (sc. Christus) hingegeben, wegen unserer Gerechtmachung wurde er auferweckt" (Röm 4, 25). Diesen Satz von Paulus interpretiert Moltmann: der Sinn seines Leidens und Sterbens am Kreuz ist un-

---

[125] ThH 185–189; 111–115; Jesus und die Kirche, in: *W. Kasper–J. Moltmann*, Jesus ja – Kirche nein? (= Theologische Meditationen 32) (Zürich – Einsiedeln – Köln 1973) 43, 54; GG 161–166; dazu vgl. auch Schrenk: Art. „dikaiosyne", in: ThWNT II, 194–214, *E. Käsemann:* Gottesgerechtigkeit bei Paulus, ZThK 58 (1961), 367–378; *P. Stuhlmacher,* a.a.O. 74–101, 113–175, 203–258.
[126] SB 81, vgl. auch UZ 75. [127] SB 81. [128] SB 74. [129] SB 83.
[130] *Melanchthons* Auffassung von Imputatio ist insofern mißverständlich, als darin der Glaube zur Bedingung der Rechtfertigung und so wieder zum Gesetz gemacht würde. Vgl. Confessio Augustana, BSLK, 55f.
[131] Die Kritik von *U. Asendorf* an Moltmann, daß bei ihm „Kreuz und Auferstehung im eigentlichen Sinne keinen Bezug zur Rechtfertigung haben" (a. a. O. 211), beruht auf einem Mißverständnis gegenüber der Hoffnungstheologie Moltmanns, die an sich nur im gesamten Zusammenhang seiner theologischen Entfaltung gesehen werden sollte.

sere Befreiung von der Macht der Sünde und dem Zwang des Sündigenmüssens. Der Sinn seiner Auferweckung von den Toten ist unser freies Leben in der Gerechtigkeit. Die Rechtfertigung des Sünders heißt darum, der Einheit von Kreuz und Auferstehung entsprechend, Befreiung von der Macht der Vergangenheit und Eröffnung der Zukunft gerechten Lebens[132]. In der Versöhnung Gottes mit den Gottlosen wird diesen gleichzeitig das Leben, die Freiheit und das Heil im kommenden Reich Gottes versprochen. Erst dort gelangt der Mensch zu seinem wahren Selbst. Der Mensch findet seine Identität darin, daß Gott sich mit ihm identifiziert hat[133]. Das heißt, indem Gott selbst im Christusgeschehen die durch Selbstvergötterung verkrümmte, von Sünde und Tod bedrohte, gottverlassene Wirklichkeit des Menschen angenommen hat, ist die menschliche Wirklichkeit verändert, von der Macht des Nichtigen befreit und als solche, d.h., obwohl noch schwach und aus eigener Kraft unzulänglich, obwohl noch unterwegs, als menschliche Wirklichkeit von Gott geliebt und angenommen[134]. Der Mensch findet sich ohne krampfhaftes Selbsterhöhungsbemühen gerade in seinem Menschsein von seinem Schöpfer und Erlöser geliebt und in dessen Gemeinschaft der vollkommenen Freiheit gerufen.

„Mit seiner Auferweckung von den Toten zerbricht die Knechtschaft durch den Tod. Das Reich göttlicher Freiheit beginnt mit dem, der zum Herrn erhöht ist, für alle, die glauben. Ist aber dieser aus der Macht des Todes Erhöhte der Gekreuzigte, der im Fluch der Gottverlassenheit starb, so wird umgekehrt allein durch sein Kreuz denen Freiheit vermittelt, die in Finsternis und Todesschatten wohnen... Durch das Kreuz wird neue Freiheit geschaffen unter den Verhältnissen der Knechtschaft durch eigene Schuld und die Mächte dieser Welt."[135]

Diese Befreiung gilt nicht nur dem individuellen Menschen, sondern auch der gesamten Kreatur. Das Sehnen der seufzenden Kreatur richtet sich auf die Offenbarung der Freiheit der Kinder Gottes (Röm 8, 19ff); der Mensch steht nämlich nicht allein im Prozeß dieser Befreiung auf der noch unerlösten Erde. „In seiner Qual spiegelt sich die Qual der ganzen geknechteten Kreatur wider, und in seiner Freiheit, von der er den Anfang im Geist der Kindschaft Gottes ergreifen kann, findet auch die Kreatur ihre Freiheit."[136] Im Geschehen von Kreuz und Auferstehung beginnt dann inmitten der Welt die befreiende Herrschaft Christi und ruft die gesamte Kreatur in die kommende vollendete Herrschaft Gottes, die Gemeinschaft der neuen Schöpfung.

---

[132] Unveröffentlichte Schriften aus dem Seminar über die Rechtfertigungslehre, SS 1974, Tübingen; dazu vgl. *Ph. Melanchthon:* „Iustificatio significat remissionem peccatorum et... acceptationem personae ad vitam aeternam" (Loci Praecipui Theologici, a.a.O. II, 2, 359, 10).
[133] GG 23. [134] Jesus und die Kirche 56; M 165; SB 71, 137.
[135] Die Revolution der Freiheit in: EvTh 27 (1967), auch in: PTh 191. [136] EFSch 27.

Sechstes Kapitel

Die eschatologische Dimension des Kreuzes

Der entscheidende Aspekt bei der Sinndeutung des Kreuzes Jesu ist seine eschatologische Dimension. Sie ist selbstverständlich schon in den vorangehenden Überlegungen ständig und wesentlich mitgedacht und implizit mitausgesagt worden. Die Wiedergewinnung des eschatologischen Charakters des christlichen Glaubens ist im Bewußtsein der neuzeitlichen Theologie besonders stark vorhanden [1], und vor allem der Versuch eines neuen Entwurfes der Eschatologie gehört zum Programm Moltmanns, das er von Anfang an vor Augen hat. Hier soll unsere Aufgabe sein, noch einmal zusammenfassend und explizit darzustellen, welche Rolle das Kreuzesgeschehen Jesu in der Moltmanns Theologie bestimmenden Geschichtsauffassung spielt. Das Christusgeschehen, d. h. die Auferweckung des Gekreuzigten bzw. der Kreuzestod Jesu mit seiner Vollendung in der Auferstehung als eschatologisches Ereignis zu bekennen heißt, in diesem Geschehen bereits die Vorwegnahme des Eschaton zu erkennen, und deswegen dieses eine raum-zeitlich in der Menschheitsgeschichte geschehene Ereignis als über diese raum-zeitliche Begrenzung hinausreichend, universal für alle Menschen bedeutsam, für das Geschick aller Menschen und den Sinn der gesamten Geschichte der Welt bestimmend und gerade von dieser Zukunftsperspektive her für die jetzige Lage der Welt entscheidend zu erkennen. Darum soll unsere Aufgabe hier sein, die aus seiner Eschatologie des Kreuzes unmittelbar folgenden Probleme, besonders die Fragen nach dem Universalitätsanspruch dieses Geschehens, nach der Unüberholbarkeit der christlichen Offenbarung, nach dem Verhältnis des christlichen Glaubens zu den Weltreligionen zu prüfen und schließlich einige daraus entstehende Konsequenzen Moltmanns für die konkret weltlich-praktische Dimension zu sehen.

---

[1] ThH 12.

I. Anspruch des Kreuzes Jesu als eschatologisches Geschehen

1. Die Vorwegnahme des eschatologischen Gerichtes

a) Moltmann sieht, wie bereits gezeigt, mit Pannenberg in der Auferweckung des Gekreuzigten die Vorwegnahme des Eschaton[2]. Sie wird aufgefaßt als „Anfang der allgemeinen Auferweckung der Toten, d.h. als Beginn des Endes der Geschichte mitten in der Geschichte"[3]. Jesus ist allen anderen Menschen voran auferweckt[4]; er ist so zum Ersten der wahren Menschwerdung und neuen Schöpfung geworden. Dabei sieht Moltmann im Unterschied zu Pannenberg den Grund der Bedeutung der Auferstehung Jesu für uns im Kreuzesgeschehen: weil Jesus im Kreuz das Todesschicksal aller Menschen auf sich genommen hat, ist seine Auferstehung allen Menschen voran für uns relevant[5]. Die Kreuzigung Jesu ist „das eschatologische Gerichtsereignis"[6], in dem Gott durch seine schöpferische Gerechtigkeit die Sünder freigesprochen hat. „Das Endgericht ist in seiner Hinrichtung schon entschieden. Die Hingabe Jesu an die Menschen und ihre Stellung zu ihm sind für das Endgericht entscheidend."[7] Im Kreuz erscheint Gottes Gerechtigkeit über den Rahmen des Gesetzes, d.h. über alle moralischen, religiösen und gesellschaftlichen Bestimmungen und Gerechtigkeitsvorstellungen des Menschen hinaus[8]. „Das Gericht ist vorweggenommen und durch seinen Tod zugunsten der Angeklagten schon entschieden."[9] Die Auferweckung Jesu ist die Offenbarung dieses Urteils Gottes, in dem er den Menschen ins Leben, ins eschatologische Reich seiner Herrlichkeit ruft.

„Der Gekreuzigte muß als Ursprung der Schöpfung und als Inbegriff der Eschatologie des Seins gedacht werden. Gott nahm im Kreuz des Sohnes den Tod auf sich... um den Gekreuzigten zum Grund seiner neuen Schöpfung zu machen, in der der Tod selbst verschlungen ist in den Sieg des Lebens."[10]

b) Dieses Verständnis des Kreuzesgeschehens als Vorwegnahme des eschatologischen Gerichts Gottes begründet eine Eschatologie des Kreuzes[11]. Dabei soll ferner diese Vorwegnahme nicht nur soteriologisch, sondern auch trinitarisch und pneumatologisch verstanden werden. Das Kreuzesgeschehen offenbart uns die innertrinitarische Geschichte Gottes[12]. „Die ‚Geschichte Gottes', deren Kernstück das Kreuzesgeschehen ist, kann nicht als Geschichte in der Welt gedacht werden, sondern nötigt dazu, umgekehrt die Welt in dieser Geschichte zu begreifen. Das Geschehen der Auferweckung des Gekreuzigten nötigt dazu, Weltvernichtung und Schöpfung alles Seienden aus dem Nichts

---

[2] Vgl. 3. Kapitel, III (1). [3] GG 149. [4] GG 156.
[5] 3. Kapitel, II (3). [6] GG 65, 150, 155f. [7] GG 155f. [8] GG 137. [9] GG 156.
[10] GG 203. [11] ThH 145ff. [12] Vgl. 4. Kapitel, II (1) und (2).

zu denken. ‚Die Geschichte Gottes' ist keine ‚innerweltliche' Möglichkeit, sondern umgekehrt ist die Welt eine Möglichkeit und eine Wirklichkeit in dieser Geschichte ... Die Geschichte Gottes ist dann als Horizont der Welt zu denken, nicht umgekehrt die Welt als Horizont seiner Geschichte."[13] Die gesamte Weltgeschichte wird in der Dialektik von Kreuz und Auferstehung verstanden[14], und zwar als Prozeß des Werdens, der in der innergöttlichen Geschichte seinen Grund hat, als Prozeß, der von der Herrschaft Christi als systemimmanenter Veränderungskraft, die durch das Christusgeschehen in die Weltgeschichte gebracht worden ist, zu ihrem letzten Ziel, dem Reich Gottes als systemtranszendenter Zukunft getrieben wird. „Das Reich ist als eschatologische Zukunft zur gegenwartsbestimmenden Macht geworden. Diese Zukunft hat schon begonnen ... Indem das Eschatologische auf diese Weise geschichtlich wird, wird das Geschichtliche eschatologisch."[15]

2. *Die universale Bedeutung Christi*

In dieser oben dargestellten eschatologischen Geschichtsauffassung, die sich auf das Kreuzesgeschehen Jesu stützt, ist seine universale Bedeutung selbstverständlich mit ausgesagt. Wenn nämlich das Christusgeschehen tatsächlich das eschatologische Ereignis, Jesus die eschatologische Person ist, dann erhebt dieser eine raumzeitlich lokalisierbare Punkt der Geschichte die gesamte Menschheitsgeschichte hindurch für alle Menschen den Anspruch, daß das Verhältnis jedes Menschen zu ihm sein eigenes Daseinsgeschick bestimmt. Dabei ist bei Moltmann die Frage noch offen gelassen, ob dieser Universalitätsanspruch nur durch den Glauben einfach als solcher angenommen werden muß oder vor menschlicher Vernunft verantwortet werden kann.

a) Was die Jünger Jesu ihn als den Christus erkennen ließ, war ihr Ostererlebnis. Auch heute stützt sich der Universalitätsanspruch Christi letztlich auf den Auferstehungsglauben. Das Geschehen der Auferstehung selbst ist aber seinerseits sowohl der Grund als auch das Objekt dieses Glaubens. Wenn die Auferstehung auch irgendwie historisch nachweisbar wäre, würde immer noch die Frage bestehen, warum dieser von den Toten Auferstandene für alle Menschen bedeutsam sein kann. Hier kann also keine unwiderlegbare Begründung des Universalitätsanspruchs aufgezeigt werden. Nach Moltmann gewinnt das Ereignis der Auferweckung Jesu seine universale Bedeutung, weil es auf die univer-

---

[13] GG 204.
[14] Vgl. 3. Kapitel, II (2) und III (1).
[15] KKG 217.

sale Erwartung der Menschen antwortet, aber anderseits kann die Auferweckung Jesu selbst umgekehrt als universal für alle Menschen bedeutend verstanden werden nur aus dem Horizont der universalen Erwartung, die damals im jüdischen apokalyptischen Denken lebte und ein Vorverständnis bildete, das den Osterglauben der Jünger ermöglichte, das aber auch heute allen Menschen wesentlich ist und eine Voraussetzung bleibt, um die Auferweckung Jesu zu verstehen. „Das Prädikat der ‚Auferweckung' zeigt weiter an, daß sich mit diesem einmaligen Geschehen eine eschatologische und universale Erwartung verbindet. Das Ostergeschehen ist nicht ein auf Jesus isoliertes Mirakel, sondern kann nur apokalyptisch verstanden werden, sofern mit ihm und durch ihn Auferstehung der Toten erhoffbar wird."[16]

Sofern die Auferweckung Jesu von den Toten im universalen Horizont der apokalyptischen Erwartung der Menschen verstanden wird, stimmt Moltmann mit Pannenberg überein; allerdings ist die apokalyptische Erwartung der Menschen für Pannenberg ein exemplarischer Fall für die allgemeine Lebenserwartung der menschlichen Existenz über den Tod hinaus, d. h., sein Zugang geht vom Universalen aus, um das Konkrete des Geschehens Jesu zu verstehen. Moltmann nimmt dagegen seinen Ausgangspunkt mit K. Barth darin, daß sein „Theologischer Erkenntnisweg unumkehrbar vom Besonderen zum Allgemeinen, vom Geschichtlichen zum Eschatologisch-Universalen"[17] führt. „Der Zugang Jesu zu allen aber hat das Alte Testament mit Gesetz und Verheißung notwendig zur Voraussetzung"[18], und zwar in der Weise, daß Gesetz und Verheißung durch Jesus mit ihnen aufgehoben werden, und zwar so, daß derselbe Gott der Verheißung durch das Christusgeschehen über die Grenze des Gesetzes hinaus zum Gott aller Menschen wird und seine Verheißung allen Menschen gilt. „Es ist nicht eine allgemeine Wahrheit in Jesus konkret geworden, sondern das konkrete, einmalige, geschichtliche Ereignis der Kreuzigung und Auferweckung Jesu durch Jahwe, den Gott der Verheißung, der aus dem Nichts das Sein schafft, wird durch den universalen eschatologischen Horizont, den es vorauswirft, allgemein. Der Gott der Verheißung Israels wird durch die Auferweckung Jesu von den Toten der Gott aller Menschen."[19]

b) Der Grund dieser Universalisierung der Verheißung liegt also im in seiner Auferweckung sich vollendenden Kreuzestod Jesu. Das Kreuz macht die Auferstehung Jesu uns voran relevant, denn dort werden „Differenzen der Völker, Gruppen und Stände"[20] zerbrochen, und die Verheißung Gottes wird allen, die unter der Sünde stehen, gegeben. „Der Gott, der Jesus von den Toten aufer-

---

[16] Das Ende der Geschichte, PTh 245.
[17] ThH 127, vgl. 3. Kapitel, I (1).
[18] ThH 127, vgl. 3. Kapitel, III (2).
[19] ThH 127f. [20] ThH 128.

weckt hat, ist der Gott, der die Gottlosen rechtfertigt. Wie alle Menschen unter der Sünde stehen, so ist Christus die Versöhnung der ganzen Welt mit Gott. Mit der Auferweckung hat Gott Jesus zum Herrscher und Versöhner der ganzen Welt eingesetzt."[21] Hier erhebt die christliche Verkündigung „den Anspruch universaler Verbindlichkeit"[22].

Weil alle Menschen unter der Sünde und damit unter der Macht des Todes stehen, darum ist das Geschehen, durch das Gott diese Wirklichkeit des Menschen auf sich genommen hat, universal bedeutsam. „Der Universalismus Jesu Christi besteht darin, daß er durch sein Kreuz die Menschen in ihrer gemeinsamen Unmenschlichkeit annimmt."[23] Das Kreuz Jesu ist ein universaler „Prozeß um die Gerechtigkeit Gottes, der im Kern menschliche Geschichte bewegt." Es ist „ein universaler Prozeß, weil er die Schuldfrage des Menschen und seine Befreiung wie die Leidensfrage des Menschen und seine Erlösung umfaßt"[24]. Weil der Mensch in diesem Geschehen sein wahres Menschsein wiederentdeckt und zu ihm berufen wird[25], darum ist es für das Geschick aller Menschen maßgebend. Weil im gemeinsamen Seufzen aller Kreatur ihre gemeinsame Zukunft, zu der sie bestimmt ist, durch das Christusgeschehen versprochen wird, darum gewinnt die christliche Verkündigung an alle Welt ihren Universalismus. „Was alle Kreatur zusammenschließt, ist das Elend, das in der endzeitlichen Drangsal offenbar wird, und die Zukunft des Reiches, der Gerechtigkeit und des Lebens aus Gott, die den Armen verheißen wird, weil sie am Gekreuzigten offenbar wurde."[26]

Die universale Bedeutung wird in der Erläuterung Moltmanns zum Rechtfertigungsgeschehen im Kreuz – im Unterschied zur Position Pannenbergs – nicht nur dem Christusgeschehen, sondern auch der Person Christi zugeschrieben. In der Auferweckung des Gekreuzigten geschieht nicht nur die Vorwegnahme der allen Menschen gemeinsamen Auferstehung der Toten, sondern Jesus Christus steht auch als eschatologischer Vermittler zwischen Gott und den Menschen[27].

---

[21] ThH 277f.
[22] ThH 128.
[23] Vgl. M 36.
[24] GG 127. Vgl. auch dazu *K. Rahner:* „sein Tod (war) gerade dadurch der einmalige, unvergleichbare und erlösende (...), daß er der absolut menschlichste war in einer Radikalität, die wir gerade nie ganz erreichen... Wenn wir die uns nie voll zugängliche Radikalität des menschlichen Todes Jesu bekennen, haben wir ihn schon in seinem Tod als Sohn Gottes bekannt; denn diese Radikalität des Todes kann nur geschehen, wenn Gott diesen Tod, wie diesen ganzen Menschen, zu seiner eigenen Wirklichkeit macht" (Das Kreuz – das Heil der Welt, in: *ders.*, Chancen des Glaubens [Freiburg i.Br. 1971] 40).
[25] ThH 128f.
[26] Gottesoffenbarung und Wahrheitsfrage, PTh 31.
[27] Über die eschatologische Vermittlung, 5. Kapitel, I (3); dazu auch *K. Rahner:* „Was wir die meta-

3. Die Unüberholbarkeit der christlichen Offenbarung

Im Universalitätsanspruch Jesu Christi ist die Unüberholbarkeit der christlichen Offenbarung sachlich eingeschlossen. Wenn nämlich das Geschehen der Auferweckung des Gekreuzigten das eschatologische Geschehen ist und Jesus Christus der eschatologische Vermittler zwischen Gott und den Menschen, kann es nur ein für alle Mal geschehen sein. Es kann kein anderes Ereignis neben diesem für das Geschick aller Menschen bedeutsam sein, seine Bedeutung ersetzen, ergänzen oder verändern.

a) Wenn für Pannenberg das Ganze der Universalgeschichte als der Selbstoffenbarung Gottes erst im Eschaton wahrnehmbar ist und er im Christusgeschehen dessen Vorwegnahme sieht, wird die Endgültigkeit dieses Ereignisses als Offenbarungsgeschehen deutlich gemacht; allerdings ist die Offenheit der Freiheitsgeschichte, die auch nach dem Christusgeschehen weitergeht, nicht leicht zu erklären. Der Mensch heute versteht sich aber als Existenz in der nach vorne unbegrenzt offenen Geschichte[28]. Die Vorstellung vom Ende der Offenbarungsgeschichte mitten in der Geschichte scheint für ihn schwer verständlich.

Auch bei K. Barth ist der Sinn der Zwischenzeit zwischen dem Christusereignis und dem Ende der Welt nicht deutlich. Er betont zwar die Entschiedenheit der Versöhnung durch das Christusgeschehen, so daß das Heil des Menschen und der Welt schon da entschieden ist, daß keine Macht des Todes dies ändern kann und daß nur noch die vollkommene Offenbarung dieser Erlösung im Eschaton erwartet wird. „Was bringt die Zukunft? Nicht noch einmal eine Geschichtswende, sondern die Offenbarung dessen, was ist.“[29] Moltmann distanziert sich hier: „Nach K. Barth geht es in der Zukunft Christi vornehmlich nur um eine Enthüllung.“[30] Dabei wird die Unerlöstheit der gegenwärtigen Welt nicht ernst genug genommen. „Die Offenbarung Christi kann dann nicht nur in der Enthüllung des verborgenermaßen schon Geschehenen für die Erkenntnis bestehen, sondern muß in Ereignissen erwartet werden, die das erfüllen, was mit dem Christusgeschehen verheißen ist. Dieses Christusgeschehen selber kann dann nicht als Erfüllung aller Verheißungen verstanden werden,

---

physische, substantielle Gottessohnschaft Jesu von Nazareth nennen, beinhaltet ja gar nichts anderes als das Bekenntnis: Jesus ist der eschatologische, d.h. unüberbietbare und bleibende Vermittler unseres Verhältnisses zu Gott“ (Kirchliche Christologie zwischen Exegese und Dogmatik, in: SchTh IX, 215).

[28] Vgl. *K. Rahner*, Thesen zum Problem: Offenbarung und Geschichte, in: Chancen des Glaubens, 98–100; *ders.*, Tod Jesu und Abgeschlossenheit der christlichen Offenbarung, Vortrag in Rom (1975) bisher unveröffentlicht.

[29] *K. Barth;* Dogmatik im Grundriß (Zollikon – Zürich 1947) 159.

[30] ThH 207.

so daß nach diesem Geschehen nur das Nachspiel der Enthüllung für das universale Erkennen übrig bleibt."[31]

Das Endgültige des Christusgeschehens ist darum für Moltmann die In-Kraft-Setzung der Verheißung Gottes für alle Menschen, deren Erfüllung allerdings noch in der Zukunft Christi erwartet werden muß. Das zuvor Verheißene wird erst in der Auferweckung des Gekreuzigten universal und allgemein[32], so daß hier nicht das Ende, sondern der Beginn der Freiheitsgeschichte liegt. Das Kreuz Jesu schließt die Realität der noch nicht erlösten Welt ein[33]. Darum ist mit der Auferweckung Jesu „noch nicht alles geschehen. Es steht das Ende der Todesherrschaft noch aus."[34] „Die Verkündigung der Auferstehung des gekreuzigten Christus meint jedenfalls, daß es in diesem Ereignis Zukunft in der Vergangenheit gibt, daß in der Wirklichkeit der Erhöhung Christi etwas steckt, was sich noch nicht verwirklicht hat, was noch in Möglichkeit steht, was auf eine Zukunft aus ist."[35]

b) Die christliche Offenbarung Gottes heißt darum endgültige und unüberholbare Zusage Gottes, welche gerade die Freiheit des Menschen in Hoffnung ermöglicht und die Geschichte auf Zukunft hin eröffnet[36]. Weil Gott selber die Zukunft des Menschen ist, widerspricht die Unüberholbarkeit seiner Zusage der Offenheit der Freiheitsgeschichte nicht[37].

Diese Zusage Gottes ist in Jesus Christus geschichtlich in Erscheinung getreten. „An ihm ist Gottes Wort erfüllt und geschehen"[38], und zwar spezifisch

---

[31] ThH 208. [32] ThH 174.
[33] ThH 202f, PTh 29f.
[34] ThH 147.
[35] PTh 88; dazu vgl. *H. Zahrnt,* Die Sache mit Gott. Die protestantische Theologie im 20. Jahrhundert (München 1966) 252ff.
[36] Gottesoffenbarung und Wahrheitsfrage, PTh besonders 27, 29, 34. Dazu vgl. auch *K. Rahner,* Theologie der Freiheit, in: SchTh VI, 215–237. Hier versucht Rahner aufgrund seiner transzendentalen Theologie die menschliche Freiheit als Freiheit von Gott her und auf Gott hin zu begründen. „Unbegrenzte Transzendenz auf das Sein überhaupt und von da her Indifferenz gegenüber einem bestimmten, endlichen Gegenstand innerhalb des Horizontes dieser absoluten Transzendenz gibt es nur, insofern diese Transzendenz in jedem einzelnen, mit einem endlichen Gegenstand sich beschäftigenden Akt aus ist auf die ursprüngliche Einheit von Sein überhaupt, und insofern dieser Akt der Transzendenz (als Grund jedes kategorialen Sichverhaltens zu einem endlichen Subjekt und auch zu dem in endlicher Begrifflichkeit vorgestellten Unendlichen) getragen ist durch ein dauerndes Sicheröffnen und Sichzuschicken des Horizonts dieser Transzendenz von ihm selbst her, ihres Woraufhin, das wir Gott nennen" (ebd. 216f).
[37] Vgl. *K. Rahner,* Marxistische Utopie und christliche Zukunft des Menschen, in: SchTh VI 77–88; „die absolute Zukunft ist die wahre und eigentliche Zukunft des Menschen; sie ist für ihn reale Möglichkeit, Angebot, das auf ihn Zukommende, Zukünftige, ihre Annahme die letzte Aufgabe seines Daseins" (ebd. 79); *ders.,* Fragment aus einer theologischen Besinnung auf den Begriff der Zukunft, in: SchTh VIII, 555–560; *ders.,* Zur Theologie der Hoffnung, in: SchTh VIII, 561–579.
[38] PTh 102f; dazu *K. Rahner:* „Was Inkarnation des göttlichen Logos in Jesus Christus heißt, meint nichts anderes, als daß in ihm objektiv und für uns diese Selbstmitteilung Gottes als der absoluten Zukunft der Welt so geschichtlich in Erscheinung tritt, daß sie als gegeben, irreversibel und von

im Geschehen der Auferweckung des Gekreuzigten, in der die Wirklichkeit des Menschen in ihrer letzten Radikalität von Gott angenommen und getragen, in die Gottesherrlichkeit hineingenommen wurde, wodurch deren Ankunft mitten in der Geschichte offenbart und allen Menschen, die unter der Macht des Todes stehen, das Heil versprochen wurde.

II. Zur Problematik der Weltreligionen

Was noch im Zusammenhang des Universalitätsanspruchs der christlichen Offenbarung berücksichtigt werden muß, ist die Frage nach dem theologischen Ort der nichtchristlichen Religionen der Welt[39]. Es stellt sich nämlich heute eine neue Weltsituation dar, insofern verschiedene geistige Werte, die in ihrer Tradition weiter als im Christentum entfaltet sind, durch moderne Kommunikationsmöglichkeiten allmählich ins Bewußtsein der Christen dringen[40]. Keiner kann heute ohne positive Kenntnis der Religionen a priori behaupten, daß das Heil der Menschen ausschließlich nur in der christlichen Religion möglich sei. Es ist darum heute eine der dringenden Aufgaben der Theologie zu klären, wie die Religionen aus der Sicht der unüberholbaren Offenbarung in Christus zu beurteilen sind. Vor allem in sogenannten Missionsländern, im Dialog mit den Nichtchristen, ist es eine akute Frage, was die christliche Sendung ihnen gegenüber eigentlich bedeutet.

---

der kategorialen Erfahrung der Menschheit als solche erfaßbar, glaubbar wird" (Marxistische Utopie und christliche Zukunft des Menschen, a.a.O. 82; vgl. auch *ders.*, Christologie im Rahmen des modernen Selbst- und Weltverständnisses, in: SchTh IX, 227–241).

[39] Moltmann behandelt diese Frage in: KKG 171–185. Unter den zahlreichen Veröffentlichungen über dieses Thema benutze ich hier als Denkanstoß vor allem: Das Zweite Vatikanische Konzil, Erklärung über das Verhältnis der Kirche zu den nichtchristlichen Religionen, mit Kommentar in: LThKE II, 406–495; *H. Fries*, Religion, in: HThG II, 428–441; *H. R. Schlette*, Religionen, in: HThG II, 441–450; *K. Rahner*, Weltgeschichte und Heilsgeschichte, in: SchTh V, 115–135; *ders.*, Das Christentum und die nichtchristlichen Religionen, in: SchTh V, 136–158; *ders.*, Die anonymen Christen, in: SchTh VI, 545–554; *ders.*, Kirche, Kirchen, Religionen, in: SchTh VIII, 355–373; *ders.*, Anonymes Christentum und Missionsauftrag der Kirche, in: SchTh IX, 498–515; *ders.*, Bemerkungen zum Problem des ‚anonymen Christen', in: SchTh X, 531–546; *ders.*, Jesus Christus in den nichtchristlichen Religionen, in: SchTh, XII, 370–383; *ders.*, Der eine Jesus Christus und die Universalität des Heils, in: SchTh XII, 251–282; *E. Klinger* (Hrsg.), Christentum innerhalb und außerhalb der Kirche (= Quaestiones Disputatae 73) (Freiburg i. Br. 1976).

[40] KKG 172ff.

1. *Religionskritik der traditionellen Kreuzestheologie*

a) Zunächst stellt man in der traditionell reformatorischen Kreuzestheologie eine gewisse Tendenz fest, die gegen die Religionen spricht. Im Kreuzesgeschehen Jesu sieht man den Bruch des Göttlichen mit dem Menschlich-Natürlichen, des Evangeliums mit dem Gesetzlich-Religiösen. Solange unter Religion nichts anderes als ein rein natürlicher, in äußeren Gestalten von Anbetung und Kult ausgedrückter, mehr oder weniger institutionalisierter Akt des Menschen verstanden wird, der aus Furcht vor dem Unverfügbaren, Sehnsucht nach dem Übermenschlichen und dem Verlangen nach Heil, Sicherheit, Glück und Vollkommenheit entsteht aus der „Bedürftigkeit des endlichen, bedrohten und sterblichen Menschen nach Geborgenheit in einer höheren Allmacht und Autorität"[41], widerspricht ihr der im Namen der religiösen Autorität Gekreuzigte. Der sub specie contraria sich offenbarende Gott widerspricht der Vorstellung des Menschen, die er von seinem Verlangen aus auf Gott projiziert.

Zu Beginn des Jahrhunderts wurde diese Tendenz in der dialektischen Theologie K. Barths verstärkt, als die Offenbarung Gottes als Gegensatz zu Erkenntnis und eigener Leistung des Menschen dargestellt wurde. Aus der mündig gewordenen Welt wurde die in Mythologie verharrende Projektion des Menschen verbannt. Man versuchte mit D. Bonhoeffer durch die „nicht-religiöse Interpretation biblischer Begriffe"[42] zwischen Glauben und Religion zu unterscheiden. In dieser Tradition steht auch Moltmann, vor allen in seinen früheren Schriften. Über die Religionen hat er sich oft negativ geäußert[43].

Vom Wesen seiner Auffassung der Offenbarung Gottes als Verheißung her läßt sich der wahre christliche Glaube nicht mit einer Religion vereinbaren, die die vorhandenen Gestalten oder Institutionen heiligt und festigt. Im Gefolge des Verheißungsglaubens Israels, der immer auf die Verheißung Gottes hörend, im Gegensatz zu Epiphanienreligionen anderer Völker seinen Kult nicht mit Gegenständen oder Orten verbinden durfte[44], stand auch das urchristliche eschatologische Denken ständig im Gegensatz zu hellenistischen Mysterienreligionen, die die Epiphanie der ewigen Gegenwart darstellen wollten[45]. Die „eschatologische Gegenwärtigkeit des Zukünftigen" widerspricht der „kultischen Präsenz des Ewigen"[46]. Dabei spielt die Wahrnehmung des Kreuzes Jesu

---

[41] GG 199.

[42] *D. Bonhoeffer,* Widerstand und Ergebung (München 1951) 178–185; dazu *G. Ebeling,* Die „nichtreligiöse Interpretation biblischer Begriffe", in: *ders.,* Wort und Glaube I (Tübingen 1962) 90–160.

[43] Das ist auch eine Kritik H. Küngs an Moltmanns Kreuzestheologie. Vgl. *H. Küng,* Die Religionen als Frage an die Theologie des Kreuzes, EvTh 33 (1973) 401–423.

[44] ThH 85–91. [45] ThH 140–150. [46] TH 146.

eine entscheidende Rolle. Das Kreuz ist gegen jeden Enthusiasmus das Zeichen dafür, daß das Reich Gottes noch aussteht. Die Kreuzestheologie nimmt die Geschichte als „das Feld des Leidens und der Hoffnung in der seufzenden Aussicht auf die Zukunft Christi zur Welt“[47] ernst, während eine Religion, die durch kirchlich-sakramentale Enthüllung der himmlischen Herrschaft Christi[48] den Menschen täuscht, „die Erde, auf der dieses Kreuz steht, verläßt“[49].

Die Auseinandersetzung Moltmanns mit neuzeitlicher Religionskritik philosophischer, soziologischer und psychologischer Art verstärkt seine Unterscheidung von Glauben und Religion[50]. Die moderne Gesellschaft emanzipiert sich von Religionen, die früher für die Gesellschaft in mythischen Weltanschauungen durchaus eine konstruktive Rolle spielten. „Die christliche Kirche kann sich daher dieser Gesellschaft nicht mehr als die Religion der Gesellschaft darstellen.“[51] Gerade der im Konflikt mit der religiös-politischen Autorität Gekreuzigte zerbricht die Legitimität allen Götzendiensts und der Verewigung von Mächten und Institutionen. Er befreit den Menschen von den Göttern der Religionen. „Im Kreuz liegt kein Muster religiöser Denkprojektion vor. Vielmehr ging oder geht von diesem Gekreuzigten eine ursprüngliche Durchkreuzung alles Religiösen aus: der Vergottung des menschlichen Herzens, der Sakralisierungen gewisser Orte in der Natur und bestimmter heiliger Daten in der Zeit und Anbetung politischer Machthaber und ihrer Machtpolitik.“[52] „Der christliche Glaube muß sich ständig von seinen eigenen Religionsformen selbstkritisch unterscheiden, wenn er christlich sein will.“[53]

Wenn schon das Religiöse im christlichen Glauben theologisch so in der protestantischen Tradition verurteilt wird, ist hier selbstverständlich keine positive Einschätzung der nichtchristlichen Religionen zu erwarten. Dabei liegt allerdings ein einseitiges Verständnis von Religion zugrunde. Sie wird aufgefaßt als Projektion des menschlichen Verlangens, die im Grunde nichts anderes sei als eine Art von Selbstvergötterung des Menschen und darum Aberglaube, der gegen den wahren Glauben stehe. Dieses Vorurteil entsteht in Wirklichkeit aus Unkenntnis und sogar Ignorierung der Weltreligionen[54]. Moltmann selbst bekennt zwar, auf die Kritik der katholischen Theologie antwortend[55] und seine von der Tradition ererbte Position korrigierend, seine Offenheit und Bereitschaft zum Dialog mit den Religionen und weist vor allem das Mißverständnis des christlichen Absolutismus zurück. Aber dabei rechtfertigt er noch die

---

[47] ThH 144. [48] ThH 144. [49] ThH 145.

[50] Vor allem zur Religionskritik von Nietzsche, Marx, Feuerbach, GG 37–44, 236–239; von Freud GG 271–292; zur politischen Religion GG 298–305, ThH 280–299.

[51] ThH 281. [52] GG 40. [53] GG 273.

[54] So kritisiert auch *H. Küng*, a.a.O. 414.

[55] KKG 176f, Anm. 42.

Unterscheidung der dialektischen Theologie zwischen Glaube und Religion, und zwar gerade auf Grund des Mangels an Kenntnisnahme von den tatsächlichen Religionen. „Die Religionskritik der frühen dialektischen Theologie hatte das Verhältnis von Glaube und Religion im Zerfall der christlich-bürgerlichen Welt vor Augen... Ihre christliche Religionskritik war auf das in diesem Sinne ‚religiös' gewordene Christentum gerichtet, nicht auf die Weltreligionen. Darum kann aus der theologischen Differenz von Offenbarung und Religion, Glauben und Aberglauben kein Absolutismus des Christentums gegenüber den Weltreligionen gefolgert werden."[56] Solange die Religion als Aberglaube verstanden wird, bleibt diese Unterscheidung Moltmanns berechtigt. Aber dabei ist die Frage nur auf den Begriff verschoben. Es geht in der Sache selbst um das Religiöse. Ob dieses Religiöse wirklich Aberglaube schlechthin ist, ist die Frage. In der Begegnung mit den Religionen stellt man heute doch fest, daß das rein natürliche religiöse Bedürfnis des Menschen nicht unbedingt ein selbstmächtiges Verfügen über Gott sein muß und daß darin sogar das wahrhaft Göttliche gnadenhaft wirken kann. Erst nach dieser tatsächlichen Feststellung muß der Universalitätsanspruch der christlichen Offenbarung nicht nur a priori dogmatisch behauptet, sondern von diesem Aspekt her neu überlegt werden.

2. *Pneumatologischer Aspekt der Religionen in der Geschichte Gottes mit der Welt*

Auf der anderen Seite erkennt Moltmann in seinem neuen Versuch eines pneumatologischen Ansatzes die Wirkung des Heiligen Geistes überall in der Welt, auch außerhalb der christlichen Kirche. Das Gespräch mit den gegenwärtigen Denkströmungen, auch mit den Weltreligionen, führt ihn zu einer pneumatologischen Ergänzung seiner Kreuzestheologie. Das Gottesverständnis, das im Kreuzesgeschehen Jesu gewonnen wird, widerspricht sogar dem sich selbst verabsolutierenden Dogmatismus, der alle andere Religionen von vornherein als Aberglaube ansieht. „Der Gott, der durch die Ohnmacht seines Sohnes Macht in der Welt gewinnt, der durch seine Hingabe befreit und dessen Kraft in Schwachen mächtig ist, kann nur im Dialog und den Wunden und Wandlungen, die er mit sich bringt, bezeugt werden."[57]

Die Geschichte Gottes mit der Welt, die sich in der Anschauung der Auferweckung des Gekreuzigten als deren Begriff offenbart[58], begründet auch vielfäl-

---

[56] KKG 176.
[57] KKG 183.
[58] Vgl. 4. Kapitel, II (2) und III (3).

tige Heilswirkungen des Heiligen Geistes in der Welt, auch außerhalb der christlichen Kirche. Moltmann versucht, die gesamte Weltgeschichte trinitarisch zu deuten, die Anschauung der Geschichte Christi und die Erfahrung des Geistes als die Geschichte Gottes zu verstehen. Sie wird durch die Geschichte Christi und die Wirkung des Geistes erkennbar, aber sie begründet umgekehrt die Geschichte Christi und die Wirkung des Geistes. Die Kirche wird nur in diesem gesamten Rahmen der Geschichte Gottes verstanden als „ein Moment in den Bewegungen der Sendung und der Sammlung" der Liebe Gottes[59].

Nun, die Geschichte Christi und die Wirkung des Geistes verhalten sich ihrerseits so, wie wir bereits sahen, daß der Geist in dieser Welt Christi Geschehen offenbart und fortsetzt. Wie der Vater den Sohn zum Heil der Welt sendet (Geschichte Christi), senden Vater und Sohn den Heiligen Geist in die Welt (Wirkung des Geistes). Der Heilige Geist befreit den Menschen in der Herrschaft Christi und führt den Menschen in die Gemeinschaft mit Christus. Er verherrlicht so den Sohn, so daß Sohn und Geist den Vater verherrlichen. Gott wird verherrlicht, indem die ganze Schöpfung befreit und in der Gemeinschaft der Liebe vereinigt wird. „Der Geist verherrlicht den Vater und den Sohn, indem er Menschen zu ihrer Gemeinschaft befreit und sie in ihrer Freiheit mit Freude und Dank erfüllt."[60] Zwischen Sendung und Verherrlichung bewegt sich die Geschichte Gottes mit der Welt.

Diesen Ansatz Moltmanns könnte man weiter führen und auch in bezug auf die Religionen ausdehnen. Wo die Menschen, die unter der Macht des Todes leiden, durch ihre Religionen befreit und zur Gemeinschaft der Liebe miteinander geführt werden, dort wirkt niemand anderes als der Heilige Geist. Durch den Geist kommt das Christusgeschehen im Leben des Menschen zum Zuge. Im Leiden des Menschen wird das Kreuz Jesu vergegenwärtigt, so daß der leidende Mensch, indem er sein Leiden in seiner Religion auf sich nimmt und dadurch sich für das Transzendente öffnet, in der Gemeinschaft mit Christus steht, ohne daß dieser Mensch explizit und namentlich Christus kennt[61]. Indem der

---

[59] KKG 81.

[60] KKG 75f.

[61] Das wäre ein pneumatologischer Aspekt dessen, was *K. Rahner* in seiner Theologie der „anonymen Christen" vorstellt (vgl. obengenannte Literatur). Leider sieht Moltmann mit H. Küng diesen Ansatz Rahners nur unter dem Aspekt der Ekklesiologie, als ob es nur um die Rechtfertigung des alten kirchlichen Axioms: „außerhalb der Kirche kein Heil", ginge; vgl. KKG 175, Anm. 40; *Küng*, a.a.O. 411ff. Dazu auch *W. Pannenberg:* „Und darum ist auch die Religion des Menschen noch in ihren Perversionen nicht lediglich Ausdruck menschlichen Götzendienstes, sondern immer auch noch Ausdruck der unveräußerlichen Verwiesenheit des Menschen auf seinen Schöpfer. Darum ist schließlich die Botschaft Jesu von dem in der Zukunft seines Reiches kommenden Gott nicht etwa der Gegensatz zu aller menschlichen Religion, sondern ... die in ihre Wahrheit gebrachte Religion des Menschen" (Christologie und Theologie, a.a.O. 165).

Mensch in seiner Religion auf das Transzendente hoffen und in ihm neue Kraft für das Leben finden kann, stellt der Geist diesen Menschen „in die Kräfte und Bewegungen der neuen Schöpfung"[62]. Indem der Mensch sich durch seine Religion mit den leidenden Mitmenschen solidarisiert und vereinigt, bleibt der Geist „die Macht der Vereinigung"[63], führt in die „Versammlung und Vereinigung der Menschen und der ganzen Schöpfung mit Gott und in Gott"[64] und verherrlicht so den Vater und den Sohn. Der Mensch in der nichtchristlichen Religion hat es darum in dieser Erfahrung des Geistes mit der „Geschichte der sammelnden Liebe Gottes"[65] zu tun.

Das alte Axiom: „Außerhalb der Kirche kein Heil" ist darum bei Moltmann anders formuliert. „Außerhalb Christi kein Heil. Christus ist gekommen und dahingegeben zur Versöhnung der ganzen Welt. Keiner ist davon ausgeschlossen. Außerhalb des Heils, das Christus allen Menschen bringt, also keine Kirche."[66] Nicht durch die Kirche kommt das Heil der Welt, sondern umgekehrt durch das Heil die Kirche[67]. „In den Bewegungen der trinitarischen Geschichte Gottes mit der Welt findet die Kirche sich selbst ... Nicht sie hat eine Mission des Heils an der Welt zu erfüllen, sondern die Mission des Sohnes und des Geistes durch den Vater hat sie und schafft sich auf ihrem Wege Kirche ... Sie braucht dann nicht mißtrauisch oder mißgünstig nach Heilswirkungen des Geistes außerhalb der Kirche zu schielen, sondern kann sie dankbar als Zeichen dafür anerkennen, daß der Geist größer ist als die Kirche und der Heilswille Gottes weiter reicht als die Kirche."[68] Auch das Zweite Vatikanische Konzil hat die Heilsmöglichkeit über die Grenze der Zugehörigkeit zur sichtbaren Kirche hinaus anerkannt, obwohl dabei noch der kirchliche Absolutismus nachklingt[69]. Die Ausweitung des Kirchenbegriffes ist aber nicht das Anliegen Moltmanns, sondern die Integration des Kirchenbegriffs in die Geschichte Gottes mit der Welt[70]. Denn die Kirche darf nicht als Selbstzweck gedacht werden, sondern nur in ihrem Dienst zur Versöhnung der Welt[71].

Moltmann gibt Küng Recht, wenn er das Verhältnis der Kirche zu den Religionen mit dem Modell des kritischen Katalysators erklärt[72]. Durch „die indirekte Infizierung anderer Religionen mit christlichen Gedanken, Werten und Prinzipien"[73] dient ihnen die Kirche, so daß sie ihre eigenen Werte und Gedanken noch weiter und vollkommener entfalten können, um die Menschen zu befreien. Da könnte die Kreuzestheologie nochmals etwas beitragen. Der Glaube

---

[62] KKG 73. [63] KKG 77. [64] KKG 76. [65] KKG 76.
[66] KKG 175. [67] KKG 68. [68] KKG 81.
[69] Vgl. Die dogmatische Konstitution über die Kirche, 16, LThKE I, 204–206.
[70] KKG 66–69, 81f. [71] KKG 174f.
[72] KKG 180f; *H. Küng*, a.a.O. 418ff; *ders.*, Christ sein (München–Zürich 1974) 102ff.
[73] KKG 180.

an Gott, der selber leidet und sich hingibt, ist einzigartig im Christentum[74]. Nirgendwo sonst ist die menschliche Wirklichkeit des Leidens und des Todes so in letzter Radikalität von Gott getragen wie im christlichen Glauben[75]. Anderseits darf der Dialog der Christenheit mit den Religionen nicht nur von ihrer eigenen Position aus vorbestimmt werden[76]. Denn auch die Kirche braucht den Dialog, um sich zu entfalten. Es geht bei dem Dialog um „die charismatische Belebung der verschiedenen religiösen Gaben, Kräfte und Möglichkeiten für das Reich Gottes und die Befreiung der Menschen"[77]. Das letzte gemeinsame Ziel, nach dem alle Religionen streben, ist das Reich Gottes. „Wenn es die besondere Berufung der Christenheit ist, die messianische Zeit unter den Völkern vorzubereiten und der kommenden Erlösung den Weg zu bereiten, dann darf keine Kultur verdrängt und keine Religion ausgelöst werden. Alle können vielmehr in der Kraft des Geistes charismatisch aufgenommen und verändert werden. Sie werden damit nicht verwirklicht und auch nicht verchristlicht, sondern messianisch auf das Reich ausgerichtet."[78]

Allerdings ist die Frage des Absolutheitsanspruchs der christlichen Offenbarung dadurch noch nicht gelöst, sondern erst an ihren eigentlichen Ort gestellt. Auch wenn Moltmann den Absolutismus der Kirche und des christlichen Glaubens zurückweist, bleibt Christus selbst unverändert der eschatologische Heilbringer. „Außerhalb Christi kein Heil" – solange dieses Axiom besteht, ist die Frage noch gestellt. Es geht im christlichen Glauben nicht um eine allgemeine Wahrheit, Idee oder Lehre der Befreiung, auch nicht um die Anerkennung einer geschichtlich zufälligen Einzigartigkeit, sondern um ein Bekenntnis zu der Person, deren Geschehen in einem bestimmten raum-zeitlichen Punkt der Geschichte lokalisierbar ist und doch einen eschatologischen Sinn beansprucht.

III. Sendung der Christen

1. *Verkündigung der Hoffnung*

Die eschatologische Auffassung Moltmanns von der Geschichte, die sich im Geschehen der Auferweckung des Gekreuzigten eröffnet, nötigt die Christen zur Verkündigung[79]. Die Verheißung Gottes, die die Möglichkeitsbedingung

[74] KKG 183f.
[75] *Küng* nennt das die Einzigartigkeit des christlichen Glaubens; vgl. Die Religionen als Frage an die Theologie des Kreuzes, a.a.O. 418ff.
[76] KKG 181–185. [77] KKG 185. [78] KKG 185.
[79] Verkündigung als Problem der Exegese, MPTh 52 (1963) 24–36; später auch in: PTh 111–127.

und der Horizont der Geschichte überhaupt ist, muß durch die Verkündigung vergegenwärtigt werden und so Zukunft eröffnen. „Der mit dem Ereignis der Auferweckung Jesu eröffnete eschatologische Verheißungshorizont ist dann nicht anders als durch Predigt, Mission und Sendung zu explizieren. Denn eine Predigt referiert nicht eine abgestandene Vergangenheit, sondern verkündigt die Zukunft, die mit dem Gekommensein Jesu Christi eröffnet und gewiß gemacht ist."[80]

Die Christen werden durch die Wirkung des Heiligen Geistes in die „Bewegung des Apostolats Christi in einer unerlösten Welt" hineingenommen[81]. „Die Botschaft Jesu vom gnädig nahenden und zur Freude befreienden Reich wird nach seinem Tod auf Grund seiner Auferweckung im ‚Wort vom Kreuz' fortgesetzt."[82] Die Verkündigung von der Auferweckung des Gekreuzigten ist das befreiende Kerygma von der neuschaffenden Gerechtigkeit Gottes für die Armen, Unterdrückten und Gottlosen.

Die Frohbotschaft soll darum insbesondere zu den Mühseligen und Beladenen, Erniedrigten und Beleidigten in der Gesellschaft, mit denen Christus sich identifiziert hat, gebracht werden[83]. „Kann seine Auferweckung von der Erniedrigung am Kreuz als Offenbarung der neuschaffenden Gottesgerechtigkeit verstanden werden, so sind die Christen beauftragt, mit dem Evangelium und mit ihrer Gemeinschaft Gottes Recht und Freiheit in die Welt der Bedrükkung zu bringen."[84]

Wenn die Frohbotschaft Christi als Sprache der Befreiung in bezug auf das kommende Reich verkündigt werden soll, dann ist dabei natürlich schon mitgesagt, daß auch die sogenannte qualitative Mission der Christen[85] eine nicht geringere Rolle spielt. Bei ihr geht es nicht direkt um Verbreitung des christlichen Glaubens, sondern um die Richtung und Bewegung, in die das Evangelium die Menschen führen will. „Die christliche Sendung infiziert alle Völker mit Hoffnung und bewirkt bei ihnen den Aufbruch zur Zukunft."[86] Das ist eine Veränderung der ganzen Lebensatmosphäre durch Infektion mit dem Geist der Hoffnung, der Liebe und Weltverantwortung[87].

---

[80] A.a.O., PTh 126f. [81] PTh 140.
[82] Jesus und Kirche, a.a.O. 52.
[83] Existenzgeschichte und Weltgeschichte. Auf dem Wege zu einer politischen Hermeneutik des Evangeliums, EK 1 (1968) 13–20, später auch in: PTh 128–146, vor allem 143f.
[84] A.a.O. PTh 144.
[85] KKG 174.
[86] Das Ende der Geschichte, PTh 246.
[87] KKG 174, 181; vgl. auch *Küngs* Gedanken vom kritischen Katalysator, a.a.O. 419; Christ sein 102ff. Auch *K. Rahner* nennt Appelle der Christen zu „absoluter Nächstenliebe", „Bereitschaft zum Tod" und „Hoffnung zur Zukunft", vgl. Der eine Jesus Christus und die Universalität des Heils, in: SchTh XII, 279ff.

Dieser Dienst am kommenden Reich gehört zum Wesen des christlichen Glaubens[88]. Die christliche Sendung zielt nicht nur „auf Versöhnung mit Gott, auf Vergebung der Sünden und Aufhebung der Gottlosigkeit", sondern auch auf „Verwirklichung eschatologischer *Rechtshoffnung*, *Humanisierung* des Menschen, *Sozialisierung* der Menschheit, *Frieden* der ganzen Schöpfung."[89] „Das christliche Geschichtsbewußtsein ist ... ein Sendungsbewußtsein im Wissen um den göttlichen Auftrag, ist darum das Bewußtsein um den Widerspruch dieser unerlösten Welt und um das Zeichen des Kreuzes, in welchem die christliche Sendung und die christliche Hoffnung stehen."[90]

2. *Politische Hermeneutik der Kreuzestheologie*

Die eschatologische Bedeutung des Kreuzesgeschehens, die von der Dialektik von Kreuz und Auferstehung her verstanden wird, versetzt nicht nur die Menschen in die Hoffnung auf die Befreiung, sondern läßt sie auch gerade von der zukünftigen Herrlichkeit her gegen die vorhandenen Unmenschlichkeiten kämpfen. Auch bei Luther wird der Gedanke der Kreuzesnachfolge betont, den er der Tradition des Mönchtums verdankt, aber gleichzeitig im Unterschied zu dessen oft zum Dualismus neigender und darum die Gefahr der Werkgerechtigkeit in sich bergender Askese vielmehr als Verbundenheit mit dem Gekreuzigten aufgefaßt[91]. Von der Überwindung der Leiden der Welt und der Sendung der Christen für die Gerechtigkeit ist aber dabei im damaligen Horizont der individualistischen Frömmigkeit keine Rede. Moltmanns Programm, die Einseitigkeit der traditionellen Kreuzestheologie durch den Auferstehungsgedanken zu ergänzen, fordert von ihm darum notwendigerweise die Verbindung seiner Kreuzestheologie mit dem Anliegen der sozialen Gerechtigkeit. Der Eifer für die Weltveränderung muß auf Grund der eschatologischen Kreuzestheologie folgen.

„Auferstehung und österliche Freiheit haben das Kreuz Christi im Rücken, aber das leibliche Ende von Gesetz, Herrschaft und Tod in der Welt noch vor sich. Österliche Freiheit kann darum nicht zur Weltflucht der Weltvergessenheit werden, sondern führt zur kritischen Annahme der Weltsituation mit ihren Unannehmbarkeiten und zur geduldigen Weltveränderung, damit sie zur Freistatt der Menschen werde."[92]

Daß Christus sich am Kreuz mit den Armen, Verlassenen und Unterdrückten

---

[88] ThH 78f, 145–150, 152ff, 177f, 192, 202f, 204ff, 299–308.
[89] ThH 303.
[90] ThH 177; vgl. auch Das Ende der Geschichte, PTh 246.
[91] *W. v. Loewenich*, a.a.O. 135–144.
[92] EFSch 38.

solidarisiert hat, daß er das menschliche Leid in seiner letzten Konsequenz auf sich genommen hat, daß er dadurch ins neue Leben gelangt ist, das läßt den Menschen mitten im Geschrei der gequälten Geschöpfe in der Gemeinschaft mit dem gekreuzigten Christus auf Gott, den Vater vertrauen und die kommende Befreiung erwarten. Weil dieser Vorschuß der neuen Schöpfung aber stets mit der Gemeinschaft des Leidens Christi verbunden ist, ist „die Solidarität mit den Schmerzen der Welt", „die Gemeinschaft mit den Verlassenen, denen der Gekreuzigte zum Bruder wurde"[93], für den Glauben wesentlich. „Christusgemeinschaft ist Leidensgemeinschaft mit dem Gekreuzigten."[94] „Indem er (sc. der Glaube) das Kreuz, das Leiden und Sterben mit Christus, indem er die Anfechtung und den Kampf um leiblichen Gehorsam annimmt und sich in den Schmerz der Liebe hineingibt, verkündet er die Zukunft der Auferstehung, des Lebens und der Gerechtigkeit Gottes im Alltag der Welt. Die Zukunft der Auferstehung kommt zu ihm, indem er das Kreuz auf sich nimmt. So greifen futurische Eschatologie und Kreuzestheologie ineinander."[95]

Die Kreuzesnachfolge in der Solidarität mit den Schmerzen der Welt fordert die Glaubenden zum Kampf gegen das gegenwärtige Elend auf. „Die christliche Hoffnung verdankt sich der Auferweckung des gekreuzigten Christus, der Erhöhung des erniedrigten Christus, der Einsetzung des armen Christus in das Reich des Menschensohnes. Macht sie damit ernst, so muß sie sich hier in Widerspruch setzen zur Verarmung und Verelendung des Menschen und weiter zur Erniedrigung und Beleidigung des Menschen und endlich zur Schuldverstrickung und zum Todesgeschick der Menschen."[96]

Moltmann versucht nun, durch ein Gespräch mit der modernen Entwicklung von Psychologie und Soziologie diesen theologischen Begriff der Befreiung auf die konkrete Erfahrung des Menschen empirisch anzuwenden[97]. Er nennt diesen Sachverhalt psychologische und politische Hermeneutik der Befreiung[98]. Sie ist keine Reduktion der theologischen Begriffe auf eine empirische Ebene[99], sondern ein Versuch, die Konsequenzen der Kreuzestheologie an einem konkreten Punkt des menschlichen Lebens darzustellen[100], ein Versuch der Interpretation[101], Übersetzung[102] und Entfaltung[103] dessen, was auf der Ebene des Glaubens erlebt und theologisch vor allem in der paulinisch-reformatorischen Rechtfertigungslehre artikuliert ist, in eine gegenwärtig akute Problematik hinein, die im Bewußtsein des heutigen Menschen steht[104]. Darin liegt sein Wagnis,

---

[93] EFSch 37. [94] ThH 146. [95] ThH 148.
[96] Die Kategorie Novum in der christlichen Theologie, a. a. O. 184; vgl. auch Die „Rose im Kreuz der Gegenwart", MPTh 50 (1961) 272–289, auch in: PTh 212–231; SB 110ff.
[97] GG 268–315. [98] GG 268ff, 293ff; Existenzgeschichte und Weltgeschichte, PTh 128–146.
[99] GG 269, 294. [100] GG 268.
[101] GG 269, 294. [102] GG 269. [103] GG 271. [104] EFSch 57ff; KKG 211ff.

vom heutigen Problembewußtsein der Welt aus theologische Fragen zu stellen, so daß die christliche Theologie nicht in einem gettohaften weltfremden Kreis bleibt. Dabei ist er sich bewußt, daß eine solche Darstellung von der jeweiligen Erfahrung des Lebens und den Ergebnissen der empirischen Forschungen abhängig bleibt und darum keinen absoluten Wahrheitsanspruch erheben kann. Hier liegt auch für die politische Theologie ein Anknüpfungspunkt an die Kreuzestheologie. „Die Befreiung des Glaubenden aus dem Gefängnis vom Sünde-Gesetz-Tod geschieht durch Gott, nicht durch Politik, ruft aber nach Entsprechungen im politischen Leben.“[105] Und zwar gerade weil der Weg Jesu zum Kreuz eine politische Relevanz hatte, weil er im Namen der politischen Autorität seiner Zeit hingerichtet wurde, weil er sich mit den politisch Verurteilten, Unterdrückten, Armen und Sündern identifizierte, sieht Moltmann darin das Motiv der politischen Kreuzestheologie. Wer die Bedeutung des Kreuzes Jesu ernst nimmt, wer in der Gemeinschaft des Gekreuzigten bleibt und ihm so nachfolgen will, der muß Konsequenzen für die politische Lage heute ziehen; er kann nicht eine politische Macht dulden, die ungerecht Menschen unterdrückt. „Politische Kreuzestheologie muß den Staat vom politischen Götzendienst und die Menschen von politischer Entfremdung und Entmündigung befreien.“[106] „Der gekreuzigte Gott ist in der Tat ein staatenloser und klassenloser Gott. Aber es ist darum kein unpolitischer Gott. Er ist ein Gott der Armen, der Unterdrückten und Erniedrigten. Die Herrschaft des politisch gekreuzigten Christus kann nur in Befreiungen von entmündigenden und apathisch machenden Herrschaftsformen und den sie stabilisierenden politischen Religionen ausgebreitet werden.“[107]

Moltmanns Anliegen ist es, die Rechtfertigungslehre im Licht der gesamten Wirklichkeit des Menschen zu betrachten. Dabei bleibt allerdings noch offen, ob es eine konsequente Folge der Kreuzestheologie ist, aus der Tatsache, daß Jesus den „politischen“ Verbrechertod starb, theologisch auf eine Umwertung der politischen Herrschaft zu schließen[108]. Ob dieses „politische“ Geschick der Kreuzigung nicht doch ein ganz kontingentes Geschehen war, ob es solche theologische Relevanz hat, wie das Geschehen des Konfliktes mit dem Gesetz, das die gesamte Vorgeschichte des alten Bundes in sich schließt, ob die Einzelheiten der politischen Theologie sich auf diese Tatsache begründen lassen, dürfte noch nicht klar sein.

---

[105] GG 296. [106] GG 304.

[107] GG 305; vgl. dazu auch Theologische Kritik der politischen Religion, in: *J. B. Metz – J. Moltmann – W. Oelmüller*, Kirche im Prozeß der Aufklärung (München 1970); *J. B. Metz*, Zur Theologie der Welt (Mainz – München 1968); *ders.*, Politische Theologie, in: SM III, 1232–1240; *H. Peukert* (Hrsg.), Diskussion zur „politischen Theologie“ (München 1969).

[108] GG 129–138, 293, 303–305; Jesus und die Kirche, a.a.O. 54f.

DRITTER TEIL

KATHOLISCHE KRITIK AN DER KREUZESTHEOLOGIE J. MOLTMANNS

Siebtes Kapitel

Die inkarnatorische Dimension des Kreuzes

Am Schluß unserer Betrachtung der Kreuzestheologie J. Moltmanns sollen hier noch einige Anfragen von der Position der katholischen Tradition her erwähnt werden. Eine konfessionell gebundene Kritik an Moltmann ist zwar hier von vornherein ausgeschlossen. Denn es geht in seiner Theologie wie in unseren Fragen nicht um eine Apologetik einer bestimmten Konfession, sondern um die Frage nach der einen, immer zu vertiefenden Wahrheit, nach dem einen Herrn, Christus, und um die Suche nach dem Sein seiner Kirche. Es ist aber doch nicht zu vermeiden, daß das Denken eines Theologen unter dem Einfluß der Tradition steht, die von der Konfession, zu der er gehört, geprägt ist. Wir haben in unserer Betrachtung ständig verfolgt, wie Moltmann von der Position der Offenbarungstheologie her sich dagegen wehrt, die biblischen Begriffe philosophisch aufzufassen. Dabei haben wir schon angedeutet, daß die protestantische Abneigung gegen die aristotelische scholastische Philosophie und die manchmal einseitige Betonung der Souveränität der göttlichen Offenbarung doch Denkschwierigkeiten mit sich bringt. Hier sollen diese Probleme einmal unter dem Aspekt der Inkarnation Gottes zusammengefaßt werden, deren Verständnis wiederum durch die Entwicklungsgeschichte der Theologie hindurch konfessionell verschiedene Tendenzen gezeigt hat.

Die Kreuzestheologie Moltmanns steht in der Tradition, die sich als Antithese zu der vorhandenen Institution, die das Geheimnis der Inkarnation in den Vordergrund stellte und zur Rechtfertigung ihrer eigenen Machtordnung benutzte, entwickelte. Die Antithese folgt einem Wahrheitsbegriff, der in E. Blochs paradoxer Terminologie als inadaequatio rei et intellectus verstanden wird, im Gegensatz zu adaequatio rei et intellectus, als Wirklichkeitsbegriff des Werdens im Gegensatz zum Sein. Wie wir schon an manchen Stellen kritisch bemerkt haben, kann allerdings inadaequatio rei et intellectus, wenn sie recht verstanden wird, doch nicht anders bestehen als unter der Voraussetzung der Anerkennung von adaequatio rei et intellectus. Ohne Sein kann auch Werden nicht ernsthaft behauptet werden. Darum können sie keine Alternative sein.

Unsere Frage hier ist darum, ob die in der Kreuzestheologie betonte Diskontinuität von Natur und Gnade mit der im Geheimnis der Inkarnation betonten Kontinuität vereinbar ist. Es handelt sich dabei um eine grundlegende Frage, auf die man überall bei einzelnen Problemen zwischen katholischen und evangelischen Traditionen stößt, und sie hat erhebliche Folgen für die Auffassung vom konkreten kirchlichen Leben.

I. Annahme der menschlichen Wirklichkeit

1. Das Kreuz Jesu als Konsequenz der Inkarnation Gottes

a) Nach dem Kenosisgedanken von Phil 2 bedeutet die Menschwerdung des Gottessohnes die endgültige Selbsterniedrigung Gottes im Menschenschicksal und schließt darum seinen Tod schon in sich ein. Das Kreuzesgeschehen wird als die radikale Konsequenz der Inkarnation gedacht. Dieser Gedanke ist auch bei Moltmann zunächst klar festzustellen. „Damit geht Gott in dem Sohn in die begrenzte, endliche Situation des Menschen ein. Er geht nicht nur in sie ein, läßt sich nicht nur auf sie ein, sondern nimmt sie auch an und umfängt das ganze menschliche Dasein mit seinem Sein.“[1] Das menschliche Dasein annehmen heißt, alles, was mit dem menschlichen Dasein verbunden ist, bis zu seiner letzten Radikalität annehmen, d.h. bis zu seinem letzten Elend, den von Gott verlassenen Tod. „Wird Gott in Jesus von Nazareth Mensch, so geht er aber nicht nur auf die Endlichkeit des Menschen ein, sondern im Tode am Kreuz auch auf die Situation der Gottverlassenheit des Menschen. Er stirbt in Jesus nicht den natürlichen Tod endlicher Wesen, sondern den gewaltsamen Verbrechertod am Kreuz, den Tod der vollendeten Gottverlassenheit[2].

---

[1] GG 264, vgl. auch EH 105.

[2] GG 265; Dieser Gedanke, daß der Tod Jesu als Konsequenz der Inkarnation verstanden werden soll, ist zunächst ohne konfessionellen Unterschied sowohl in der katholischen als auch reformatorischen Tradition festzustellen. Vgl. *K. Barth:* „Was Inkarnation bedeutet, wird offenbar in der Frage Jesu am Kreuz: ‚mein Gott, mein Gott, warum hast du mich verlassen?‘ (Mk 15,34)“ (KD IV/I, 202). – So fährt auch *E. Jüngel* in seiner Barth-Interpretation fort: „Gottes Existenz als Mensch ist nicht nur Gottes Existenz als Geschöpf, sondern zugleich Gottes Selbstauslieferung an den die menschliche Existenz kennzeichnenden Widerspruch gegen Gott. Die Konsequenz dieser Selbstauslieferung Gottes ist das *Erleiden* des die menschliche Existenz im Widerspruch gegen Gott treffenden Widerspruch Gottes – bis zum *Tode* am Kreuz“ (Gottes Sein ist im Werden. Verantwortliche Rede vom Sein Gottes bei Karl Barth [Tübingen ²1967] 97). Diese Auffassung ist auch in der katholischen Theologie zu finden: *K. Rahner*, Jesus Christus, in: SM II, 951f; vgl. dazu auch *H. U. von Balthasar:* „Schon wer Menschwerdung sagt, sagt Kreuz“ (Mysterium Paschale, a.a.O. 142, zitiert von Moltmann, GG 190). „Das Kreuz ist der Ernstfall der Liebe; und die Menschwerdung hat im ganzen kein anderes Ziel als diesen Ernstfall“ (Christologie und kirchlicher Gehorsam,

Das Kreuz als Konsequenz der Inkarnation denken bedeutet nicht, das ganze Heilsereignis auf das Geheimnis der Inkarnation zu reduzieren, so daß im Verständnis der Inkarnation, besonders in der Zweinaturenlehre, schon alles impliziert gesagt wäre und auch die Auferweckung des Gekreuzigten nur ihre Explikation wäre. Im Gegenteil, sowohl exegetisch-geschichtlich als auch sachlich gewinnt erst durch die Auferweckung des Gekreuzigten die Inkarnation ihren Sinngehalt. Die Inkarnation meint darum das gesamte Sein Jesu, das seinen Anfang in der Empfängnis Mariens nimmt, aber ständig auf seine Sendung ausgerichtet ist und sich in seinem Kreuzestod vollendet; nicht daß er sich von seiner Geburt an auf seinen Opfertod ausgerichtet hätte, sondern daß er ganz und gar von seinem Auftrag für die Versöhnung des Menschen mit Gott und die Berufung in seine Gemeinschaft lebt. „Man kann darum von einer Menschwerdung Gottes nicht reden, ohne dieses Ende ins Auge zu fassen. Es kann keine Inkarnationstheologie geben, die nicht zur Kreuzestheologie wird.“[3]

b) Anderseits scheint Moltmann trotz dieses Kenosisgedankens doch den Widerspruchscharakter des Kreuzesgeschehens so zu betonen, daß mehr die Trennung Gottes von der menschlichen Wirklichkeit als ihre Annahme im Vordergrund steht. Er versucht darum nicht etwa weiter vom Verständnis des Menschen her diese Inkarnation Gottes in der Person Jesu zu erklären und die Fragen, wie Gott sich im Menschsein Jesu zur Welt mitteilt, was der Gottmensch heißt, heute zu verantworten. Er steht in der Tradition der Offenbarungstheologie, die sich auf die Tatsache der Offenbarung stützt und gegen alle Spekulation der menschlichen Vernunft wehrt.

Hier liegt auch der Punkt, an dem sich Moltmann vom katholischen Verständnis des Kreuzesgeschehens sowohl in bezug auf die menschliche Erkenntnis als auch in bezug auf die mit ihr verbundene Rechtfertigung des Menschen unterscheidet.

„Gott wurde nicht Mensch, nach Maßgabe unserer Vorstellungen vom Menschsein. Er wurde ein Mensch, wie wir nicht sein wollen, ein Ausgestoßener, Verfluchter, Gekreuzigter. Ecce homo! Sehet den Menschen! ist keine Aussage, die sich aus der Bestätigung unseres Menschseins ergibt und auf der Basis: ‚Gleiches wird von Gleichem erkannt‘ gemacht wird, sondern ein Bekenntnis des Glaubens, der in dem entmenschten Christus am Kreuz Gottes Menschlichkeit erkennt.“[4] Hier wird die Tradition der Kreuzestheologie, die das Kreuz

---

in: *ders.*, Pneuma und Institution [Einsiedeln 1974] 139). Vor allem *Adrienne von Speyer* betont diesen Gedanken: „Er hat die volle Erniedrigung und Demütigung der Menschwerdung erreicht“ (in: *B. Albrecht,* Eine Theologie des Katholischen II [Einsiedeln 1972] 94). „Sein Tod ist im Grunde seine Geburt“ (ebd. 95).

[3] GG 190.

[4] GG 190.

Jesu zum theologischen Erkenntnisprinzip macht, deutlich. Luther weist die natürliche Erkenntnisfähigkeit des Menschen zurück, weil sie im Grunde nichts anderes sei als menschliches Bemühen, sich zu vergöttern; diese Hybris des Menschen sei aber im Kreuzesgeschehen endgültig gebrochen[5]. Moltmann nennt gerade in diesem Sinn Luthers Kreuzestheologie eine Radikalisierung der Inkarnationslehre in soteriologischer Absicht[6].

Die Inkarnation heißt dabei doch nicht eine Bejahung des Daseins des Menschen, denn dieses Vorhandene ist nach Luther und Moltmann nicht die eigentliche Natur, die der stolze Mensch hinter sich gelassen hat und die Gott erst in seiner Menschwerdung dem Menschen zurückgibt. Die reformatorische Entgegensetzung von Gesetz und Evangelium, Natur und Gnade, Vernunft und Glaube wird ferner bei Moltmann in der Entgegensetzung von Sein und Werden, dem schon Vorhandenen und dem in Zukunft Aufgegebenen fortgeführt. Die Natur des Menschen ist deshalb bei Moltmann noch verheißen und in der Zukunft aufgegeben[7]. Darum äußert sich Moltmann gegen eine Auffassung von der Inkarnation Gottes, die dazu neigt, die kultisch-sakramentale Präsenz seiner Herrschaft in den Vordergrund zu stellen und das Kreuz als Signatur des noch ausstehenden Reiches zu vernachlässigen. „Zwar kann seine Erniedrigung bis ans Kreuz als Vollendung seiner Inkarnation verstanden werden, durch die er alles in seine Herrschaft zieht, doch wird damit das Kreuz zu einem Durchgangsstadium seines Weges zur himmlischen Herrschaft."[8]

c) Wir müssen uns noch fragen, ob diese Entgegensetzung von dem gegenwärtig Seienden und dem in Verheißung Möglichen theologisch berechtigt ist. Wenn die Inkarnation Gottes ernst genommen wird, wenn Gott die Wirklichkeit des Menschen bis zur letzten Radikalität auf sich genommen hat, dann soll zunächst die Entgegensetzung zwischen Natur und Gnade nicht so dualistisch gegensätzlich, sondern vielmehr dialektisch einheitlich gedacht werden. Die reformatorische Betonung, daß der sich im Kreuz offenbarende Gott vom Menschen nur durch Glauben angenommen werden kann und der Mensch nur durch Gnade gerechtfertigt werden kann, hat zwar ihr Recht, insofern die eigenmächtige Werkgerechtigkeit zurückgewiesen wird. Wenn aber Gott die Welt so liebt, daß er seinen eigenen Sohn zu ihrer Erlösung hingibt, wenn also die menschliche Wirklichkeit als solche von Gott geliebt und in seine Heiligkeit hineingenommen wird, wenn die Natur des Menschen darum ihre Existenz selbst dieser Liebe verdankt, dann muß das natürlich Menschliche nicht von vornherein unbedingt als Werkgerechtigkeit bezeichnet werden[9]. Das Natürlich-Menschliche bejahen

[5] Vgl. 5. Kapitel, I (1).
[6] GG 197, 222.
[7] Vgl. 5. Kapitel, II (1).
[8] TH 143.
[9] Vgl. *K. Rahner*, Zur Theologie der Weihnachtsfeier, in: SchTh III, 35–46; *ders.*, Die ewige Bedeutung der Menschheit Jesu für unser Gottesverhältnis, in: SchTh III, 47–60.

muß nicht ein eigenmächtiger Versuch des Menschen sein, durch seine Vernunft Gott zu erkennen, durch eigene Kraft Gott zu erreichen. Dieser Versuch der Selbstvergötterung muß, weil der Mensch durch ihn von Gott verlassen wird und so von seinem eigentlichen, von Gott her auf Gott hin geschaffenen Wesen abfällt, vielmehr als Negierung des Natürlichen gedacht werden. Dieses Natürliche ist aber auch nicht die ursprüngliche, archaische Natur, die der Mensch, wie Luther meint, verlassen hat, sondern die neue, die Gott eben durch seine Annahme erlöst hat. Die Natur, die von Gott durch seine Erlösung in eine neue Schöpfung gesetzt ist, kann darum nicht von der Gnade getrennt gedacht werden. Das macht zwar die theoretische Unterscheidung von Natur und Gnade nicht überflüssig, sondern fordert sie sogar, damit die Natur als ungeschuldet begnadete deutlich wird. Aber die konkret existierende Natur ist schon in der Tat von der Gnade getragen[10]. Dasselbe kann in bezug auf die Entgegensetzung Moltmanns von dem Vorhandenen und dem Verheißenen gesagt werden. Durch die Inkarnation Gottes wird auch die gegenwärtige Wirklichkeit des Menschen als solche gerade deswegen bejaht, weil sie dialektisch in das Verheißene aufgehoben wird.

2. *Möglichkeit der natürlichen Theologie*

a) Mit der Frage nach dem Verhältnis von Natur und Gnade ist schon das Wesentliche der alten Diskussion um die sogenannte natürliche Theologie angeschnitten. Moltmann äußert zunächst im Gefolge der reformatorischen Kreuzestheologie seine Kritik an der Lehre der Gotteserkenntnis, die sich auf die analogia entis stützt. Das analogische Erkenntnisprinzip: „simile a simili cognoscitur" kann nicht auf die Gotteserkenntnis angewendet werden, denn diese Anwendung setzt Gottes Entsprechung zur Schöpfung voraus. „Wird aber Gleiches auf diese Weise nur von Gleichem erkannt, so wird eine Offenbarung im anderen, das nicht Gott ist, und im Fremden, das nicht göttlich ist, eigentlich unmöglich ... Wird Gleiches nur von Gleichem erkannt, so hätte der Sohn Gottes im Himmel bleiben müssen, weil er Irdischem doch unerkennbar ist."[11] Dagegen stellt er als Antithese das „dialektische" Prinzip: „contraria contrariis pelluntur" und hält dessen Anwendung auf die christliche Erkenntnislehre für einzig legitim. „Gott wird nur in seinem Gegenteil, in der Gottlosigkeit und

[10] Vgl. *H. U. von Balthasar*, Karl Barth. Darstellung und Deutung seiner Theologie (Köln 1951) vor allem 278–335; *K. Rahner*, Natur und Gnade, in: SchTh IV, 209–236; *ders.*, Über das Verhältnis von Natur und Gnade, in: SchTh I, 323–345; *ders.*, Zur Theologie der Gnade, in: SM II, 450–465, vor allem: „Übernatürliche" Gnade und Natur, 452–455.
[11] GG 31.

Gottverlassenheit, als ‚Gott' offenbar. Konkret gesagt: Gott wird im Kreuz des gottverlassenen Christus offenbar... Das erkenntnis-theoretische Prinzip der Kreuzestheologie kann nur dieses dialektische Prinzip sein: Gottes Gottheit wird im Paradox des Kreuzes offenbar."[12]

Für Moltmann ist die Offenbarung Gottes seine Entäußerung ins Fremde. Weil Gott sich im Gegenteil offenbart, gerade darum besteht die Hoffnung für die Gottlosen, Gott zu begegnen. Die Identifizierung Jesu mit den Armen und Sündern und ferner die paulinische Rechtfertigungslehre werden in dieser Kategorie der Offenbarung im Gegenteil verstanden[13]. „Man muß selbst gottlos werden und jede Selbstvergottung oder Gottähnlichkeit fahren lassen, um den Gott zu erkennen, der sich im Gekreuzigten offenbart."

Moltmann will allerdings trotz mancher ausschließlicher Aussagen[14] die analoge Erkenntnis nicht schlechthin ablehnen. Er weiß auch, daß das analogische Prinzip nicht dem dialektischen widerspricht. Es muß aber nach ihm um das dialektische erweitert werden[15]. „Das dialektische Prinzip der ‚Offenbarung im Gegenteil' ersetzt nicht jenes analogische Prinzip: ‚Gleiches wird nur von Gleichem erkannt', sondern macht es überhaupt erst möglich. Sofern Gott in seinem Gegenteil offenbar wird, kann er von den Gottlosen und Gottverlassenen erkannt werden, und eben dieses Erkennen bringt sie zur Entsprechung zu Gott... Aber jene Dialektik ist der Grund und der Anfang für die Analogie. Ohne die Offenbarung im Gegenteil können die Widersprechenden nicht zu Entsprechungen kommen."[16] Nach Moltmann ist nämlich die Entsprechung der Schöpfung zu Gott, die das analogische Erkenntnisprinzip voraussetzt, nicht von Natur aus vorhanden. Sie kann nicht durch menschliche Initiative ermöglicht werden, sondern nur dadurch, daß Gott von seiner Seite sich erniedrigt und mit den Menschen identifiziert. Mit anderen Worten wird diese Entsprechung erst durch die Erlösung der Welt durch das Christusgeschehen geschaffen. Weil aber diese Erlösung noch im Gang und deren Vollendung im Christusgeschehen verheißen und im Eschaton erwartet wird[17], soll das eigentliche Anliegen der natürlichen Theologie nach Moltmann eschatologisch gedeutet werden[18]. „Alle Gottesbeweise sind im Grunde Vorgriffe auf jene eschatologische Wirklichkeit, in der Gott allen an allem offenbar ist. Sie unterstellen diese

[12] GG 32, vgl. auch ThH 203.
[13] GG 32.
[14] Vor allem häufige „Nur"-Aussagen, GG 32.
[15] GG 32.
[16] GG 33; Moltmann bestätigt nochmals diesen Gedanken später in seiner Debatte mit W. Kasper. Vgl. „Dialektik, die umschlägt in Identität" – was ist das?, a.a.O. 348.
[17] Vgl. 5. Kapitel, II (2).
[18] ThH 79f, 256–260.

Wirklichkeit als schon gegenwärtig und als jedem Menschen unmittelbar einsichtig... Es ist aber eine solche ‚natürliche Theologie', in der Gott jedem Menschen offenbar und beweisbar ist, nicht die Voraussetzung des christlichen Glaubens, sondern das Zukunftsziel der christlichen Hoffnung. Diese allgemeine und unmittelbare Gegenwart Gottes ist nicht das, wovon der Glaube herkommt, sondern das, worauf er zugeht."[19]

b) Zu dieser Auffassung Moltmanns soll vom Standpunkt der katholischen Tradition her folgendes gesagt werden: Die analogia entis ist zwar der Grundbegriff der natürlichen Theologie, die durch die Reflexion der menschlichen Erfahrung deren Verwiesenheit auf den letzten Grund zu explizieren versucht, insofern sie, worauf Moltmann mit Recht hinweist[20], eine in allen Vorgängen dieser Reflexion vorausgesetzte Möglichkeitsbedingung ist. Dabei muß aber zwischen Analogie in der Seinsordnung und Analogie auf dem Erkenntnisweg des Menschen unterschieden werden. Die analogia entis darf nicht so mißverstanden werden, als ob sie eine Seinsentsprechung des Menschen zu Gott besage, eine Seinsgemeinschaft, die Gott und Geschöpf umschließt und nach der der stolze Mensch verlangt, um die Kluft zwischen sich und Gott zu überbrücken. Die Relation von Gott und Welt kann nur einseitig gedacht werden, daß die Welt vom Schöpfer abhängig ist, aber nicht umgekehrt[21]. Die richtig verstandene analogia entis besagt nur die Bezogenheit alles Seienden auf den, ohne den nichts ist. Mit anderen Worten setzt der Mensch die analogia entis, zwar nicht logisch, aber ontisch, voraus, wenn er sich selbst durch Reflexion seiner Erfahrung als das ganz und gar auf Gott bezogene Wesen wahrnimmt. Diese Erkenntnis seiner Bezogenheit auf Gott wird eigentlich in der natürlichen Theologie Gotteserkenntnis genannt. Sie ist kein eigenmächtiges Verfügen des Menschen über Gott, sondern ein gehorsames Wahrnehmen seiner eigenen Geschöpflichkeit[22]. Diese Auffassung der katholischen Tradition von der analogia entis ist

---

[19] ThH 259; vgl. dazu *H. J. Iwand:* „Die natürliche Offenbarung ist nicht das, wovon wir herkommen, sondern das Licht, auf das wir zugehen. Das lumen naturae ist der Abglanz des lumen gloriae... Die Umkehr, die heute von der Theologie gefordert ist, besteht darin, die Offenbarung unserem Äon, die natürliche Theologie aber dem kommenden Äon zuzuweisen" (Nachgelassene Werke I, 290f; zitiert von Moltmann, ThH 80).

[20] GG 195.

[21] Auf das Mißverständnis Moltmanns von der traditionellen Analogielehre weist auch W. Kasper hin: Revolution im Gottesverständnis? a. a. O. 11; über die Frage nach der Relation von Gott und Welt vgl. auch *W. Kern*, Gott-Welt-Verhältnis, in: SM II, 522–529; *W. Brugger*, Theologia naturalis (Barcelona 1964) 301–307; 339–346; *P. Knauer,* Dialektik und Relation, ThPh 41 (1966) 54–74.

[22] Die scholastische Tradition war sich immer bewußt, daß Gott nicht an sich, sondern nur in seinem Verhältnis zum Geschöpf erkannt wird. Vgl. *Thomas von Aquin:* „cognoscimus de ipso habitudinem ipsius ad creaturas, quod scilicet omnium causa" (Sth I, q 12, a 12); „Sic igitur potest nominari a nobis ex creaturis: non tamen ita quod nomen significans ipsum, exprimat divinam essentiam secundum quod est" (Sth I, q 13, a 1). Dazu *B. Puntel:* „Der Bezug ist somit das eigentliche

vor allem in der lateranensischen Formel klar ausgedrückt: „inter Creatorem et creaturam non potest similitudo notari, quin inter eos maior sit dissimilitudo notanda"[23]. Die Gotteserkenntnis durch den Bezug des Geschöpfes auf Gott kann nur im Geheimnis der je immer größeren Unähnlichkeit zwischen beiden verstanden werden[24].

Wenn Moltmann in seiner Kritik an Petrus Lombardus und Thomas von Aquin bei ihnen eine stoische Tradition sieht in dem Sinne, daß die Natur trotz christlicher Modifikation als gottentsprechend und göttlich aufgefaßt sei[25], übersieht er gerade ihre Auseinandersetzung mit mystisch-pantheistisch geprägten Auffassungen von Gotteserkenntnis, in der sie immer wieder ihre negative Theologie der Unverfügbarkeit Gottes entwickelten[26]. Moltmann mißversteht den eigentlichen Sinn der analogia entis, der in der scholastischen Tradition

---

Ursprüngliche, da erst in ihm und aus ihm der Sinn der Differenten, nämlich Mensch und Sein und Gott, entspringt... der Bezug ist das Ursprüngliche als die Bewegung der Enthüllung des Ursprungs und der Entsprungenen: Gott ist der Differente schlechthin als der die Differenz (den Bezug) zwischen ihm und dem Menschen (der Welt) Seinlassende" (Analogie und Geschichtlichkeit. Philosophiegeschichtlich-kritischer Versuch über das Grundproblem der Metaphysik [Freiburg i. Br. 1969] 300).

[23] DS 806.

[24] *E. Coreth – E. Przywara,* Analogia entis, in: LThK I, 468–473; *J. Splett – B. Puntel,* Analogia entis, in: SM I 123–133; *G. Söhngen,* Analogie, in: HThG I, 72–85; *E. Przywara,* Analogia Entis (Einsiedeln 1962), vor allem: Die Reichweite der Analogie als katholischer Grundform (1940), a. a. O. 247–301. Dieses Anliegen der Analogielehre ist von Moltmann nicht richtig verstanden worden, auch wenn er in der Debatte mit W. Kasper den Vorwurf des Mißverständnisses zurückweist: „Der Blick auf den Gekreuzigten schärft aber nicht nur den Sinn für ‚Unterschiedenheit', sondern mehr noch für den göttlichen Widerspruch gegen des Menschen Widersprechen, aus dem dann Entsprechungen und Gleichnisse in des Menschen Antwort geschaffen werden" (Dialektik, a. a. O. 348).

[25] GG 194–196.

[26] Unter der stoischen Tradition versteht Moltmann: a) der Kosmos ist vom göttlichen Logos durchwaltet und entspricht in seiner Rationalität dem göttlichen Wesen selbst; b) der Mensch erkennt durch seine Vernunft die Vernünftigkeit des Kosmos und kommt zum natur- und gottentsprechenden Leben (GG 194). Vgl. *Diogenes Laertius,* Leben und Meinungen berühmter Philosophen, übersetzt v. O. Apelt (Leipzig 1923) II 18–68; *M. Pohlenz,* Die Stoa. Geschichte einer geistigen Bewegung I (Göttingen 1970), vor allem 31–158. – Die pantheistische Auffassung von der Welt ist deutlich vor allem bei dem frühen Stoiker Aratos, dessen Gedanke sich auch in der Apostelgeschichte (17, 28) widerspiegelt und den auch *Origenes* in seiner Kritik darstellt (Contra Celsum, VI, 48, in: Opera omnia [Berolini 1846] XIX. 75–77); Seneca berichtet auch über die mittelstoische pantheistische Auffassung von Poseidonius (Brief 90, in: Philosophische Schriften, übersetzt v. *O. Apelt* [Leipzig 1924] IV, 80–97) und über die spätstoische Auffassung von der anima universi (Brief 65, a.a.O. III, 229–237). Vgl. auch *Dion Chrysostomos aus Prusa,* Olympische Rede über die Quellen der Gotteserkenntnis, übersetzt von K. Krant (Ulm 1879).

Nun ist es fragwürdig, ob bei den orthodoxen Scholastikern diese stoische Tradition wiederentdeckt werden kann, obwohl sie sich ohne Zweifel mit ihr auseinandersetzen mußten. Die durch das Lateranense IV formulierte katholische Grundformel von der analogia entis beinhaltet auch ihre Auseinandersetzungen. Dazu *E. Przywara:* „Auch diese Formel ist eine wahre ‚Mitte' zw. einem erneuerten ‚Parmenidismus' und einem erneuerten ‚Heraklitismus'. Denn die Formel des Konzils

enthalten ist, indem er die Seinsentsprechung als Voraussetzung analoger Erkenntnis und die Entsprechung in der Erkenntnis als eine nur analytische Verdeutlichung dieser Voraussetzung versteht[27]. Vielmehr gehört die analogia entis zum „modus cognoscentis" des Menschen, der keinen Anspruch erhebt, Gott selbst erreichen zu können[28]. Sogar nach seiner Selbstmitteilung, auch im eschatologischen Zustand der unmittelbaren Gottesschau bleibt Gott dem Menschen das Geheimnis[29]. Die analogia entis, auf die sich die natürliche Theologie stützt, ist darum keine ideologische Behauptung einer bestimmten philosophi-

---

steht sowohl gegen die ‚Mystische Identität' v. Gott u. Geschöpf (wie sie in den Visionen des Joachim v. Fiore aufstand) wie gegen die ‚rationale reine Unterschiedenheit' zw. Gott u. Geschöpf (wie sie Petrus Lombardus gegen allen Früh-Augustinismus der ‚reinen Exemplarität' Gottes gegenüber dem Geschöpf betonte)" (LThK I, 471). Hier ging es zwar primär um die Trinitätslehre, aber hinter der Entscheidung des Konzils stand die Analogielehre als Grund. Es war Petrus Lombardus, der die Unbegreiflichkeit und Souveränität Gottes immer in den Vordergrund stellte: „Solus ergo Deus vere est: cuius essentiae comparatum nostrum esse, non est" (Sent. I, dist. 8, cap. 1). Auch in der von Moltmann genannten Stelle von Lombardus (GG 194; Sent. I, dist. 3, cap. 1) ist seine negative Theologie nicht zu verkennen. Über den historischen Hintergrund vgl. *Przywara*, Analogia Entis, 251–258; *B. Gertz*, Glaubenswelt als Analogie. Die theologische Analogie-Lehre E. Przywaras und ihr Ort in der Auseinandersetzung um die analogia fidei (Düsseldorf 1969) 223–227; *R. Foreville*, Lateran I–IV, in: *G. Dumeige – H. Bacht* (Hrsg.), Geschichte der ökumenischen Konzilien VI (Mainz 1970) 327, 336; *M. Grabmann*, Geschichte der scholastischen Methode II, 359–407. – Bei Thomas ist die Übernahme der lateranensischen Auffassung von Analogie deutlich. Er betont ständig mit „aliqualem similitudinem" gleichzeitig „maxima dissimilitudo" (DeVer. q. 1, a. 10), dazu *Przywara*, a.a.O. 258–261; *Puntel*, a.a.O. 175–302, vor allem 268–302.
Im Anhang zu Petrus Lombardus setzt er die negative Theologie fort: „Nihil enim proprie dicitur de aliquo quod verius negetur de ipso quam affirmetur" (In Sent. I, Dist. 22, q. 1, a. 2, ad 1; vgl. Sth I, q. 13, a. 3; Contr. Gent. cap. 33); „Unde quando in Deum procedimus per viam remotionis, primo negamus ab eo corporalia; et secundo etiam intellectualia, secundum quod inveniuntur in creaturis, ut bonitas et sapientia; et tunc remanet tantum in intellectu nostro, quia est, et nihil amplius: unde est sicut in quadam confusione. Ad ultimum autem etiam hoc ipsum esse, secundum quod est in creaturis, ab ipso removemus; et tunc remanet in quadam tenebra ignorantiae, secundum quam ignorantiam, quantum ad statum vitae pertinet, optime Deo conjungimur, ... et haec est quadam caligo, in qua Deus habitare dicitur" (In Sent. I, dist. 8, q 1, a. 1, ad 4; auch vgl. a.a.O. dist. 34, q. 3, a. 2; Contr. Gent. I, 14). „De Deo scire non possumus quid sit, sed quid non sit" (Sth I, q. 3, Prol.; auch DePot. q. 7, a. 5, ad 14; vgl. auch: In Sent. I, dist. 2, q. 1, a. 3, ad 2; In Sent. I, dist. 3, q. 1, a. 1; DeVer. q. 2, a. 1, ad 9; Contr. Gent. I, 30, III, 49; Sth I, q. 3, a. 4, ad 2; q. 13, a. 8, ad 2).

[27] So Moltmann: „Dieses Rückschlußverfahren ist selbst nicht fraglich, sondern stringent; wohl ist seine Voraussetzung fragwürdig, daß nämlich alles, was ist, Gott entspricht und durch Seinsanalogien mit seinem Sein in Verbindung steht. Die Rückschlußlogik bringt eigentlich nur diese Seinsentsprechungen zu Entsprechungen in der Erkenntnis" (GG 195).

[28] Dazu *Thomas:* „Et dicimus quod Deus cognoscibilis est; non autem ita est cognoscibilis, ut essentia sua comprehendatur. Quia omne cognoscens habet cognitionem de re cognita, non per modum rei cognitae sed per modum cognoscentis. Modus autem nullius creaturae attingit ad altitudinem divinae majestatis. Unde oportet quod a nullo perfecte cognoscatur, sicut ipse perfecte cognoscit" (In Sent. I, Dist. 3, q. 1, a. 1).

[29] Vgl. *K. Rahner*, Fragen zur Unbegreiflichkeit Gottes nach Thomas von Aquin, in: SchTh XII,

schen Schule oder einer konfessionellen Theologie, sondern vielmehr eine ontische Voraussetzung des menschlichen Erkennens. Ohne diese ontische Voraussetzung wäre es dem Menschen unmöglich, überhaupt von Gott zu wissen. Auch über die Offenbarung zu reden wäre ein Widerspruch, denn um die Offenbarung als Offenbarung Gottes zu erkennen, muß schon die analogia entis vorausgesetzt werden. In diesem Sinn wird die analogia entis Voraussetzung des Glaubens genannt[30].

Wenn nun die analogia entis so verstanden wird, muß das, was in der Darstellung Moltmanns analoges Denken genannt wird, noch genauer differenziert werden. Das Erkenntnisprinzip, über das auf der ontologischen Ebene sinnvoll gesprochen wird, darf nicht ideologisch auf die soziale Ebene der Gesellschaft oder des kirchlichen Lebens übertragen werden. Das Prinzip: „Gleiches wird von Gleichem erkannt" kann darum, abgesehen von dem geschichtlichen Verlauf seines Gebrauchs[31], nur in actu cognoscentis mit der analogia entis identifiziert werden. Die analogia entis ist kein Gleichheits- und Ähnlichkeitsprinzip der gleichgesinnten Sektenmentalität, die mit Recht durch den Gekreuzigten zurückgewiesen wird[32]. Auch wenn in manchen geschichtlichen Zügen der Kirche das erkenntnistheoretische Prinzip mit dem sozialen verwechselt wurde und dadurch ihre „Unfähigkeit zur Identität im anderen, Fremden und Widersprechenden"[33] sogar gerechtfertigt haben mag, kann das doch nicht auf derselben Ebene diskutiert und durch ein anderes, besser passendes Prinzip ersetzt werden. Wenn diese Ersetzung aber im Namen der Kreuzestheologie geschieht, wird der Irrtum der Verwechslung von zwei verschiedenen Ebenen nur mit einem anderen Inhalt wiederholt.

Das so verstandene Erkenntnisprinzip der Analogie ist darum auch die Vor-

---

306–319; *ders.*, Über den Begriff des Geheimnisses in der katholischen Theologie, in: SchTh IV, 51–99; *ders.*, Geheimnis, in: LThK IV, 593–597; *ders.*, Geheimnis, in: SM II, 189–196.

[30] Das ist die schon seit langem diskutierte Kontroverse zwischen analogia entis und analogia fidei. *H. U. von Balthasar* weist in seiner K.-Barth-Darstellung darauf hin, daß auch in der analogia fidei, die von Barth im Gegensatz zur analogia entis entworfen wird, faktisch unvermeidlich analogia entis impliziert ist (a.a.O. vor allem 177–181); dazu vgl. auch *W. Brugger*, Theologia Naturalis, 196–203. „Fides in revelationem factam supponit analogiam entis antecedenter ad fidem esse cognoscibilem" (a.a.O. 201); *H. G. Pöhlmann*, Analogia entis oder Analogia fidei. Die Frage der Analogie bei Karl Barth (Göttingen 1965); *B. Mondin*, The Principle of Analogy in Protestant and Catholic Theology (Den Haag 1968); *G. Ch. Wiesenfeldt*, Der Begriff der Natur und das Problem des Natürlichen in der Theologie Karl Barths (Göttingen 1973); *E. Mechels*, Analogie bei Erich Przywara und Karl Barth. Das Verhältnis von Offenbarungstheologie und Metaphysik (Neukirchen 1974); *B. Gertz*, a.a.O.; *W. Pannenberg*, Zur Bedeutung des Analogiedenkens bei Karl Barth, ThLZ 78 (1953) 17–24; *ders.*, Möglichkeiten und Grenzen der Anwendung des Analogieprinzips in der evangelischen Theologie, ThLZ 85 (1960) 225–228.

[31] Vgl. *A. Schneider*, Der Gedanke der Erkenntnis des Gleichen durch Gleiches in antiker und patristischer Zeit, in: *F. Ehrle* u.a., Abhandlungen zur Geschichte der Philosophie des Mittelalters. Festschrift für C. Baeumker (Münster 1923) 65–76).

[32] GG 30, SB 73ff. [33] GG 30.

aussetzung des von Moltmann als Antithese aufgefaßten dialektischen Prinzips. Auf der Ebene der Erkenntnis wäre es ein Selbstwiderspruch, wenn das Erkennen im reinen Gegenteil als solchem bestehend behauptet würde. Wenn Moltmann sagt, das dialektische Prinzip mache das analogische erst möglich, dann ist hier von der gnadenhaften Seinsentsprechung die Rede. Das Erkenntnisprinzip der Analogie steht aber auf einer anderen Ebene als der der Rechtfertigungslehre, in der mit Recht gesagt wird, daß durch die Offenbarung im Gegenteil die sich Widersprechenden zur Entsprechung kommen[34]. Wenn Luther nach Röm 1, 18 ff nicht die Möglichkeit der natürlichen Gotteserkenntnis ausschließt, sondern nur ihre faktische Wirklichkeit[35], dann ist damit die ontische Voraussetzung der Analogie bejaht. Die faktische Blindheit und Sünde des Menschen, die Selbstentäußerung Gottes im Fremden und die Notwendigkeit der Verkündigung nach 1 Kor 1, 21 widersprechen dem Sachgehalt der analogia entis nicht.

Wenn aber weiter theologisch nach dem inneren Grund dieser analogia entis gefragt wird, die nicht nur eine bloße Form der Denkstruktur ist, sondern der Wirklichkeit entsprechen muß, dann kommt man wieder auf den Gedanken von der begnadeten Natur zurück. Die katholische Tradition verdankt der Kreuzestheologie die Klarstellung des Gnadencharakters der Offenbarung. Allein in der gnadenhaften, ungeschuldeten Selbstmitteilung Gottes liegt die Möglichkeit der Begegnung des Menschen mit Gott. Hier soll der theologische Ort der natürlichen Theologie selbst im Zusammenhang mit dem Christusgeschehen gesehen werden. Insofern durch die Auferweckung des Gekreuzigten diese Selbstmitteilung Gottes irreversibel und endgültig in die menschliche Geschichte eingetreten ist, kann man mit Moltmann sogar sagen, daß das Christusgeschehen in diesem Sinn der eigentlich letzte tragende Grund der Möglichkeit der natürlichen Theologie ist. Das darf nicht so zeitlich verstanden werden, daß vor dem Christusgeschehen überhaupt keine Möglichkeit der Gotteserkenntnis gegeben gewesen und erst nach dem Christusgeschehen die Gnade dem Menschen zuteil geworden wäre. Der Heilswille Gottes ist die Möglichkeitsbedingung der Schöpfung überhaupt. Er wird zwar in der Auferweckung des Gekreuzigten im geschichtlichen Verlauf der Schöpfung endgültig, aber gerade darum muß das Natürliche selbst, wie wir vorher schon gesehen haben, als schon von der Gnade getragen betrachtet werden, auch wenn es in Zukunft erst noch vollendet werden muß.

Wenn Moltmann sagt, die natürliche Theologie sei nur als eine eschatologische Verheißung möglich, dann wird dabei unter Analogie die durch die Rechtfertigung eröffnete Gemeinschaft des Menschen mit Gott verstanden. Sie ist in

---

[34] GG 33.
[35] GG 196.

der Zukunft Gottes. Dieser Anruf Gottes zu seiner Gemeinschaft, der in der Auferweckung des Gekreuzigten der Geschichte irreversibel zugesprochen ist, setzt aber die Schöpfung Gottes voraus, obwohl die Schöpfung ihrerseits absolut freie, gnadenhafte Tat Gottes ist und ihr Ziel erst in der eschatologischen Gemeinschaft erreicht wird. Die natürliche Theologie ist mit der Schöpfung gegeben. Sie hat aber ihren inneren Grund in der Auferweckung des Gekreuzigten[36].

c) Wenn die begnadete Natur, die ihren inneren Grund letztlich in der Auferweckung des Gekreuzigten hat und in der Zukunft des Reiches Gottes vollendet wird, doch schon begnadet und auf Gott hin offen ist, wenn die Verkündigung aufgrund dieser Offenheit vom Menschen aufgenommen werden kann, dann ist dieser Sachgehalt im Grunde nichts anderes als das, was Moltmann selbst in seiner neuen Pneumatologie als Erfahrung des Heiligen Geistes, der überall in der Geschichte wirkt, bezeichnet. Die von der reformatorischen Kreuzestheologie verworfene natürliche Theologie kann darum noch einmal durch Moltmanns eigenen pneumatologischen Ansatz positiv wiedergewonnen werden.

Dieser Zusammenhang von Pneumatologie und natürlicher Theologie ist zwar Moltmann selbst nicht unbekannt. „Was als ‚natürliche Theologie' in den allgemeinen Voraussetzungen und Verstehungsbedingungen für die christliche Offenbarungsrede verhandelt wurde, ist in Wahrheit Pneumatologie."[37] Dabei ist das, was in der natürlichen Theologie als allgemeine Voraussetzung für die besondere Offenbarung zur Sprache gebracht wird, von Moltmann als gemeinsames Schicksalsgefüge zwischen Menschen und Welt verstanden[38], und zwar sei das nichts anderes als „die endzeitliche Solidarität der Kinder Gottes mit der ganzen Kreatur in den Leiden dieser Zeit"[39]. Das ist nach Moltmann gleich der endzeitlichen Wirkung des Geistes. Der Geist, der aus der Auferweckung des Gekreuzigten hervorgeht, bewegt die Glaubenden und schafft die Solidarität mit den Elenden aller Kreatur. Allerdings wird das Anliegen der natürlichen

[36] *H. U. von Balthasar* stellt den gleichen Sachgehalt in seiner Auseinandersetzung mit der Bundestheologie K. Barths dar: „Wir weisen bloß nochmals darauf hin, daß innerhalb dieser Klammer sich ein Raum auftut; der Raum zwischen Schöpfungs- und Menschwerdungsordnung, daß zwischen beiden nicht einfachhin Priorität der zweiten herrscht, auch nicht eine unauflösbare ‚reziproke Priorität', sondern eine gegliederte Ordnung, sofern Schöpfung der *äußere* Grund des Bundes, Bund der *innere* Grund der Schöpfung ist. Daß somit der Bund zwar Grund und Ziel der Schöpfung ist, aber keineswegs einfach dessen Form und Gehalt. Werden die Bilder der Schöpfung in der Menschwerdungsgeschichte erst eigentlich zu sprechenden Bildern erhoben, so kann man doch nicht sagen, daß sie, in ihrer Potentialität, ohne Bildwert sind" (a.a.O. 179).

[37] Gottesoffenbarung und Wahrheitsfrage, PTh 30.

[38] Vgl. *P. Stuhlmacher*, Gerechtigkeit Gottes bei Paulus, 72, zitiert von Moltmann, a.a.O. PTh 31.

[39] A.a.O., PTh 31.

Theologie hier einerseits nur auf die geschöpfliche Seinsgemeinschaft bezogen und diese anderseits als gemeinsame Sehnsucht aller im Geist seufzenden Kreatur nach Offenbarung der Herrlichkeit Gottes und ihrer Befreiung verstanden. Hier ist ein gewisser Parallelismus zum Gedanken K. Kitamoris von der „analogia doloris“ festzustellen[40], mit der er von Gott menschlich und analogisch durch Erfahrungen des Leidens zu reden versucht. Die beiden Auffassungen von der Seinsanalogie geben uns Anlaß, die Wirklichkeit der Welt nicht von der statisch verstandenen Schöpfungsordnung her, sondern ganz und gar eschatologisch, soteriologisch und christozentrisch zu betrachten. Doch stehen sie außerhalb des eigentlichen Anliegens der natürlichen Theologie.

Wenn aber Moltmann die Wirkung des Heiligen Geistes in der Weltgeschichte ausführlich behandelt, der von Vater und Sohn gesandt wird, mit den Leidenden leidet und ihnen die Kraft des neuen Lebens verleiht, die Sünde der Welt zerschlägt und die Erde neu macht, die Menschen in der Hoffnung auf das zukünftige Reich zusammenruft und in die Gemeinschaft Gottes und so die gesamte Schöpfung zum Ziel führt; wenn er diese Wirkung des Geistes nicht nur auf die endzeitliche Gemeinde Christi zeitlich und räumlich beschränkt, sondern in der Kirche und über die Kirche hinaus erkennt, dann ist damit der pneumatologische Ansatz der natürlichen Theologie sachlich gegeben. Die endzeitliche Sendung des Geistes ist zwar letztlich auf Grund des Christusgeschehens zu erklären. Der Geist hat aber nach dem Glaubensbekenntnis in der Geschichte durch die Propheten gesprochen; die Menschheitsgeschichte ist trotz aller Sünde als ganze gleichsam das Meer, über dem der Geist Gottes schwebt[41]. Die innertrinitarische Sendung des Geistes soll nicht allzu raum-zeitlich gedacht werden, sondern schon im Willen der Selbstmitteilung Gottes in der Schöpfung selbst, obwohl diese Selbstmitteilung erst im Christusgeschehen endgültig wird. Für die Schöpfung ist nämlich der Heilswille Gottes vorausgesetzt, d.h., Gott hat den Menschen geschaffen, um sich mitzuteilen[42]. Die Gnade im eigentlichen Sinn ist nichts anderes als diese Selbstmitteilung Gottes selber, die schon mit der Schöpfung mindestens angeboten und der kreatürlichen Freiheit als Möglichkeit ihres Heils vorgegeben ist[43]. Sie verleiht dem Wesen des Menschen eine Dynamik und Finalität auf die Gottesgemeinschaft hin. Sie ist zwar eine absolut

---

[40] ThSchG 52–54; 147; vgl. 4. Kapitel, IV.

[41] Vgl. *K. Rahner*, Geist über alles Leben, in: SchTh VII, 189–196.

[42] K. Rahner nennt diese Selbstmitteilung Gottes „quasi-formale Ursächlichkeit“ der Schöpfung; vgl. Zur scholastischen Begrifflichkeit der ungeschaffenen Gnade, in: SchTh I, 347–375; dazu vgl. auch *K. Fischer*, Der Mensch als Geheimnis. Die Anthropologie K. Rahners (Freiburg i. Br. ²1976).

[43] In der scholastischen Tradition wird sie als gratia increata bezeichnet. Dazu *K. Rahner*, Zur scholastischen Begrifflichkeit der ungeschaffenen Gnade, a.a.O.; *ders.*, Zur Theologie der Gnade, in: SM II, 457f.

gnadenhafte, ungeschuldete Huld Gottes, aber dauernd durch den Heilswillen Gottes dem Wesen des Menschen eingestiftet[44] und kann so nicht getrennt von der sogenannten Einwohnung des Heiligen Geistes gedacht werden, obwohl der Geist endgültig erst auf Grund der Auferweckung des Gekreuzigten den Menschen gesendet wird[45]. Das Natürliche sehnt sich durch den Heiligen Geist nach seiner Vollendung, schließt sich, auch in seiner Gebrochenheit durch die Sünde, für die Gottesbegegnung auf. Der Mensch ist immer im Grund seines Lebens von Gott berührt, und die natürliche Theologie entsteht dann, wenn dieser Mensch seine ursprüngliche Erfahrung in die Formen des ausdrücklichen Verstehens expliziert[46].

3. *Realistische Hoffnung*

a) Die inkarnatorische Dimension des Kreuzes hat eine entscheidende Bedeutung auch für den Begriff „Hoffnung", der in der Mitte der Theologie Moltmanns steht[47]. Die oben genannte dualistische Auffassung von der menschlichen Wirklichkeit verleiht zwar einerseits dem Menschen eine Triebkraft zur Weltveränderung, die über das gegenwärtig Vorhandene hinausgeht und immer auf das in Zukunft Kommende hofft, birgt aber anderseits die Gefahr in sich, einer konsistenten Basis für konkrete Akte der Hoffnung zu ermangeln, denn die Negierung des Vorhandenen kann nur dann zu einer realistischen Hoffnung führen, wenn die menschliche Wirklichkeit auch in ihrer unvollkommenen und so immer weiter zu verbessernden Gestalt doch bejaht wird.

Es ist ohne Zweifel ein großer Beitrag Moltmanns zur christlichen Theologie, daß er die in der Auferweckung des Gekreuzigten begründete Hoffnung des leidenden Menschen zum Schlüsselbegriff sowohl der Selbstidentität als auch der Relevanz des christlichen Glaubens heute macht und sie nicht nur im individuellen Bereich gelten läßt, sondern vor allem in die Breite der Gerechtigkeit und Befreiung der Welt bringt. Sein Anliegen liegt nicht in der Vertröstung des einzelnen Leidenden oder in der Rettung der individuellen Seele, sondern vielmehr in der Veränderung der elenden Weltsituation. Er fordert darum von den an Christus Glaubenden die entsprechende Konkretisierung durch die Tat.

---

[44] *K. Rahner*, Kirche, Kirchen und Religionen, a.a.O. 359.

[45] Vgl. *M. Schmaus*, Heiliger Geist, in: SM II, 615–627.

[46] Dazu vgl. *K. Riesenhuber*, Natürliche Theologie, in: SM III, 691–700, *ders.*, Existenzerfahrung und Religion (Mainz 1968); *E. Simons*, Erkennbarkeit Gottes, in: SM I, 1126–1134.

[47] Vgl. *H. Fries*, Spero ut intelligam. Bemerkungen zu einer Theologie der Hoffnung, in: *L. Scheffczyk* u. a. (Hrsg.), Wahrheit und Verkündigung, Michael Schmaus zum 70. Geburtstag (Wien 1967) 353–375; auch in: DThH 81–105.

„Die kommende Herrschaft des auferstandenen Christus kann man nicht nur erhoffen und abwarten. Diese Hoffnung und Erwartung prägt auch das Leben, Handeln und Leiden in der Gesellschaftsgeschichte. Darum bedeutet Sendung nicht nur Ausbreitung des Glaubens und der Hoffnung, sondern auch geschichtliche Veränderung des Lebens.“[48]

Es fragt sich aber, was diese „Prägung“ der Hoffnung im Handeln eigentlich heißt. Wenn nämlich Moltmann jede vorhandene Gestalt ablehnt und immer nur das in Zukunft Mögliche bejaht, dann scheint nur die formale Dynamik des Menschen, nicht aber deren materiales Objekt geachtet zu sein. „Frieden mit Gott bedeutet Unfrieden mit der Welt, denn der Stachel der verheißenen Zukunft wühlt unerbittlich im Fleisch jeder unerfüllten Gegenwart.“[49] Es wird dann daraus folgen, daß es bei der Hoffnung nur um den Akt des Menschen als solchen geht und es ziemlich gleichgültig bleibt, was der Mensch durch sein Bemühen tatsächlich für die Veränderung der Unerfülltheit tut. Dieser Eindruck wird verstärkt, wenn Moltmanns Pessimismus über das menschliche Bemühen um die Überwindung des Bösen hervortritt: „Man könnte sich fragen, ob das Leiden, das in der Welt ist und auf den Menschen liegt, durch den Kampf der Menschen dagegen von Anbeginn an eigentlich kleiner geworden ist... Wir sind auch gewiß im Kampf gegen Hunger, Seuchen, Unterdrückung und Krieg gelegentlich erfolgreich. Es könnte aber sein, daß wir in den meisten Fällen die Masse des Leidens auf ständig verschieben. Wir überwinden unseren Hunger und lassen andere dafür verhungern. Wir werden immun gegen die Pest und anfällig für Zivilisationskrankheiten. Wir verschieben fortgesetzt die Lasten des Leidens auf andere Menschen oder auf andere Bereiche unseres Lebens und gewinnen so den Eindruck seiner Überwindung. Dieser Eindruck trügt und betrügt.“[50]

b) Nach dem gleichen Sachverhalt kann auch unter dem Aspekt des Verhältnisses von menschlichem Bemühen und Zukunft des Reiches Gottes gefragt werden. Wenn einerseits gesagt wird, der Christ sei zur Veränderung der Welt berufen, aber anderseits, das menschliche Bemühen könne im Grunde nichts Wesentliches für das kommende Reich beitragen, dann ist das theologisch inkonsistent. Hier liegt auch ein problematischer Punkt in Moltmanns Auseinandersetzung mit Bloch. Wenn Moltmann den blochsch-marxistischen, ursprünglich aus jüdisch-christlicher Wurzel stammenden, aber lange in der christlichen Tradition in Vergessenheit geratenen Begriff der Hoffnung wieder in die christliche Theologie einzubringen versucht, hält er die Begründung dieser Hoffnung

---

[48] ThH 304.
[49] ThH 17.
[50] Das Leiden des Menschensohnes, a.a.O. 33f.

nur im christlichen Sinne für möglich, weil die Hoffnung des Menschen über den Tod hinaus vor einem materialistischen Weltanschauungshorizont nicht mehr als eine zwar um des Fortschritts der Menschheit willen positiv zu bejahende, aber in der Sache nicht zu begründende Projektion des Menschen ist, und weil die Frage nach dem Tod des Menschen, die jeden Menschen so entscheidend angeht, ohne den der unverzichtbaren Sehnsucht des Menschen nach Erfüllung seiner Person entsprechenden Grund in der Verheißung Gottes selbst zu bejahen, keine existentiell befriedigende Antwort findet[51]. Nun soll allerdings gefragt werden, ob mit der christlichen Korrektur der Hoffnungsphilosophie ihr eigentliches Anliegen vom Streben des Menschen nach einer besseren Welt nicht die logisch konsistente Basis verliert, wenn die verheißene Zukunft des Reiches Gottes völlig unabhängig vom menschlichen Bemühen geschieht[52].

c) Wenn Moltmann sagt: „spero ut intelligam"[53] und die Möglichkeit der Begegnung des vor uns stehenden und uns berufenden Gottes nur im aktiven Bemühen um die Verbesserung der Welt sieht, fragt sich doch, ob nicht diese Art der Hoffnung nur eine subjektive Funktion ist, um der Verheißung Gottes zu entsprechen und von Gott angenommen zu werden. Es fragt sich, ob die teilweise Erfüllung, die Moltmann zwar keineswegs verachten will[54], aber wegen des novum ultimum immer hinter sich lassen zu müssen glaubt, überhaupt etwas zum Kommen des novum ultimum beiträgt, ob die Weltgeschichte im Grunde nichts anderes als eine Bühne ist, auf der die Hoffnung als bloß formale Struktur des Menschen ihren Ausdruck findet, ihr Schicksal aber letztlich allein durch Gott entschieden wird.

„Im praktischen Widerstand und in schöpferischer Neugestaltung stellt die christliche Hoffnung das Bestehende in Frage und dient so dem Kommenden. Sie überholt das Vorfindliche in Richtung auf das erwartete Neue und sucht nach Gelegenheiten, der verheißenen Zukunft in der Geschichte immer besser zu entsprechen."[55] Es fragt sich aber, welche wirkliche Rolle dieser Dienst und „die Mitarbeit am Reiche Gottes"[56] spielen. Die „Inkarnation des Glaubens", die „Gestaltwerdung der Hoffnung" und die „irdische, geschichtliche Entsprechung zum erhofften und verheißenen Reich Gottes und der Freiheit"[57] können nur dann eine wahrhaft „schöpferische Nachfolge"[58], ein Dienst und eine Mit-

---

[51] Vgl. Das „Prinzip Hoffnung" und die christliche Zuversicht, a. a. O.; Messianismus und Marxismus, a. a. O.; Die Menschenrechte und der Marxismus, a. a. O.

[52] Dazu *K. Rahner:* „Wir Christen haben uns ... vom Marxismus fragen zu lassen, wie ernst wir Christen eigentlich die Welt nehmen, die uns zu tun aufgetragen ist. Ist sie für uns nur das im letzten gleichgültige Material, an dem wir unsere Tugenden üben?" (Über die theologische Problematik der ‚neuen Erde', in: SchTh VIII, 587f; vgl. auch *ders.*, Marxistische Utopie und christliche Zukunft des Menschen, a. a. O. 77–88).

[53] ThH 28. [54] ThH 28. [55] ThH 305.

[56] ThH 305, 307. [57] ThH 308. [58] ThH 308, 309.

arbeit sein, wenn das, was durch sie für die Entwicklung der Weltgeschichte geleistet wird, auch wenn dies alles nur von Gnade getragen möglich ist, ernst genommen und als konstitutiv für das kommende Reich Gottes angesehen wird. Die Theologie der Welt ist inkonsistent, wenn nicht der Sinn der Wirklichkeit der Welt in Kontinuität mit dem kommenden Reich gesehen wird. Diese Kontinuität muß nicht eine ideologische Identifizierung von innerweltlicher Utopie und Reich Gottes sein. Aber die Treue zur Erde kann nicht echt sein, wenn die Mitarbeit des Menschen nicht konstitutiv für das Heil der Welt ist.

Die christliche Eschatologie unterscheidet sich von der Ideologie der innerweltlichen Utopie und hofft auf die Umwandlung der Welt im Reich Gottes[59]. Die Gegenwart der Weltwirklichkeit ist aber nicht nur eine vorgegebene Situation, in der der Mensch seine Tugenden übt, sondern wird als solche, die von Gott angenommen und transformiert werden soll, ernst genommen. Gerade die theologische Überlegung zum Tod des einzelnen Menschen hilft, eine Deutung auch der Vollendung der gesamten Weltgeschichte zu geben[60]. Das endgültige Reich Gottes, das die Geschichte aufhebt, ist zwar einerseits die absolut freie, nicht von unserer Planung erreichbare Tat Gottes. Den „Zeitpunkt der Vollendung der Erde und der Menschheit kennen wir nicht, und auch die Weise wissen wir nicht, wie das Universum umgestaltet werden soll“[61]. Man kann sich keine Vorstellung machen hinsichtlich der Geschichte in ihrer Endgültigkeit, genausowenig wie hinsichtlich des verklärten Leibes des Menschen bei der Auferwekkung. Anderseits wird aber, wie die Geschichte des einzelnen Menschenlebens für sein Heil konstitutiv ist, auch die konkrete Wirklichkeit der Geschichte als solche in die verklärte Endgültigkeit eingebracht. Das liegt in der Dimension der Menschwerdung Gottes, in der Gott selbst die Wirklichkeit des Menschen in ihrer letzten Radikalität ernst nimmt[62].

---

[59] Vgl. Pastoralkonstitution des Zweiten Vatikanums über die Kirche in der Welt von heute, Kap. 3: Das menschliche Schaffen in der Welt, 33–39, LThKE III, 378–397, bes. 38 und 39, a. a. O. 390–397.
[60] K. Rahner: „Geschichte und ihre vollendete Endgültigkeit sind immer unterschieden und getrennt durch das, was in der individuellen Geschichte als Tod erfahren wird und eine radikale ‚Verwandlung‘ bedeutet, die die Gesamtgeschichte ebenso trifft wie der Tod die Geschichte des Einzelnen“ (Über die theologische Problematik der ‚neuen Erde‘, a. a. O. 589).
[61] Pastoralkonstitution, a. a. O. 393.
[62] Vgl. *K. Rahner*, Über die theologische Problematik der ‚neuen Erde‘, a. a. O. 580–592; *ders.*, Experiment Mensch, in: SchTh VIII, 260–285; *ders.*, Christlicher Humanismus, in: SchTh VIII, 239–259; *J. Ratzinger*, Heil, in: LThK V, 78–80; *J. B. Metz*, Welt, in: LThK X, 1023–1026; *H. Fries*, Reich Gottes, in: LThK IX, 1117–1126; *H. R. Schulte*, Welt, in: HThG IV, 393–406, bes. 404f.

4. *Gestalthaftigkeit des Glaubens*

a) Wir haben bereits gesehen, daß Moltmann den im Namen der Autorität seiner Religion Gekreuzigten in Gegensatz zum religiösen Bedürfnis des Menschen stellt[63]. „Die ‚Religion des Kreuzes' ist ein Widerspruch in sich selbst, denn der gekreuzigte Gott ist der Widerspruch in dieser Religion. Diesen Widerspruch aushalten heißt, von seinen ‚religiösen Traditionen Abschied zu nehmen'; heißt, von seinen religiösen Bedürfnissen frei zu werden."[64] Der christliche Glaube muß nach Moltmann seine geschichtlichen, verweltlichten Gestalten überwinden und die ursprüngliche, unverstellte Härte des Kreuzes ernst nehmen. Das Religiöse ist fremd für den Glauben aus dem Kreuz[65]. Darin liegen zwar ohne Zweifel viele Wahrheitsmomente, die für uns heute relevant sind, insbesondere sein Anliegen, das unter den traditionellen institutionalisierten Formen verdeckte Ursprüngliche des christlichen Glaubens wiederherzustellen. Vor allem wenn in den bisherigen Missionstätigkeiten die von der europäischen Kultur geprägte Gestalt den in anderen Kulturbereichen lebenden Völkern aufgezwungen worden ist und die Verkündigung der Botschaft heute gerade dadurch sich in einer Sackgasse befindet, ist es sicherlich eine dringende Aufgabe der Theologie, das eigentlich Christliche von seinen Umkleidungen zu befreien. Anderseits ist dabei eine spiritualistische Unterschätzung der Gestalthaftigkeit des Glaubens nicht zu verkennen. Der Mensch erscheint aber als Geist-Leib-Wesen in der Welt nur durch seine Gestalt. Die von der Tradition des Protestantismus herkommende spiritualistische Tendenz Moltmanns ist mit dem von ihm selbst zurückgewiesenen Dualismus des europäischen Denkens tief verbunden, während in der östlichen Tradition die Gestalt des Menschen immer mit seiner Persönlichkeit selbst so identifiziert ist, daß der Mensch als leiblicher Geist seine konkret innerweltlich ausgedrückte Gestalt selbst ist[66]. Die Gestalt des Menschen, d. h. sein Leib und seine leibhaften Vollzüge, ist eine Wirklichkeit, in der dieser Mensch gegenwärtig ist, ohne in dem, was an ihr sichtbar ist, restlos

---

[63] Vgl. Kap. 6, 2.

[64] GG 43.

[65] GG 38ff.

[66] In der Zen-Buddhistischen Tradition und in anderen verschiedenen Kulturformen Japans herrscht die Vorstellung, daß der Mensch sich gerade im Ausrichten seiner Gestalt unmittelbar ausrichtet. Wenn paradoxerweise gesagt wird, der Geist sei zwar leicht nachzuahmen, aber die Gestalt nicht (Motoori Norinaga), dann heißt das nur, daß nicht ein bloßer willkürlicher Gedanke oder eine Idee den Menschen bestimmen, sondern nur seine gelebte Gestalt offenbaren kann, wer er ist. Die spiritualistische Tendenz der protestantischen Theologie erscheint darum in den Augen östlicher Denker als ein typisches Phänomen des europäischen Intellektualismus, von dem keine dauerhafte Beeinflussung auf den Geist der Missionsländer Asiens erwartet werden kann, obwohl die geistige Haltung des Ostens ihrerseits in der Gefahr steht, den Glauben auf einen vom Leben getrennten Ritus zu fixieren.

aufzugehen. Der Glaube als eine personale Grundeinstellung dieses Menschen kann auch nur durch seine Gestalt vollzogen werden[67].

Auch die Offenbarung Gottes ist, um vom Menschen angenommen werden zu können, nur in der Gestalt möglich[68]. Gott will sich aus seiner absoluten Freiheit dem Menschen in der Gestalt des geschichtlich gewirkten, unwiderruflich und einmalig gestifteten Bundes mitteilen, deren Fülle sich im Christusgeschehen findet. Im Dasein dieser konkret geschichtlichen Person Jesu von Nazareth nimmt Gottes Liebe Gestalt an.

Weil Gott sich in der Christusgestalt mitteilt, weil man durch sie Gott begegnet, wird Christus im eigentlichen Sinn das Ursakrament Gottes genannt[69]. Diese Gestaltwerdung Gottes vollendet sich aber letztlich in der sogar anstößigen Gestalt des Kreuzes, das in den Augen der Menschen gleichsam Zerstörung der Gestalt genannt werden kann, das für Juden ein Ärgernis, für Griechen eine Torheit ist. Gerade darin nimmt Gott die von der Sünde erkrankte Gestalt auf sich, um sie in die neue Wirklichkeit zu verwandeln[70]. Weil Gott Gestalt annimmt, um sich dem Menschen mitzuteilen und weil der Mensch nur in der Gestalt Gott begegnen kann, darum ist die Bejahung der Gestalthaftigkeit des Glaubens schon in den Grundzügen der Kreuzestheologie selber impliziert. Der Bruch des Gesetzes durch das Kreuzesgeschehen spricht zwar gegen eine Verabsolutierung einer bestimmten Gestalt, Autorität, Institution, die gerade eine

---

[67] Denselben Sachverhalt nennt *K. Rahner* „Real-Symbol". Vgl. Zur Theologie des Symbols, in: SchTh IV, 275–311; *J. Splett*, Symbol, in: SM IV, 784–789; *H. R. Schlette*, Symbol, in: HThG IV, 169–177.

[68] Über den Begriff der Offenbarungsgestalt vgl. *H. U. von Balthasar*, Herrlichkeit I, bes. 191ff, 413ff; *F. Momose*, H. U. von Balthasar ni okeru Kirisutokyō keiji no Biteki Rikai (Das ästhetische Verständnis der christlichen Offenbarung bei H. U. von Balthasar), Katorikkū Kenkyu (Katholische Forschung) 22 (1972) 383–402.

[69] Dazu *K. Rahner:* „Der menschgewordene Logos ist das absolute Symbol Gottes in der Welt ... also nicht nur die Anwesenheit und Offenbarung dessen in der Welt, was Gott in sich selbst ist, sondern auch das ausdrückende Da-sein dessen, was (oder besser: wer) Gott in freier Gnade der Welt gegenüber sein wollte ..." (Zur Theologie des Symbols, a. a. O. 293f); vgl. auch *ders.*, Die ewige Bedeutung der Menschheit Jesu für unser Gottesverhältnis, SchTh III, 47–60; *E. H. Schillebeeckx*, Christus, Sakrament der Gottesbegegnung (Mainz 1960) bes. 23–49; *J. Splett*, a. a. O. 78ff; *R. Schulte*, Sakrament, in: SM IV 327–341, besonders 238f; *H. R. Schlette*, Sakrament, in: HThG IV, 13–22.

[70] Dazu *H. U. v. Balthasar:* „... was Gott mir innerlich als sein erleuchtendes und begnadendes Wort zuspricht, hat nicht zufällig, sondern wesenhaft die Gestalt, die Jesus Christus in der Öffentlichkeit der Geschichte hat ... Das ganze Geheimnis des Christentums, worin es sich radikal von jedem andern Religionsentwurf unterscheidet, ist, daß die Gestalt, weil sie von Gott her gesetzt und bejaht wird, nicht im Gegensatz steht zum unendlichen Licht, und, obwohl sie als endliche und weltliche Gestalt sterben muß, wie alles Schöne sterben muß auf Erden, dennoch nicht ins Gestaltlose untergeht, eine unendliche tragische Sehnsucht hinterlassend, sondern zu Gott hin *als Gestalt* aufersteht, als die Gestalt, die nun endgültig in Gott selber eins geworden ist mit dem göttlichen Wort und Licht, das Gott der Welt zugedacht und geschenkt hat" (Herrlichkeit I, 208).

Fehlform der Gestaltung ist, weil die Gestalt selbst noch nicht das ist, was durch sie ausgedrückt wird. Die Gestalt des Glaubens ist geschichtlich und muß, wie Moltmann mit Recht betont, ständig geprüft und auf ihre bessere Entsprechung hin überwunden werden. Anderseits aber ist in der Gestaltwerdung Gottes Möglichkeit und Notwendigkeit der Gestalt des Glaubens gegeben. Die Aufnahme der heidnischen Symbole in die Gestalt des christlichen Glaubens ist in der Gestaltannahme Gottes begründet. Das Ärgernis des Kreuzes Jesu begründet auch die Möglichkeit des Glaubens, der manchmal an der Vermittlungsgestalt Anstoß nimmt[71]. In der fremdzwecklichen vergänglichen Vermittlungsgestalt darf das Menschlich-Vermittelnde nicht als ein der Christusgestalt bloß äußerliches, fremdes und sie deshalb verdunkelndes Moment angesehen werden[72].

b) Die Unterschätzung der Gestalthaftigkeit des Glaubens hat natürlich eine unmittelbare Folge für die Auffassung von Kirche, Sakramenten und Kultformen, Dogmen und Ämtern. Der Kirchenbegriff Moltmanns ist ganz und gar von seiner Hoffnungseschatologie bestimmt: „Das Volk des auferweckten Gekreuzigten kann darum nicht gut als Fortsetzung der Inkarnation Gottes in Christus beschrieben werden. Zwischen ihm und dem Menschgewordenen steht sein erlösender Tod, der ein für allemal und darum unwiederholbar geschehen ist. Der in die kommende Herrlichkeit Gottes auferweckte Christus ist seiner Kirche unendlich voraus... Durch seinen Tod am Kreuz ist Christus ein für allemal Grund der Kirche. Durch seine Auferweckung in das Reich des kommenden Gottes ist er für Zeit und Ewigkeit ihre Zukunft."[73] Die Kirche hat nach Moltmann als eine Exodusgemeinde ihre eigentliche Funktion in der Weltgeschichte[74]. Sie ist die Gemeinde der Glaubenden, die durch die Verheißung Gottes aus ihrer Vergangenheit herausgeführt auf das kommende Reich der Gerechtigkeit und Freiheit hofft. Sie ist in der Auferweckung des Gekreuzigten zum Dienst für die Welt gestiftet. Ihre Existenzberechtigung liegt nur in ihrer Sendung, das antizipatorische Zeichen des kommenden Reiches[75] und das

---

[71] In dieser Notwendigkeit und gleichzeitig geschichtlichen Bedingtheit der Gestalt des Glaubens liegt die Problematik der Katholizität der christlichen Kirche. Zeichen, Riten und Symbole des Glaubens sind je nach der Kultur wandelbar. Es ist darum eine Aufgabe der christlichen Verkündigung in Missionsländern, für sich eine entsprechende Gestalt zu finden. Dazu vgl. *H. R. Schlette:* „Nahezu alle ‚christlichen' Symbole waren ursprünglich selbst ‚heidnisch'; ihre Geschichte lehrt, daß die Entfaltung einer nichtabendländischen, aber noch christlichen Symbolik im Hinblick auf die Katholizität der Kirche dringend erforderlich ist. Auch hier könnte die *humanitas* des Christlichen sichtbar werden" (Symbol in: HThG IV, 175).

[72] Vgl. *H. U. von Balthasar,* a.a.O. 507.

[73] Jesus und Kirche, a.a.O. 59.

[74] ThH 280–312, bes. 299ff.

[75] KKG 220.

Experimentierfeld der Hoffnung in dieser Leidensgeschichte zu sein[76]. Die Kirche als Institution ist darum nach Moltmann weniger wichtig als die Christenheit, weil der Heilige Geist, der Menschen in die Gemeinschaft des Lebens hineinführt – worauf es letztlich ankommt –, auch außerhalb ihrer Leiblichkeit wirkt[77].

„In den Bewegungen der trinitarischen Geschichte Gottes mit der Welt findet die Kirche sich selbst... Nicht sie hat eine Mission des Heils an der Welt zu erfüllen, sondern die Mission des Sohnes und des Geistes durch den Vater hat sie und schafft sich auf ihrem Wege Kirche."[78]

Moltmanns berechtigtes Anliegen ist es, die Kirche ganz und gar christologisch, in der durch das Christusgeschehen begründeten eschatologischen Geschichte des Geistes aufzufassen. Allerdings wird dabei die Dimension der Kirche als einer sakramentalen Größe nicht genügend berücksichtigt. Wenn die Kirche in den neutestamentlichen Schriften und in der Tradition oft als Leib Christi bezeichnet wird[79], besteht zwar die Gefahr des ekklesiologischen Monophysitismus, undifferenziert die Kirche mit Christus selbst gleichzusetzen[80] und dadurch die sichtbare Gestalt der Kirche zu verabsolutieren, wogegen mit Recht die protestantische Tradition gekämpft hat. Das Bild des eschatologischen Volkes Gottes ist darum eine Ergänzung dieser vielseitigen Wirklichkeit der Kirche. Die Kirche ist ein wanderndes Volk in das verheißene Reich, ist von ihrer Geburt bei der Auferweckung des Gekreuzigten bis zur vollkommenen Offenbarung der Herrlichkeit Gottes noch unterwegs, so daß sie sich nicht mit dem Reich Gottes selbst identifizieren kann[81]. Anderseits aber muß der Aspekt der Kirche als Leib Christi ernst genommen werden. Sie ist mehr als eine bloße Summe der an Christus Glaubenden. Sie ist eine Vermittlungsgestalt, durch die die Christusgestalt selbst sich in Zeit und Raum der Weltgeschichte fortsetzt. Als Fortsetzung der Christusgestalt ist sie das Realsymbol der Gegenwart seiner Heilstat in der Welt[82].

Gerade deswegen, weil die Kirche ein Zeichen der Gegenwart des menschge-

---

[76] EFSch 64–76.
[77] PTh 31. [78] KKG 81.
[79] Vgl. *H. Schlier – J. Ratzinger*, Leib Christi, in: LThK VI, 907–912.
[80] Vgl. *H. Fries*, Kirche, in: HThG II, 457.
[81] Das Zweite Vatikanische Konzil hat diesen eschatologischen Aspekt der Kirche betont und die Kirche als ecclesia peregrinans bezeichnet; vgl. Die dogmatische Konstitution über die Kirche, bes. n. 1–8, in: LThKE I, 156–175; n. 48–51, a.a.O. 314–325. Dazu vgl. auch *K. Rahner*, Kirche und Parusie Christi, in: SchTh VI, 348–368.
[82] Vgl. *K. Rahner*, Zur Theologie des Symbols, a.a.O. 297f; O. Semmelroth nannte diese Wirklichkeit der Kirche „Ursakrament" (Die Kirche als Ursakrament [Frankfurt a.M. 1953]). Dabei heißt sie „Ur"-Sakrament gegenüber den verschiedenen sakramentalen Vollzügen in der Kirche. Dazu auch *K. Rahner*, Kirche und Sakramente (= Quaestiones disputatae 10) (Freiburg i.Br. 1961); *E. H. Schillebeeckx*, a.a.O. bes. 23ff und 57ff.

wordenen Logos ist, kann sie sich nicht mit dem Bezeichneten selbst identifizieren. Sie kann nur den bezeichnend, der sich in ihr vergegenwärtigt und sie so belebt, Kirche bleiben. Darum scheitert jede Form der triumphalistischen Selbstverherrlichung der Kirche an ihrem eigenen Wesen. Doch ist die Kirche, auch als eine gesellschaftliche Größe, das Symbol der durch Christus in die Welt gebrachten, über die Sünde des Menschen siegreich triumphierenden Gnade Gottes.

c) Das Problem der Gestalthaftigkeit des Glaubens trifft am schärfsten den eucharistischen Kult, denn in der Eucharistie kommt die inkarnatorische Dimension des Kreuzes Jesu am deutlichsten zur Erscheinung, in ihr sind alle Sakramente und religiösen symbolischen Akte der Kirche zusammengefaßt; indem Eucharistie gefeiert wird, entsteht die Kirche. Moltmann stellt auch hier das Kreuz Jesu in Gegensatz zum Kult. Nach ihm ist die Eucharistie religionsgeschichtlich als Beeinflussung des christlichen Glaubens durch den antiken Opferkult zu betrachten[83], denn als die christliche Kirche an die Stelle der Gesellschaftsreligionen trat, „fand die unblutige Wiederholung des Selbstopfers Christi an eben jener integralen Stelle im öffentlichen Leben und der privaten Frömmigkeit statt, an der die alten Opferreligionen zelebriert und wirksam geworden waren"[84]. Dadurch wird der eigentliche Sinn des Kreuzes Jesu verdrängt, der Kreuzestod Jesu wird zum göttlichen, transzendenten Hintergrund für die Kultpraxis der Kirche gemacht[85], „und damit wird jedes einmalige, historische und eschatologische Geschehen der Hingabe Christi in die kultischen Wiederholungen der Kirche hinein aufgehoben, die in modifizierter Analogie zum allgemein-religiösen Opferverständnis zelebriert werden."[86] Das Kreuz Jesu muß aber nach Moltmann eigentlich als „das Ende des Kultus"[87] verstanden werden. „Sein Tod ist kein wiederholbares oder übertragbares Opfer."[88] Er ist von diesem einmaligen Tode endgültig auferweckt... Er läßt sich nicht zu einer ewig sterbenden und auferstehenden Kultgottheit umdeuten."[89] Die Eucharistie kann nach ihm nur in der Form der Verkündigung sinnvoll gefeiert werden. Der Sinn der Eucharistiefeier besteht darin, daß sie uns an den Tod Christi erinnert und die Hoffnung auf die neue Schöpfung weckt, bis er wieder kommt[90]. Sie ist „in der Einheit von Erinnerung und Hoffnung eine Demonstration gegenwärtiger Freude an der Gnade"[91]. „Die Abendmahlsgemeinde ist nicht Inhaberin sakraler Gegenwart des Absoluten, sondern wartende, erwartende und die Gemeinschaft mit dem kommenden Herrn suchende Gemeinde."[92] Die Eucharistie darf keine Christianisierung der Kulte der reli-

[83] GG 44ff. [84] GG 45. [85] GG 45. [86] GG 45.
[87] GG 46. [88] GG 46. [89] GG 46. [90] GG 46.
[91] EFSch 36. [92] ThH 301.

giösen Gesellschaften, sondern muß vielmehr die Ausbreitung des Wortes vom Kreuz sein[93]. Weil das Kreuz die kultische Trennung des Religiösen und des Profanen aufhebt, muß die Eucharistie auch „in Entsprechung zu den Mahlfeiern Jesu mit ‚Sündern und Zöllnern', mit den Ungerechten, Rechtlosen und Gottlosen von den ‚Hecken und Zäunen' der Gesellschaft mitten in ihrer Profanität gefeiert werden"[94].

Dazu soll von der katholischen Auffassung der Eucharistie her folgendes gesagt werden. Es ist das berechtigte Anliegen Moltmanns, den Verkündigungscharakter der Eucharistie in den Vordergrund zu stellen, um die Gestalt der Kirche von der weltfremden, in ihrem eigenen Kreis sich verschließenden, die Wirklichkeit der Welt in der sakralen Vergegenwärtigung Gottes außer acht lassende Frömmigkeit zu bewahren[95]. Die Eucharistie ist gewiß eine eschatologische Symbolhandlung des einst zu vollendenden himmlischen Mahles mitten in dieser noch unerlösten Welt, sie ist das durch den Kreuzestod Christi gegründete Zeichen der Einheit und der Vereinigung der neuen Schöpfung. Die Betonung des Verkündigungscharakters darf aber nicht so weit gehen, daß dadurch jeder kultische Charakter der Eucharistie negiert wird. Die soziale Relevanz des Kreuzes hebt nicht unbedingt den Kultus auf. Auch die religionsgeschichtlich festzustellende Vereinnahmung des Kultes kann nicht unbedingt negativ beurteilt werden, wenn das Religiöse des Menschen letztlich als natürliche Sehnsucht des Menschen nach Gott betrachtet wird. Vielmehr können diese antiken Bilder vom eigentlichen Bild her als auf es hinweisend und in ihm sich vollendend betrachtet werden. Der Glaube des Menschen muß sich explizit in einer Gestalt äußern, und zwar findet er in der Eucharistie seine eigentliche Gestalt, die alles implizit danach Verlangende in sich schließt.

Es ist ferner ein Mißverständnis des katholischen Meßopfers, wenn in ihm eine reale Wiederholung des Opfertodes Christi gesehen wird[96]. Die richtig verstandene Anamnesis der Eucharistie widerspricht der eschatologischen Endgültigkeit des Kreuzes nicht. Denn die Erlösungstat Christi ist ein für allemal geschehen und wird in der Eucharistie raumzeitlich vergegenwärtigt. Anderseits ist aber nach der katholischen Tradition das Gedächtnis des Todes und der Auferstehung Christi nicht ein bloßes Zurückdenken des Menschen an das in der

---

[93] GG 46.
[94] GG 46f.
[95] Dazu vgl. *J. B. Metz:* „Sein Kreuz steht nicht im Privatissimum des individuell-persönlichen Bereichs, es steht auch nicht im Sanctissimum eines rein religiösen Bereichs" (Zur Theologie der Welt, 104; zitiert von Moltmann, GG 46).
[96] Dazu vgl. *J. Betz,* Eucharistie, in: HThG I, 386; *K. Rahner – A. Häussling,* Die vielen Messen und das eine Opfer. Eine Untersuchung über die rechte Norm der Meßhäufigkeit (= Quaestiones disputatae 31) (Freiburg i. Br. 1966); *H. U. v. Balthasar,* Die Messe, ein Opfer der Kirche? in: *ders.,* Spiritus Creator (Einsiedeln 1967) 166–217.

Vergangenheit Geschehene. Sie glaubt, daß der vom Tode Auferstandene in dieser Gestalt sein Werk bis zum Ende der Welt fortsetzt. Die einmalige Hingabe Christi für die Welt hat nicht nur in der subjektiven Gesinnung des Menschen mit der gegenwärtigen Welt zu tun, sondern setzt ihre Wirkung real fort. So ist Christus die Gestaltwerdung der Selbstmitteilung Gottes, so ist diese Gestalt durch die Vermittlungsgestalt heute in der Welt gegenwärtig gegeben, damit das schon im Christusgeschehen in der Welt angebrochene Reich Gottes bis zu seiner endgültigen Vollendung wächst. Die Verkündigung des Wortes vom Kreuz kann darum nicht von diesem Verständnis des Sakraments getrennt gedacht werden[97]. Das ist die inkarnatorische Dimension des Kreuzes Jesu, in der durch die Gestalt Gottes schöpferische Liebe mitgeteilt wird.

II. Gottes Sein im Werden

Während im letzten Abschnitt die Gestaltwerdung Gottes unter dem Aspekt der „Gestalt“ betrachtet wurde, soll nun aus der Überlegung der inkarnatorischen Dimension des Kreuzes nach dem „Werden“ Gottes gefragt werden. Unsere Anfrage aus der Position der katholischen Tradition an die Kreuzestheologie Moltmanns verlagert nämlich ihr Gewicht von den aufs Leben konkret gezogenen Schlußfolgerungen jetzt auf ihre Wurzel, das Gottesverständnis selbst, das in seiner trinitarischen Betrachtung des Kreuzesgeschehens zu Grunde liegt. Moltmann stellt das Gottesverständnis seiner Kreuzestheologie in Gegensatz zu dem der Metaphysik. Der Gott der Heiligen Schrift ist nach ihm nicht das durch menschliche Vernunft geforderte, absolute, ewige und unveränderliche Sein, sondern der menschliche Gott, der in der Geschichte den Menschen zu seinem Bundespartner macht, und vor allem der Gott, der sich im Kreuz Jesu sub specie contraria offenbart, d. h. der verborgene Gott, der sich in der Gestalt des Schwachen, Armen und Niedrigen offenbart im Gegensatz zum glorreichen Gott, den der Mensch aus seinem eigenen Verlangen nach Vergöttlichung projiziert. Nun, dieser Konflikt der Offenbarungstheologie mit der natürlichen Vernunft des Menschen wird besonders deutlich in der Problematik der Veränderlichkeit Gottes. In unserer Betrachtung der trinitarischen Dimension des Kreuzes haben wir festgestellt, daß Moltmann im Kreuzesgeschehen eine innergöttliche Spaltung sieht und von da aus so weit geht, eine noch offene Geschichte Gottes als Horizont der Weltgeschichte zu denken. Das Anliegen der Theodizeefrage angesichts der elenden Situation der Welt bewegt

---

[97] Dazu vgl. *K. Rahner*, Wort und Eucharistie, in: SchTh IV, 313–355.

ihn[98]. Dabei muß allerdings kritisch geprüft werden, ob seine Auffassung, trotz aller Wahrheitsmomente, nicht einige Denkschwierigkeiten aufwirft, die der Möglichkeitsbedingung des Denkens widersprechen.

1. *Unveränderlichkeit Gottes*

a) Die Unveränderlichkeit Gottes wird in der Tradition der christlichen Gotteslehre als Negation dessen, was in der Erfahrung des menschlichen Lebens Vergänglichkeit und Untreue darstellt, durch die natürliche Vernunft gefordert. Nämlich alles, was veränderlich ist, wird durch andere Ursachen verändert und ist metaphysisch kontingent. Gott, das absolute Sein, kann aber nicht intrinsece veränderlich sein[99]. Moltmann setzt dazu seine Antithese, daß im Unterschied zu dieser metaphysischen Auffassung der Gott der Heiligen Schrift sich als Bundespartner des Menschen verändert. Er ist im Sinn seiner Treue zur Verheißung unveränderlich. Auch wenn die Untreue des Menschen den Bund bedroht, steht die Treue Gottes seinerseits fest. Die Unveränderlichkeit Gottes in diesem biblischen Sinne ist allerdings, was Moltmann mit Recht kritisiert, oft in der traditionellen Theologie allzu einseitig auf der ontologischen Ebene begriffen worden. Derselbe Vorgang ist auch festzustellen bei dem Mose geoffenbarten Rufnamen Gottes: „ich bin der ‚ich-bin-da'" (Ex 3, 14), d.h., die Garantie Gottes, daß er in jeder Lage des Volkes bei ihm sei und ihm helfe, wurde als ein Attribut des Wesens Gottes interpretiert[100]. „Die Negation der Veränderlichkeit, mit der hier allgemein Gott und Mensch unterschieden werden, muß nicht zum Schluß seiner inneren Unveränderlichkeit führen. Ist Gott nicht so passiv durch anderes veränderlich wie das Geschöpf, so kann er doch in sich frei sein, sich selbst zu verändern, und auch frei sein, sich aus eigenem Willen durch anderes verändern zu lassen ..."[101]

Dieselbe Problematik wird noch deutlicher in der Frage nach der Leidensfähigkeit Gottes. Wenn nämlich die Veränderlichkeit Gottes wegen der Passivität in Frage gestellt wird, wird die Passivität noch problematischer in der Leidensfähigkeit Gottes, denn das Leiden heißt nach natürlichem Verständnis, eine gegen den eigenen Willen aufgezwungene Last zu tragen. Im metaphysischen Denken

---

[98] Vgl. 4. Kapitel, II (1) und (2).
[99] Vgl. *Thomas v. Aquin,* Contr. Gent. I, c. 15; Sth I, q. 2, a. 3, tertia via; q. 9, a. 1–2; q. 10, a. 1–6; *Augustinus,* De civitate Dei, I, XII, cap. 13–20; *W. Brugger,* Theologia naturalis, 63–73, 293–301.
[100] Vgl. *G. von Rad,* Theologie des Alten Testaments I, 182; *W. Pannenberg,* Die Aufnahme des philosophischen Gottesbegriffs als dogmatisches Problem der frühchristlichen Theologie, ZKG 70 (1959) 1–45, auch in: GSTh 296–346.
[101] GG 216.

ist darum das Leiden für Gottes Sein unmöglich. Moltmann stellt aber hier wiederum seine Antithese auf, weil die Leidenslosigkeit Gottes in der Metaphysik aus der menschlichen Erfahrung als Negation des als Mangel aufgefaßten Leidens behauptet wird. Er sieht darin eine stoische Prägung der christlichen Gotteslehre, die Apathie als Ideal betrachtet, den Intellekt der Emotion vorzieht, so daß die Existenz des Menschen, die emotionelle Bewegungen wie Freude, Zorn und Trauer transzendiert, als A-Pathie idealisiert wird[102]. Wenn aber diese Apathie als Negation des Negativen verabsolutiert und auf den Gottesbegriff angewendet wird, entsteht ein unbiblisches Gottesbild. Nach Moltmann ist der Gott der Heiligen Schrift der Gott, der wegen der Untreue des Volkes zornig wird und über das Unglück des Volkes trauert.

Moltmann selbst gebraucht hier stillschweigend eine Analogie aus der menschlichen Erfahrung und analysiert das Wesen des Leidens: Das Leiden ist die Kehrseite der Liebe. Wer liebt, erlebt das Unglück seines Geliebten mit[103]. Wer leidensunfähig ist, ist auch liebesunfähig. Gott wird auf das Volk zornig, weil seine Liebe zum Volk vorausgesetzt ist und diese Liebe verletzt wird. Gott trauert über das Unglück des Volkes wegen seiner Liebe. Der liebesfähige Gott muß also nach Moltmann als leidensfähig bezeichnet werden. „Wäre Gott in jeder Hinsicht und also in einem absoluten Sinne leidensunfähig, so wäre er auch liebesunfähig... Wer liebesfähig ist, ist auch leidensfähig, denn er öffnet sich selbst den Leiden, die die Liebe einbringt, und bleibt ihnen doch kraft seiner Liebe überlegen."[104]

Nach Moltmann wird dieser Begriff des sich verändernden und leidenden Gottes deutlich am Geschehen Jesu. Der Gottesbegriff der griechischen Metaphysik kann hier dieses Geheimnis nicht adäquat aussagen[105]. Gott der Vater gibt seinen eigenen Sohn im Kreuzesgeschehen hin. Der Sinn des Kreuzesgeschehens wird essentiell falsch verstanden, wenn man hier meinen würde, daß der Vater selber ein unveränderlicher und leidensloser Gott sei und es nur der Sohn sei, der die menschliche Geschichte annehme und leide[106]. Nach Moltmann ist das Leiden im Kreuzesgeschehen das Leiden des Sohnes und gleichzeitig wegen der Liebe zu seinem Sohn das Leiden des Vaters. Der Sohn leidet die Todesqual, und der Vater leidet den Tod seines Sohnes. Im Kreuz Jesu offenbart sich Gott selbst. Er liebt den Menschen und leidet deshalb für den Menschen[107]. So entsteht die Aussage Moltmanns: „Gottes Sein ist im Leiden, und

---

[102] EH 98ff.
[103] GG 240, 208; vgl. auch *E. Jüngel*, Geistesgegenwart. Predigten (München 1974) 78, 137.
[104] GG 217.
[105] Vgl. Moltmanns Kritik an der Verfälschung des Geheimnisses Christi in der Bildung der christlichen Dogmen, ThH 126.
[106] UZ 138ff. [107] Vgl. auch *K. Barth*, KD IV/2, 399; *E. Jüngel*, Tod, 139, 142.

das Leiden ist in Gottes Sein selbst, weil Gott Liebe ist... Gott selbst liebt und leidet an seiner Liebe den Tod Christi."[108]

Nur in diesem Zusammenhang ist auch der hypothetische Vorschlag Moltmanns, den Begriff „Gott" auf das *Geschehen* des Kreuzes Jesu selbst anzuwenden[109], zu verstehen. Er versucht, konsequent den Begriff „Gott" durch das Kreuzesgeschehen zu bestimmen und „die Einheit der spannungsvollen und dialektischen Geschichte von Vater und Sohn und Geist im Kreuz auf Golgatha" als Gott zu bezeichnen. Wenn Johannes Gott die Liebe selbst nennt (1 Joh 4,16), entspricht diese Liebe der Sache nach der von Moltmann vorgeschlagenen Bezeichnung Gottes als „Geschehen der Liebe des Sohnes und des Schmerzes des Vaters, aus dem der zukunftseröffnende, lebenschaffende Geist entspringt"[110]. Wer also betet, betet nach Moltmann „*in* Gott", d.h. „durch den Sohn zum Vater im Geist"[111].

b) Auf Grund der katholischen Tradition soll dazu folgendes gesagt werden. Der Ausdruck „Gottes Sein ist im Leiden" ist natürlich nur dann möglich, wenn das Leiden als mit der Liebe identisch betrachtet wird. Das berechtigte Anliegen Moltmanns ist es, Gottes Sein dynamisch aus der durch das Christusgeschehen mitgeteilten Liebe aufzufassen. Wenn man sich einen absolut unbeweglichen Gott vorstellt, ist dieser Gottesbegriff nicht mit dem Gott der Heiligen Schrift vereinbar. Auch die Lehraussagen der Kirche über die Unveränderlichkeit Gottes behaupten keine solche Unbeweglichkeit Gottes, was notwendigerweise dem christlichen Glauben widerspräche, der die Menschwerdung Gottes definiert[112].

Achtet man aber das Anliegen der Offenbarungstheologie, direkt aus der Heiligen Schrift ein lebendiges Gottesbild zu gewinnen, gerade dann muß man gleichzeitig die Möglichkeitsbedingung dieses Verständnisses genau prüfen, die manchmal bei Moltmann leider nicht differenziert genug reflektiert ist. Wenn nämlich vom Werden Gottes die Rede ist, wird dieses Werden nur dann sinnvoll aufgefaßt, wenn die Unveränderlichkeit Gottes doch richtig verstanden und be-

---

[108] GG 214. [109] GG 233f.
[110] GG 234. [111] GG 234.
[112] Vgl. *H. Mühlen*, Die Veränderlichkeit Gottes, a.a.O. 29; *H. Küng*, Menschwerdung Gottes. Eine Einführung in Hegels theologisches Denken als Prolegomena zu einer künftigen Christologie (Freiburg i. Br. 1970) 611–670; *R. Schulte*, Unveränderlichkeit, in: LThK X, 536–537; *Augustinus*, De civitate Dei, 12, 27; *ders.*, Confessiones, I, 6, 12, 7; *ders.*, De Trinitate, 1, 1; 5, 2; über die Lehräußerungen der Kirche vgl. DS 501, 683, 800, 853, 1330, 2911, 3001, 3024. Dazu *H. U. von Balthasar:* „Der Christ hätte ein seltsames, eigentlich heidnisches Gottesbild, wenn er sich einbildete, daß der Vater im Himmel unbewegt und ungerührt, aus der erhabenen Höhe himmlischer ‚Seligkeit' die Todesangst und Verlassenheit des Sohnes auf Erden veranlassen würde, und nicht gerade in *dieser* Gestalt der Begleitung sein innigstes Einssein mit dem Sohn bekundete: ‚Auch der Vater ist nicht ohne Pathos (d.h. Leiden)' (Origenes)" (Christologie und kirchlicher Gehorsam, a.a.O. 155).

jaht wird. Denn die Unveränderlichkeit Gottes ist kein willkürliches Postulat einer philosophischen Ideologie, sondern die Möglichkeitsbedingung der menschlichen Erkenntnis, Gott qua Gott zu denken[113]. Wir haben bereits die Notwendigkeit des analogischen Denkens als Möglichkeitsbedingung der Gotteserkenntnis eingesehen[114]. Der Mensch kann nicht anders über Gott denken und reden als durch Analogie aus seiner Welterfahrung. Auch das Gottesverständnis der Heiligen Schrift setzt diesen menschlichen Vorgang analogen Denkens voraus[115]. Auch wenn die Offenbarungstheologie ihre einzige Norm in der Heiligen Schrift finden will, auch wenn die inhaltliche sufficientia solae scripturae bejaht werden soll, muß dort schon vorausgesetzt werden, daß man unabhängig von der Wahrheit der Offenbarung verstehen kann, was mit dem Wort „Gott" zu verstehen ist. Die Unveränderlichkeit gehört zu einem solchen Verständnis Gottes. Der Mensch muß sie durch Analogie notwendigerweise Gott zuschreiben, wenn er über Gott zu denken und zu reden sich bemüht. Dieses Vorverständnis ist schon als Möglichkeitsbedingung vorausgesetzt, als die Heilige Schrift durch Glauben niedergelegt wurde, und wenn wir das durch sie Überlieferte durch Glauben aufnehmen. Die geschichtliche Offenbarung Gottes hebt diese Unveränderlichkeit Gottes auf der metaphysischen Ebene (eine Reflexion dessen, was gerade von ihr schon implizit vorausgesetzt ist) nicht auf, sondern führt sie dialektischerweise ins richtige Verständnis vom Werden des sich frei entäußernden Gottes.

Wenn Moltmann durch seine Aussage: „Gottes Sein ist im Leiden"[116] diese Möglichkeitsbedingung negieren wollte, wenn er meinen wollte, Gott qua Gott leide, wenn er die Ursache des Leidens der Welt in Gott selbst hineinbringen wollte, würde er zu einem Selbstwiderspruch kommen und sein Theodizeeproblem würde dadurch keine wahre Lösung auf die Frage des Elends der Welt finden können. Paradoxerweise muß man aus der katholischen Tradition umgekehrt Moltmann fragen, ob er nicht selbst gerade das tut, was er als selbstmächtige Spekulation über Gottes Wesen zurückweist, denn auch in der Offenbarung des Christusgeschehens kann Gott an sich nicht vergegenständlicht werden. Sobald die Spekulation vom Leiden des Sohnes unmittelbar zum Leiden des

---

[113] Dazu vgl. *K. Rahner:* „Und gerade wenn wir für uns die Last der Geschichte und des Werdens als Gnade und Auszeichnung empfangen, bekennen wir notwendig einen *solchen* Gott, denn nur weil er die unendliche Fülle ist, kann das Werden des Geistes und der Natur mehr sein als das sinnlose, in seiner eigenen Leere zusammenfallende Zusichkommen absoluter Hohlheit" (Zur Theologie der Menschwerdung, a.a.O. 145f).

[114] Vgl. 7. Kapitel, I (2).

[115] Vgl. dazu *W. Pannenberg,* Analogie und Doxologie, in: *W. Joest – W. Pannenberg* (Hrsg.), Dogma und Denkstrukturen. Festschrift für E. Schlink (Göttingen 1963) 96–115, auch in: GSTh 181–201, bes. 184.

[116] GG 214.

Vaters übergegangen ist, fällt man aus dem christlichen Verständnis der Trinität heraus. Über Gott kann man auch im Kreuzesgeschehen nichts anderes aussagen, als daß er der ist, auf den der Sohn bezogen ist. „Wer mich gesehen hat, hat den Vater gesehen" (Joh 14,9). Über diese Vermittlung Christi hinaus kann über Gott nicht spekuliert werden. Das Werden des unveränderlichen Gottes, der von Ewigkeit zu Ewigkeit in absoluter Fülle besitzt, was er ist, ohne es erst einholen zu müssen, kann erst dann als seine Entäußerung durch Liebe verstanden werden[117]. Darin liegt das zentrale Geheimnis des christlichen Glaubens, daß Gott aus seiner absoluten Freiheit sich entäußert und seinen Adressaten aus dem Nichts in die Existenz ruft, indem er ihn zu seiner eigenen Wirklichkeit macht. Darum wird Gott als die Liebe selbst bezeichnet. Nur in dieser Voraussetzung seiner Souveränität kann das Kreuz Jesu verstanden werden als das Ereignis, in dem der lebendige Gott dem Menschen sein letztes, entscheidendes und nicht mehr widerrufliches Wort gesagt hat und ihn dadurch von dem dem Tod überlieferten Dasein erlöst hat.

2. *Gerechtigkeit Gottes*

a) Dieselbe Prüfung der Möglichkeitsbedingung muß auch für den Begriff der Gottesgerechtigkeit durchgeführt werden. In der Betrachtung der Rechtfertigung des Sünders wurde nämlich die absolut ungeschuldete, schöpferische Gerechtigkeit Gottes als Leben bringende Macht der Liebe zu den Gottlosen betont im Gegensatz zur metaphysischen Auffassung der formalen Gerechtigkeit als justitia distributiva[118]. Moltmann polemisiert mit der neuen schöpferischen Gerechtigkeit im Christusgeschehen gegen die Vorstellung und Erwartung der Menschen von Gerechtigkeit. „Jesus... demonstrierte Gottes eschatologisches Recht der Gnade an Gesetzlosen und Gesetzesbrechern durch sein Vergeben der Sünden. Er hob damit die gesetzliche Trennung zwischen religiös und profan, gerecht und ungerecht, fromm und sündig auf."[119] Seine scharfe Entgegensetzung von Gesetz und Evangelium sieht den sich für Arme und Sünder hingebenden Jesus in Widerspruch zu den messianischen Hoffnungsfiguren, die „den Sieg der Gottesgerechtigkeit nach dem Gesetz zur Erhöhung der hier Unrecht leidenden Gerechten und zur Beschämung der Gesetzlo-

---

[117] Dazu *K. Rahner:* „Der Absolute hat in der reinen Freiheit seiner unendlichen Unbezüglichkeit, die er immer bewahrt, die Möglichkeit, das andere, Endliche, selber zu werden, die Möglichkeit, daß Gott, gerade *indem* er und dadurch, daß er selbst *sich* entäußert, *sich* weggibt, das andere als seine eigene Wirklichkeit *setzt*" (Zur Theologie der Menschwerdung, a.a.O. 148).

[118] Vgl. 5. Kapitel, II (2).

[119] GG 122.

sen und Gottlosen"[120] vertreten. Jesus verkündete „das nahende Reich Gottes nicht als Gericht, sondern als Evangelium der Rechtfertigung der Sünder aus Gnade"[121]. Die im Rechtfertigungsgeschehen offenbarte Gottesgerechtigkeit ist nämlich nicht ein Oberbegriff über Lohn für den Guten und Strafe für den Bösen, sondern vielmehr die das Nichtige ins Dasein rufende, die Toten zum Leben auferweckende, schöpferische Macht, die den Sündern nicht mit Zorn vergilt, sondern sie umgekehrt mit gnädiger Liebe umfaßt. Wenn die Gnade Gottes je nach den Taten des Menschen zugeteilt würde, wenn Gott den Menschen je nach seinem Werk vergälte, dann müßte die Rechtfertigung des Menschen von seiner eigenen Leistung abhängig sein. Dahinter steckt nach Moltmann ein anthropomorphes Gottesbild, das der Mensch nach seinem eigenen Maß bildet und das darum ein Versuch des Menschen ist, über Gott zu verfügen, und zweitens ein Hochmut des Menschen, der glaubt, durch seine eigene Kraft der Gnade entsprechen zu können, was gerade die Wurzel der Sünde ist[122].

b) Das Anliegen Moltmanns in seiner Kritik der formalen Gerechtigkeitsauffassung ist es, das mit der Werkgerechtigkeit verbundene Verständnis des Begriffes der Gerechtigkeit Gottes zu vermeiden und dagegen das eigentlich Charakteristische der Offenbarung hervorzuheben. Diese reformatorische Betonung wirft aber trotz vieler Wahrheitsmomente einige Denkschwierigkeiten auf wegen ihrer Unterschätzung des analogen Denkens, das beim natürlichen Verlangen des Menschen seinen Ausgang nimmt. Auch die justitia distributiva gehört zu dem, wonach alle Menschen von Natur aus notwendig verlangen. Sie ist eine notwendige Voraussetzung der menschlichen Vernunft, ohne die auch der biblische Begriff von Gottesgerechtigkeit nicht gedacht werden kann. Ebenso kann auch die Bundestreue Gottes nicht ohne Widerspruch verstanden werden, wenn diese Voraussetzung geleugnet wird. In der Auferstehung Jesu sieht Moltmann selbst vor allem das Ereignis, in dem Gott seine Gerechtigkeit

---

[120] GG 122.
[121] GG 123.
[122] Moltmann weist den Gedankengang der aristotelischen Ethik und die daher beeinflußte Morallehre der scholastischen Tradition als Ethik der eigenmächtigen Werkgerechtigkeit zurück, nach der der Mensch gerecht werde, indem er gerecht handle, weil das menschliche Wesen (esse) durch seine Gewohnheit (habitus) bestimmt werde, die ihrerseits wiederum durch Wiederholung der einzelnen Akte (actus) geformt werde (EFSch 52ff). Allerdings scheint diese aristotelische Anthropologie nicht unbedingt zur theologisch verstandenen Werkgerechtigkeit führen zu müssen. Die Ethik der scholastischen Tradition sagt zwar nach Aristoteles, daß das Gute geübt werden muß, aber sie sagt dabei nicht, daß das Gut-Sein selbst vom Geübt-Sein als solchen konstituiert wäre. Vgl. *Aristoteles,* Nikomachische Ethik II, cap. 1 und cap. 3; über Leben und Sein des Menschen, ebd. IX, cap. 9, vor allem 1170, a. 13; *ders.,* De anima II, 4, 415 b 13; Über Priorität der Tätigkeit, *ders.,* Metaphysik VIII, 8; Über Freiheit und Erziehung des Menschen, *ders.,* Nikomachische Ethik III, 7; X, 10.

offenbart; Gott verläßt den nicht, der auf ihn vertraut[123]. Der Begriff der Gottesgerechtigkeit wird hier als seine Treue aufgefaßt. Diese Suche des Menschen nach der Gerechtigkeit Gottes ist in der Geschichte des Bundes für das Bewußtsein des auserwählten Volkes grundlegend, und im Geschehen der Auferwekkung Jesu wird diese Gerechtigkeit Gottes bestätigt. Dieses Vertrauen des Menschen auf Gott, daß er niemanden verläßt, der ihn ruft, hat aber seine Wurzel im allgemein-anthropologisch festzustellenden Verlangen des Menschen, daß die Gerechtigkeit mit Gutem vergolten wird und der Frevel sich nicht endgültig auszahlt[124].

In der Tat bejaht Moltmann selbst stillschweigend dieses von Natur aus unverzichtbare Verlangen des Menschen nach der Gerechtigkeit, indem er sich nach der Gerechtigkeit in der Welt sehnt, indem er aus der ungerechten Wirklichkeit der Erde nach der Gerechtigkeit Gottes fragt. Das ist auch auffallend in seinem Gespräch mit der kritischen Theorie. Horkheimers Sehnsucht, „daß der Mörder nicht über das unschuldige Opfer triumphieren möge", sei „die Sehnsucht nach der Gerechtigkeit Gottes in der Welt"[125]. Wenn Moltmann von den Problemen der unerlösten Welt und der Heilserwartung des Menschen ausgeht, setzt er dabei das Verlangen des Menschen nach der Gerechtigkeit voraus. Diese Voraussetzung ist auch in der Rechtfertigungslehre gemacht, in der Moltmann nicht nur die Gerechtsprechung des einzelnen Sünders sieht, sondern die Offenbarung der Gerechtigkeit Gottes.

Das Verständnis der schöpferischen Gerechtigkeit Gottes, die die Sünder rechtfertigt, widerspricht der natürlichen Erwartung des Menschen nach Gerechtigkeit nicht, sondern setzt sie sogar voraus. Ohne dieses Verlangen nach der Gerechtigkeit kann der Mensch überhaupt nicht die schöpferische Gerechtigkeit als Gerechtigkeit verstehen. Erst auf dieser natürlichen Basis kann die Gerechtigkeit Gottes als sie übersteigende, sie dialektisch in die neue Wirklichkeit aufhebende erscheinen. Von unserer Seite kommen wir erst durch unser Verlangen nach Gerechtigkeit zum Verständnis dieser neuen Wirklichkeit und lassen es von ihr korrigieren und vertiefen.

---

[123] ThH 76f, 190f; GG 117, 161ff; vgl. 3. Kapitel, II (2). Vgl. die kritische Äußerung von *J. B. Metz* zu der heute geläufigen Auffassung von der Auferweckung der Toten mit der Betonung auf Gerechtigkeit und Gerichtscharakter. Das Credo der Christen, 5. 10. 1975, Vortrag in der Katholischen Akademie München, gedruckt in: Zur Debatte, 11/12 (1975) 16.

[124] Stuhlmacher polemisiert zwar mit der Gerechtigkeit Gottes im Alten Bund, die trotz des menschlichen Bundesbruches bisher gehalten hat und weiter halten wird (a.a.O. vor allem 85f, 89, 92f, 113–175), gegen diese Auffassung von formal-gerechter Vergeltung (explizit a.a.O. 86, 159), aber die schöpferische Gerechtigkeit Gottes setzt, um vom Menschen verstanden zu werden, notwendigerweise diese Denkstruktur voraus.

[125] GG 209.

Nachwort

Von Jürgen Moltmann

1. Das ökumenische Thema und die konfessionellen Traditionen

Die vorliegende Arbeit zeichnet sich durch ökumenische Offenheit und konfessionellen Takt aus. Das macht es leicht, sich vorbehaltlos zur „Auseinandersetzung" mit dem Autor zusammenzusetzen. Ich beschränke mich in diesem Nachwort auf die Anfragen an meine Kreuzestheologie, die P. Momose im Teil III als „katholische Kritik" gekennzeichnet hat.

P. Momose möchte bewußt keine „konfessionell gebundene Kritik" äußern, sondern der „Frage nach der einen, immer zu vertiefenden Wahrheit, nach dem Herrn, Christus, und ... nach dem Sein seiner Kirche" nachgehen. Diese Frage verbindet uns, denn allein um diese Wahrheit kann es christlicher Theologie gehen. Schon diese Frage nach der einen Wahrheit und die Tatsache, daß sie uns allen gestellt ist, bevor wir zu fragen beginnen, zeigen, daß unsere Gemeinschaft größer ist als die unterschiedlichen Traditionen und die kontroversen Konfessionen, aus denen wir historisch kommen und die uns noch heute prägen. Auch in getrennten Konfessionen und Kirchen der Christenheit ist das Wissen um die gemeinsame Wahrheit niemals verlorengegangen. Das Bewußtsein, im tiefsten Grunde nicht getrennt, sondern eins zu sein, wurde in der Geschichte zwar verletzt, angefochten und unterdrückt, aber doch niemals völlig ausgelöscht. Was hat die Einheit bewahrt?

Von alters her ist das *Kreuzeszeichen* das Erkennungsmerkmal aller Christen. Gleich ob einer orthodox, katholisch oder evangelisch, anglikanisch oder baptistisch ist, das Zeichen des Kreuzes macht Christen als Christen erkennbar. Wirkliche Stärkung des ökumenischen Bewußtseins gegenüber konfessionellen Spaltungen geht darum immer von der Einsicht in die zentrale Bedeutung des gekreuzigten Christus für die Christenheit und die Menschheit aus. *Je näher wir zum Kreuz kommen, desto näher kommen wir zueinander.* Mit diesem Satz aus der Weltkirchenkonferenz in Uppsala 1968 ist das Geheimnis und die Kraft der ökumenischen Bewegung am besten zum Ausdruck gebracht: Aus dem Opfer Christi am Kreuz wird die Eine Kirche geboren. „Unter dem Kreuz", in

Widerstand und Verfolgung wird die Gemeinschaft der Christen erfahren. Aus den hungernden und gequälten Gesichtern der Erniedrigten und Beleidigten dieser Erde sieht uns der gekreuzigte Herr an und wartet auf die Gerechten. Unter dem Kreuz Christi entdecken wir uns gegenseitig als Brüder und Schwestern in gemeinsamer Armut und als Gefangene in gemeinsamer Sünde. Unter dem Kreuz Christi stehen wir alle mit leeren Händen da. Unter dem Kreuz Christi entdecken wir uns aber auch als Kinder der gleichen Freiheit Christi und als Freunde in der verbindenden Gemeinschaft des Heiligen Geistes. Diese Wahrheit ist im Glauben, in der Erfahrung und Praxis der Christenheit präsent. Sie muß auch von der Theologie eingeholt und reflektiert werden.

Theologie, die im Sinne des Glaubens und der Erfahrung christlich sein will, wird ihr Zentrum in der *Kreuzestheologie* finden. Im *mysterium paschale,* in *eucharistische Theologie,* in *theologia crucis* begriffen, wird der Gekreuzigte zum Zentrum christlicher Theologie. Wenn wir sagen „*Zentrum*", dann ist das nicht exklusiv und polemisch gemeint, wie gelegentlich in der Reformationszeit, sondern inklusiv und freisetzend. Jedes Zentrum ist konstitutiv für einen Umkreis, eine Umgebung, einen *Horizont.* Steht das Kreuz Christi im Zentrum der christlichen Theologie, dann öffnet es ihren Horizont für die ganze Schöpfung und das volle Reich der Herrlichkeit. Denn in der Tiefe des Leidens und Sterbens Christi am Kreuz ist nichts vergessen, verdrängt und verlassen, was geschaffen wurde und verloren ging. Es ist alles in die Gnade hineingenommen und mit Hoffnung auf Auferstehung und neue Schöpfung erfüllt. Weil der Sohn den Tod erlitt, *diesen* Tod der Verlassenheit, ist alles angenommen: „Wie sollte er uns mit ihm nicht *alles* schenken?!" (Röm 8, 32.) Die Konzentration auf das eine, zentrale Thema widerspricht darum nicht der Offenheit für die Welt und ihre Zukunft, sondern ermöglicht sie.

Wird in diesem Sinne Kreuzestheologie zum ökumenischen Thema, dann verliert sie ihre *kontroverstheologischen Verengungen,* die sie in der protestantisch-katholischen Konfliktgeschichte zweifellos angenommen hatte. Man wird frei von den traditionellen „Betonungen" verschiedener Themen, die der Sache nach zusammengehören und die nur ein oberflächlicher Konfessionalismus als Eigentum in Beschlag nehmen kann. Man sollte endlich aufhören zu behaupten, protestantisch wäre die Betonung des Kreuzes – katholisch die Betonung der Inkarnation; protestantisch wäre das Thema „Gnade und Sünde" – katholisch dagegen das Thema „Natur und Gnade", usw. So kann man den Rock Christi nicht teilen. Wenn man dagegen der „Frage nach der einen, immer zu vertiefenden Wahrheit" nachgeht, kann man mit kritischer Freiheit und selbstbewußter Gelassenheit auch seine konfessionell verschiedenen Traditionen aufnehmen, um nach ihrem Beitrag für die gemeinsame Erkenntnis der Wahrheit zu fragen.

Ökumenisches Denken überwindet auch in der Theologie das *partikulare* und *schismatische Denken*. Es geht bei jedem Thema und bei jedem Problem der Theologie um das Ganze, um die Wahrheit der Einen Kirche. Im universalen Horizont des ökumenischen Denkens kann man dann aber auch seinen eigenen Bereich, seine eigene Tradition und Konfession als sein besonderes Charisma akzeptieren und würdigen. Gerade wenn man nicht mehr genötigt ist, das Ganze im eigenen Teil darzustellen, kann man das eigene Teil als Teil eines größeren Ganzen verstehen. Ökumenisches Denken führt in den Kirchen keineswegs zur „Katholisierung" der evangelischen und zur „Protestantisierung" der katholischen Kirche. Theologie im ökumenischen Horizont führt nicht zur Verachtung, sondern zur gegenseitigen Beeinflussung der verschiedenen Denktraditionen. P. Momose hat, wie mir scheint, das Gemeinsame und das Besondere, das Ökumenische und das Konfessionelle in seiner „Auseinandersetzung" mit meiner Kreuzestheologie geschickt und rücksichtsvoll verbunden. Ich verstehe seine „Kritik an der Kreuzestheologie J. Moltmanns" im Teil III deshalb zuerst als eine *theologische* „Kritik" und erst in zweiter Linie als eine „*katholische*" Kritik. Ich werde darum antworten 1. im Sinne einer theologischen Würdigung seiner Kritik und 2. im Sinne einer evangelischen Theologie.

2. *Inkarnation und Kreuz*

Den Hinweis auf die Notwendigkeit des Inkarnationsgedankens für jede Kreuzestheologie nehme ich gern auf. Ich habe mich auch m. W. niemals kritisch über den Gedanken der Menschwerdung selbst geäußert, wohl aber über die Verdrängung des Karfreitags durch Weihnachten und die Verschiebung des theologischen Brennpunktes vom Kreuz Christi auf seine Geburt. Im ganzen Neuen Testament steht so eindeutig das Geschehen von Kreuz und Auferstehung Christi im Vordergrund, daß die genannten historischen Verschiebungen des Interesses in Frömmigkeit und Theologie nicht gerechtfertigt erscheinen. Finden wir in den Evangelien „Passionsgeschichten mit ausführlicher Einleitung", wie Martin Kähler es nannte, dann braucht man sich nur den Sitz der Evangelien im Leben der urchristlichen Eucharistiefeiern klarzumachen, in denen der „*Tod* des Herrn verkündigt" wird, „bis er kommt" (1 Kor 11,26), um den Sinn neutestamentlicher Kreuzestheologie zu begreifen. Die theologische Voraussetzung, um den Tod Jesu als Tod des Herrn und also als versöhnenden und erlösenden „Tod für uns" und „für viele" zu verstehen, ist im Neuen Testament zuerst die *Auferweckung* und Erhöhung Jesu zum Herrn. Im Licht von Ostern wird dieser Tod als Opfertod offenbar. Nun taucht aber schon sehr früh (Phil 2) auch der *Inkarnationsgedanke* als theologische Voraussetzung auf, um den Tod auf Golgatha als versöhnenden und erlösenden Tod des Sohne Gottes „für uns" und „für viele" zu verstehen. Wie verhält sich die Entwicklung zur Auferstehungstheologie und zur Eschatologie im Neuen Testament zur Entwicklung der Inkarnations- und zur Präexistenztheologie? Ich möchte nicht harmonisieren, was nicht zusammenpaßt. Unter systematisch-theologischen Gesichtspunkten aber muß hier kein Widerspruch angenommen werden: die Einsichten in die Auferstehung und in die Inkarnation, in die Postexistenz und in die Präexistenz, bedingen sich gegenseitig. Sie sind aber unablösbar auf den Gekreuzigten bezogen, weil sie beide Aussagen bereitstellen, die den Tod Jesu qualifizieren sollen. Dabei muß man die Ostererscheinungen des Auferstandenen als Erkenntnisprinzip auffassen. In der *ratio essendi* geht die Präexistenz des Sohnes der Inkarnation, die Inkarnation dem Leben Christi und das Leben Christi seinem Tod für uns voran. In der *ratio cognoscendi* aber gehen die Ostererscheinungen der Auferstehung, die Auferstehung dem Kreuzestod usw. voran. Der Ordnung des Seins entsprechend muß man den Christushymnus Phil 2 von vorn lesen. Der Ordnung der Erkenntnis nach aber von hinten. Die Auferstehung Christi qualifiziert das ganze Sein Jesu eschatologisch. Die Inkarnation qualifiziert das ganze Sein Jesu protologisch. Was auf diese Weise von beiden Seiten erleuchtet wird, ist der Tod Christi am Kreuz auf Golgatha. Dieses Geschehen muß der theologische Blick festhalten, um Spekulationen zu vermeiden, wie etwa, ob Jesus auch ohne Kreuzestod hätte entrückt oder auferweckt werden können oder ob der Sohn Gottes durch seine Menschwerdung schon genug getan haben könnte und die Kreuzesgeschichte eine nur zufällige Folge sei.

Es ist darum theologisch nicht ohne Gefahr, schon der Menschwerdung die Heilsbedeutung der „Annahme" der menschlichen Wirklichkeit durch Gott zuzuschreiben. Das kann man nur sagen, wenn die Menschwerdung die Hingabe Christi für viele in den Tod schon einschließt. Das kann man aber nicht sagen, wenn von Hingabe und Tod Christi abgesehen wird. Daß Gott nach Joh 3,16 „die Welt geliebt hat", bezieht sich auf die Hingabe des Sohnes zum Tod am Kreuz, nicht schon auf seine Menschwerdung. Ohne die Versöhnung der Sünder und ihre Befreiung von der Macht der Sünde durch Christi Tod wird eine göttliche „Annahme" der menschlichen Wirklichkeit un-wirklich und illusionär.

Es ist darum notwendig, die einzelnen christologischen Aussagen an ihrem Ort zu lassen und ihre dort begrenzte Funktion genau zu erfassen. Man sollte es vermeiden, aus konkreten christologischen Aussagen allgemeine Prinzipien abzuleiten. Ich mache deshalb den Kritiker darauf aufmerksam, daß er aus der Inkarnation allgemeine Prinzipien herzuleiten in Gefahr steht. Das kommt schon in der laxen, nicht-trinitarischen Redewendung von der „Inkarnation Gottes" zum Ausdruck. Nicht „Gott" überhaupt und an sich wird Mensch, sondern Gott „der Sohn". Nicht „Gott" überhaupt und an sich wird auferweckt, sondern „der Sohn Gottes" zur Ehre „Gottes des Vaters". Die Beachtung der trinitarischen Selbstunterscheidung Gottes hindert es, aus der Inkarnation ein allgemeines inkarnationstheologisches Prinzip zu machen, mit dem alle theologischen Probleme gleichermaßen behandelt werden. Die Menschwerdung des Sohnes Gottes ist die Voraussetzung für die Heilsbedeutung des Kreuzes. Darum kann man dann auch sagen, daß die Kreuzigung die Konsequenz der Menschwerdung des Sohnes in einer Gott widersprechenden Welt darstellt. Damit gewinnt die Menschwerdung eine zweifache Bedeutung: einmal als Voraussetzung im Blick auf das am Kreuz erworbene Heil der Sünder, zum anderen als Erfüllung im Blick auf die angenommene Natur des Menschen. Auch hier darf man die Probleme nicht vermengen, die mit „Sünde und Gnade" auf der einen Seite und „Natur und Übernatur" auf der anderen Seite bezeichnet werden.

3. Sünde, Gnade und Natur

In der Verwerfung, Verurteilung und Hinrichtung des Sohnes Gottes wird die Sünde der Menschen offenbar. In dem Leiden, in der Geduld und im Tod des Sohnes wird die Gnade des dreieinigen Gottes offenbar. Das soteriologische Thema christlicher Kreuzestheologie heißt darum: Sünde und Gnade. An der am Kreuz offenbaren, getragenen und dadurch überwundenen Sünde zeigt sich die Liebe Gottes als *Gnade.* Es ist die Sünde des Menschen, an der sich Gottes Liebe als Gnade erweist. Sünde und Gnade stehen dabei in einem einander ausschließenden Gegensatz. Sünde widerspricht der Gerechtigkeit. Gnade widerspricht der Sünde. Das hat mit „Dualismus" nichts zu tun. Was dual ist, kann koexistieren. Was sich aber widerspricht, schließt sich aus. Wer den „Widerspruchscharakter des Kreuzesgeschehens" betont, spricht gerade nicht von einer „Trennung Gottes von der menschlichen Wirklichkeit", wie der Kritiker meint, denn Getrenntes kann sich nicht widersprechen. P. Momose vermischt hier das Verhältnis von *Gnade und Sünde,* wie es im Kreuz Christi offenbar wird, mit dem Verhältnis von *Natur und Übernatur,* wie es am Geschehen der Menschwerdung reflektiert werden muß. Menschliche Wirklichkeit, die unter dem Kreuz Christi nicht als Sünde offenbar wird, findet keine Gnade vor den Augen Gottes. Das hat mit „Moltmanns Pessimismus" überhaupt nichts zu tun, sondern ist Freude am Heil: „Wo aber die Sünde mächtig geworden ist, da ist die Gnade viel mächtiger geworden" (Röm 5,20).

Ich glaube nicht, daß hier ein katholisch-evangelischer Dissensus entstehen muß: alles ist Gnade und Gnade allein. Nur wenn evangelische Theologie die Sünde mit der Natur des Menschen identifizieren würde, entstünde eine marcionitische Entgegensetzung von Schöpfung und Heil. Dann aber kann auch die Gnade nicht mehr als Gnade offenbar werden. Das Evangelium wird dann unaussagbar, weil es nichts geben kann, woran es sich als Evangelium darstellen kann. Nur wenn katholische Theologie die Natur des Menschen von den Verkehrungen der Sünde ausnehmen und die Sünde moralisieren würde, entstünde jener Humanismus, der Gottes Gnade nur im Notfall und auch dann nur als mitwirkend in Anspruch nehmen könnte. Gewiß hat sich evangelische Theologie gelegentlich an der Grenze des Marcionitismus bewegt. Gewiß hat katholische Theologie gelegentlich diese offene Flanke zum humanistischen Moralismus. Ernsthaft aber kann nicht hier die sachliche Differenz liegen.

Angesichts der durch Sünde pervertierten *Natur* des Menschen wird man doch erst durch das Geschehen der Gnade dessen ansichtig, was das „Natürlich-Menschliche" genannt zu werden verdient. Erst durch den göttlichen Widerspruch gegen des Menschen Widerspruch wird die menschliche Entsprechung zu Gott verwirklicht. Wo Gnade der Sünde mächtig wird, öffnet sich der Raum der verklärten Schöpfung. Denn es steckt in der Gnade Gottes nach alter athanasianischer und augustinischer Tradition, die Katholiken und Protestanten gemeinsam ist, ein *Überschuß* über die Sünde hinaus, der als „Übernatur" bezeichnet werden kann, weil er die Natur vollendet. Gnade überwindet nicht nur die faktische Sünde, sondern auch die Möglichkeit zur Sünde. Darum schenkt sie im Wollen des Guten eine größere Freiheit als jene Wahlfreiheit des Urstands. Die neue Schöpfung, in der Gott „alles in allem" ist (1 Kor 15,28), ist mehr als die Schöpfung „im Anfang". Dies Reich der Herrlichkeit geht nach Paulus aus der Herrschaft Christi hervor, d.h. aus der Gnade. Die vollendete Kraft der Gnade wird also an der „Natur" des Menschen offenbar, weil und soweit wie die versöhnende Kraft der Gnade an der Sünde offenbar wurde. Beide Hinsichten sind wichtig. Sie dürfen aber nicht vermengt werden.

Der Kritiker hat sehr gut erkannt und dargestellt, daß und auf welche Weise mir das Thema „Gnade und Natur" in eschatologischer Hinsicht wichtig ist, wenn er auf den Zusammenhang von Pneumatologie und natürlicher Theologie verweist. Ich kann ihm in seinen Ausführungen nur zustimmen. Sie implizieren aber, daß „natürliche Theologie" durch Kreuzestheologie entdeckt und verwirklicht wird. Das schließt nicht aus, daß es die ontologische *Möglichkeit* der Gotteserkenntnis kraft der Schöpfung zur Gottebenbildlichkeit überall gibt. Das eigentliche Problem ist aber gar nicht die Möglichkeit – das *posse* –, sondern die *Wirklichkeit* – das *cognoscere* – selbst. Die These, daß „Gott, der Ursprung und das Ziel aller Dinge, mit Hilfe des natürlichen Lichtes der menschlichen Vernunft aus den geschaffenen Dingen mit Sicherheit erkannt werden *kann*" (Vaticanum I), sagt darum noch nicht viel, wenn nicht auch mit Sicherheit gesagt wird, wo, wie und wodurch Gott denn so auch de facto erkannt *wird*. Auch hier, scheint mir, sollte man der *ratio cognoscendi* folgend von der Wirklichkeit der

Gotteserkenntnis im Glauben an den gekreuzigten Christus ausgehen, um dann die natürlichen Möglichkeiten der Gotteserkenntnis und ihre transzendenten Bedingungen zu erforschen. Zuletzt hat sich der Kritiker die doch erst aus dem Dialog zwischen Barth und Przywara in den zwanziger Jahre geläufig gewordene Konfessionsdifferenz zu eigen gemacht, nach der Dialektik protestantisch und *analogia entis* katholisch sein sollen. Die Argumente, die Walter Kasper und ich darüber gewechselt haben (Theol. Quartalschrift, 153, 1973, H. 4), müssen hier nicht wiederholt werden. Weil P. Momose aber die lateranensische Analogieformel zitiert, nach der in aller *similitudo* die je größere *dissimilitudo* zwischen Gott und Mensch vorherrsche, möchte ich mein Ungenügen an dieser Formel nicht verbergen. Sie kommt der evangelischen These der *analogia fidei* gegen die *analogia entis* gerade nicht entgegen. Im Licht der Kreuzestheologie wird nach der Wirklichkeit dieser analogischen Gotteserkenntnis gefragt, d. h. nach dem Gebrauch und der Verwendung solcher Erkenntnis durch den wirklichen Menschen. Der Verweis auf die je größere Unähnlichkeit verwendet ein Element negativer Theologie, nicht aber der Kreuzestheologie. Auch negative Theologie muß auf ihre Verwertung durch die Interessenlage des Menschen hin geprüft werden. Es scheint mir darum notwendig zu sein, eine kritische Theorie der „natürlichen Theologie", sie wandere auf der *via eminentiae*, der *via negativa* oder der *via analogiae*, zu entwickeln. Was mich aber stutzig macht, ist etwas anderes: der Kritiker verweist auf die „Auseinandersetzung mit mystisch-pantheistisch geprägten Auffassungen von Gotteserkenntnis", in der die Scholastiker „ihre negative Theologie der Unverfügbarkeit Gottes entwickelten". Es war schon immer gefährlich, eine polemische Position zum dogmatischen Ausgangspunkt der weiteren Entwicklung zu machen. Ich würde darum nach dem Sinn jener „mystisch-pantheistisch geprägten Auffassungen von der Gotteserkenntnis" fragen, bevor ich das Resultat ihrer Ablehnung, die „negative Theologie der Unverfügbarkeit Gottes", übernehmen würde. Geht man aus der Neuscholastik auf die historische Scholastik zurück, dann findet man in ihr deutlich eine *theologia mystica* aufgenommen und nicht nur abgewiesen. Sich in Gott und Gott in sich zu erkennen, ist das eigentliche Ziel des dialektischen und analogischen Erkenntnisweges. *Theologia crucis* ist für den sündigen und gerichteten Menschen der Anfang dafür.

Zuletzt hat P. Momose noch einmal die Fragen nach der *Kontinuität* von Geschichte und Reich Gottes sowie der Mitarbeit des Menschen am kommenden Reich aufgeworfen. Da ich keine „dualistische Auffassung", sondern eine dialektische vertreten habe, muß meine Antwort auch entsprechend ausfallen: Die Welt steht sowohl in Kontinuität wie Diskontinuität zum kommenden Reich. Das folgt, wenn man fragt: Kontinuität ja, aber von welcher Seite her? Für Paulus war klar: „Fleisch und Blut können das Reich Gottes *nicht* erben" (1 Kor 15, 50), aber es ist „*dies* Verwesliche, das Unverweslichkeit anziehen muß, und *dies* Sterbliche, das Unsterblichkeit anziehen wird“ (Vers 53). Kontinuität mit der Weltgeschichte wird durch das kommende Reich gestiftet. Auch in der Weltgeschichte selbst wird Kontinuität mit der Vergangenheit durch die Gegenwart von der Zukunft aus hergestellt. Das unterscheidet eschatologische und geschichtliche Kontinuität von physikalischer und organischer Kontinuität. Ist das kommende Reich der Herrlichkeit das Reich Gottes des Schöpfers, dann kann nichts von dem, was geschaffen ist, verlorengehen: Gott kann sich selbst nicht verleugnen.

Das Hoffnungssymbol der Auferweckung der Toten meint Zukunft für die Vergangenen. Diese Zukunft ergibt sich nicht *aus* der Vergangenheit, sondern *für* die Vergangenen wird sie geöffnet. Welche andere Kontinuität sollte es auch durch die Diskontinuität des Todes hindurch geben?! Es ist aber bezeichnend, daß Paulus in dem großen Auferstehungskapitel 1 Kor 15 aus der Glaubensgewißheit, daß „der Tod verschlungen ist in den Sieg“, die Hoffnung herleitet, „daß eure Arbeit nicht vergeblich ist in dem Herrn“, und darum ermahnt: „Nehmt immer zu in dem Werk des Herrn.“ Es gibt – auf Grund der Auferstehung Christi – nicht nur Hoffnung für die Person, sondern auch für die Arbeit, nicht nur für die Menschen, sondern auch für ihre Werke. Doch folgt daraus keine „Werkgerechtigkeit“ und auch nicht die optimistische Illusion einer „menschlichen Wirklichkeit in ihrer unvollkommenen und so immer weiter zu verbessernden Gestalt“. Die reformatorische Theologie hat an dieser Stelle auf die strikte Unterscheidung von Rechtfertigung und Heiligung wert gelegt: *Rechtfertigung* geschieht sola fide, sola gratia, solo Christo, „ohne unser Werk und Verdienst“; in der *Heiligung* aber werden wir zu Mitarbeitern Gottes und Dienern seines Reiches. Auf die Eschatologie angewendet, heißt das: die Mitarbeit des Menschen und die Geschichte des menschlichen Lebens sind nicht im Sinne der Rechtfertigung, wohl aber im Sinne der Heiligung „konstitutiv“, um den Ausdruck von P. Momose zu gebrauchen, für das Heil. Um es praktischer zu sagen: wir können der Gerechtigkeit des Reiches Gottes gehorsam werden, wenn wir durch die Gnade aus Ungerechten zu Gerechten gemacht worden sind. Dieser neue Gehorsam reicht noch nicht über die Schwelle des Todes. Wir können die Toten – ich denke besonders an die Ermordeten von Auschwitz – nicht lebendig machen. Das Reich Gottes aber ist das Reich der Totenauferstehung. Wir können es in diesem „sterblichen Leibe“ durch Gehorsam vorwegnehmen, seine volle Gestalt gewinnt es aber erst in der Auferweckung. Diese Auffassung scheint mir „realistische Hoffnung“ zu enthalten. Die Vorstellung einer kontinuierlichen Fortsetzung der „Menschwerdung Gottes“ in einer zwar unvollkommenen, aber immer weiter zu verbessernden Wirklichkeit endet doch auf dem Friedhof und gibt auch dort keine Treue zu den Toten.

4. Geist und Gestalt

Ich finde es sehr gut, daß P. Momose den Finger auf die Fragen nach der Gestaltwerdung des Glaubens in der Geschichte gelegt hat. Sollte ich als Europäer in den Augen eines Japaners „spiritualistische Tendenzen" haben, so akzeptiere ich diese Kritik gern. Der abendländische Platonismus hat in der Tat das Interesse von der sichtbaren Gestalt auf die unsichtbare Idee verlagert. Das mag unbewußt auch das Denken der neuzeitlichen europäischen Theologie prägen. Theologisch aber meine ich unterscheiden zu müssen zwischen der *Menschwerdung des Sohnes Gottes* und der *Einwohnung des Heiligen Geistes.* Die „Gestalthaftigkeit des Glaubens", auf die P. Momose hinweist, gehört in die Geschichte der Einwohnung des Heiligen Geistes; in die „Geistes-Geschichte". Weil dieser Geist die Kraft der neuen Schöpfung ist, sind seine Gestalten immer *leibliche Gestalten* (1 Kor 6, 19ff). Und weil der Geist das kommende Reich mit der Geschichte der Welt vermittelt, sind seine leiblichen Gestalten immer auch *Vermittlungsgestalten*; in der Kirche wie auch in der Politik. Vermittlungsgestalten des Christentums sind geschichtlich bedingt und epochal begrenzt. Im Blick auf die Geschichte der Welt sind sie Gestalten der *Einwohnung* des Geistes, im Blick auf die Zukunft des Reiches sind sie *Antizipationen.*

Mit dem Symbol des „wandernden Gottesvolkes" und der „Exodusgemeinde" soll ausgesagt werden, daß die Christenheit auch in den besten aller möglichen leiblichen Gestaltungen „keine bleibende Stadt" hat, sondern die „zukünftige" sucht. Nicht nur P. Momose hat in meiner Ekklesiologie einen gewissen antiinstitutionalistischen Geist gespürt: Kirche als Ereignis und Bewegung, nicht als Amt und Institution. Ich halte diese Alternative und die dann oft erfolgte Addition jedoch für überflüssig. Das Exodusvolk hatte schon im Alten Testament seine eigenen „Institutionen", nämlich den *Bund* und den *Vertrag.* Entsprechend wird auch das christliche Exodusvolk seine Verhältnisse durch *covenants,* wie die reformierten Theologen sagten, regeln. Es gibt Begriffe der „Institution", die diese Organisationsgestalt ausschließen, weil sie Institution als Entlastung von Freiheit und Verantwortung ansehen (A. Gehlen). Es gibt aber auch solche, die Bund und Vertrag als die einzigen Formen von *Freiheitsinstitutionen* ansehen. Im zweiten Sinne bin ich ein Institutionalist, im ersten Sinne will ich den Vorwurf des „Spiritualismus" gern tragen.

Etwas Ähnliches ist doch auch mit der *Eucharistie* als *Kult* geschehen. Als man begann, das Herrenmahl auf die Weise der heidnischen Kulte und an ihrer Stelle zu feiern, trat das Mahl in die Erwartungen und Versprechungen eben dieser Kulte ein. Magische und mythische Vorstellungen verbanden sich mit dem Evangelium des Herrenmahls. Die Entfremdungen des Mahls von seinem ursprünglichen Sinn durch Sakralisierung sind oft genug kritisch dargestellt worden. Diese Kritik ist heute dringend, denn es gibt zur Zeit Völker, die eine Repaganisierung ihrer christianisierten Kulte ohne große Schwierigkeiten vornehmen: der Kult bleibt, die Götter kommen und gehen. Darum muß man auch auf die andere Seite des Prozesses der Christianisierung achten: wie und an welchen Stellen hat das Herrenmahl den Kult verändert, dessen Formen es zunächst aufnahm und an dessen Stelle es getreten ist? Die Entfremdungen des Kultes durch den eucharistischen Inhalt sind bisher wenig erforscht. Das aber bedeutet, daß die christliche Assimilation religiöser Kulte, ihrer Erwartungen und Vorstellungen bisher zu wenig Wert auf selbständige und glaubwürdige Gestaltwerdung des Christlichen gelegt hat.

Die Gestaltwerdung des Christentums in der Geschichte geschah wohl immer im Wechsel von Anpassung und Widerstand, von Vermittlung und Reinigung, von Mission und Reformation. Obwohl diese beiden fundamentalen Bewegungen in vielen Fragen der Theologie und der Gestalt des Glaubens im Streit liegen und oft genug auch liegen müssen, sind sie doch aufeinander angewiesen: Reformation ist eine Notwendigkeit der katholischen Kirche – Katholizität ist eine Notwendigkeit der reformatorischen Kirche! Möge diese Arbeit eines japanischen Jesuiten über die Theologie eines deutschen Reformierten dem gegenseitigen Respekt, dem wechselseitigen Verstehen, der konkreten Zusammenarbeit und der Gemeinschaft unter dem Kreuz dienen.

VERZEICHNIS DER VERWENDETEN ABKÜRZUNGEN

Amyraut	J. Moltmann, Prädestination und Heilsgeschichte bei Moyse Amyraut.
BFchTh	Beiträge zur Förderung christlicher Theologie.
Bonhoeffer	J. Moltmann, Herrschaft Christi und soziale Wirklichkeit nach D. Bonhoeffer.
BSLK	Bekenntnisschriften der evangelisch-lutherischen Kirchen.
Contr.Gent.	Thomas von Aquin, Summa contra gentiles.
CR	Corpus reformatorum.
CSEL	Corpus scriptorum ecclesiasticorum Latinorum.
EH	J. Moltmann, Das Experiment Hoffnung.
DeVer.	Thomas von Aquin, Quaestiones disputatae de veritate.
DePot.	Thomas von Aquin, Quaestiones disputatae de potentia.
DS	H. Denzinger – A. Schönmetzer (Hrsg.), Enchiridion Symbolorum, Definitionum et Declarationum de rebus fidei et morum.
DThH	W.-D. Marsch (Hrsg.), Diskussion über „Theologie der Hoffnung“ v. Jürgen Moltmann.
EFSch	J. Moltmann, Die ersten Freigelassenen der Schöpfung.
EK	Evangelische Kommentare.
EvTh	Evangelische Theologie.
GCh	W. Pannenberg, Grundzüge der Christologie.
GCS	Griechische christliche Schriftsteller der ersten drei Jahrhunderte.
Gedanken	J. Moltmann, Gedanken zur „trinitarischen Geschichte Gottes“.
GG	J. Moltmann, Der gekreuzigte Gott.
GSTh	W. Pannenberg, Grundfragen systematischer Theologie.
GuL	Geist und Leben.
HThG	Handbuch theologischer Grundbegriffe (hier nach der 2. Auflage, Deutscher Taschenbuch Verlag, München 1973).
In Sent.	Thomas von Aquin, In IV libros Sententiarum.
KD	K. Barth, Kirchliche Dogmatik.
KiZ	Kirche in der Zeit.
KKG	J. Moltmann, Kirche in der Kraft des Geistes.
KuD	Kerygma und Dogma.
LThK	Lexikon für Theologie und Kirche.
LThKE	Lexikon für Theologie und Kirche ErgBd. Das Zweite Vatikanische Konzil.
M	J. Moltmann, Mensch.
MPTh	Monatsschrift für Pastoraltheologie.
MySal	Mysterium Salutis.
OG	W. Pannenberg (Hrsg.), Offenbarung als Geschichte.
ÖR	Ökumenische Rundschau.
PL	Patrologiae cursus completus. Accurante J.-P. Migne. Series Latina.
PP	J. Moltmann, Prädestination und Perseveranz. Geschichte und Bedeutung der reformierten Lehre „de perseverantia sanctorum“.

PTh	J. Moltmann, Perspektiven der Theologie.
Ramus	J. Moltmann, Zur Bedeutung des Petrus Ramus für Philosophie und Theologie im Calvinismus.
Reich	J. Moltmann, Das Reich Gottes und die Treue zur Erde.
RGG	Religion in Geschichte und Gegenwart (3. Auflage).
SB	J. Moltmann, Die Sprache der Befreiung.
SchTh	K. Rahner, Schriften zur Theologie.
Sent.	Petrus Lombardus, Libri IV sententiarum.
SM	Sacramentum Mundi.
StdZ	Stimmen der Zeit.
Sth	Thomas von Aquin, Summa theologiae.
ThH	J. Moltmann, Theologie der Hoffnung.
ThLZ	Theologische Literaturzeitung.
ThPh	Theologie und Philosophie.
ThQ	Theologische Quartalschrift.
ThSchG	K. Kitamori, Theologie des Schmerzes Gottes.
ThWNT	Theologisches Wörterbuch zum Neuen Testament.
UZ	J. Moltmann, Umkehr zur Zukunft.
VF	Verkündigung und Forschung.
VM	J. Moltmann, Der verborgene Mensch.
WA	M. Luther, Werke. Kritische Gesamtausgabe (Weimarer Ausgabe).
WM	J. Moltmann, Wer ist der Mensch?
ZKG	Zeitschrift für Kirchengeschichte.
ZKTh	Zeitschrift für Katholische Theologie.
ZThK	Zeitschrift für Theologie und Kirche.

VERZEICHNIS DER HIER UNMITTELBAR BENUTZTEN LITERATUR

I. Primärliteratur

Moltmann, J.: Prädestination und Heilsgeschichte bei Moyse Amyraut. Ein Beitrag zur Geschichte der reformierten Theologie zwischen Orthodoxie und Aufklärung, ZKG 65–66 (1953–54) 270–303 (= Auszug der Dissertation) (Abkürzung: Amyraut).
- Zur Bedeutung des Petrus Ramus für Philosophie und Theologie im Calvinismus, ZKG 68 (1957) 295–318 (Abkürzung: Ramus).
- Grundzüge mystischer Theologie bei Gerhard Tersteegen, EvTh 17 (1957) 205–224.
- Art. „Amesius“, in: RGG³ I (1957) 322.
- Art. „Camero“, ebd. 1602f.
- Art. „Chamier“, ebd. 1637f.
- Art. „Claude“, ebd. 1826f.
- Art. „Collenbusch“. Ebd. 1850f.
- Christoph Pezel und der Calvinismus in Bremen (Bremen 1958) (= Habilitationsschrift).
- Joh. Molanus und der Übergang Bremens zum Calvinismus, in: Jahrbuch der Wittheit zu Bremen I (Bremen 1957) 119–141.
- Art. „Daneau“, in: RGG³ II (1958) 26.
- „Diodati“, ebd. 199f.
- Art. „Ferry“, ebd. 905f.
- Geschichtstheologie und pietistisches Menschenbild bei J. Coccejus und Th. Undereyck, EvTh 19 (1959) 343–361.
- Herrschaft Christi und soziale Wirklichkeit nach D. Bonhoeffer (= „Theologische Existenz heute 71) (München 1959) (Abkürzung: Bonhoeffer).
- Die Bibel als Gotteswort und Menschenwort. Eine biblisch-theologische Betrachtung an Hand von 2 Kor. 4, 1–6, in: H. W. Wolff u. a., Die Bibel. Gotteswort oder Menschenwort? Dargestellt am Buch Jona und am Apostolat des Paulus nach 2. Korinther 4 (Neukirchen 1959) 36–48.
- Die Gemeinde im Horizont der Herrschaft Christi. Neue Perspektiven in der protestantischen Theologie (Neukirchen 1959).
- Art. „Hardenberg“, in RGG³ III (1959) 74.
- Art. „Hasenkamp“, ebd. 85f.
- Messianismus und Marxismus, KiZ 15 (1960) 291–295; später auch in: M. Walser u. a., Über Ernst Bloch (Frankfurt a. M. 1968) 42–50.
- Die Wahrnehmung der Geschichte in der christlichen Sozialethik, EvTh 20 (1960) 263–287; auch in PTh 149–173.
- Jacob Brocard als Vorläufer der Reich-Gottes-Theologie und der symbolisch-prophetischen Schriftauslegung des Johann Coccejus, ZKG 71 (1960) 110–129.
- Erwählung und Beharrung der Gläubigen nach Calvin, in: ders., (Hrsg.), Calvin-Studien 1959 (Neukirchen 1960) 43–61.
- Die Wirklichkeit der Welt und Gottes konkretes Gebot nach Dietrich Bonhoeffer, in: E. Bethge u. a. (Hrsg.), Die Mündige Welt III (München 1960) 42–67.

– „Die Rose im Kreuz der Gegenwart". Zum Verständnis der Kirche in der modernen Gesellschaft, MPTh 50 (1961) 272–289; und in: PTh 212–231.
– Der verborgene Mensch. Zum Selbstverständnis des modernen Menschen (= Das Gespräch 35) (Wuppertal-Barmen 1961) (Abkürzung: VM).
– Prädestination und Perseveranz. Geschichte und Bedeutung der reformierten Lehre „de perseverantia sanctorum" (Neukirchen 1961) (Abkürzung: PP).
– Art. „Pajon", in: RGG³ V (1961) 20.
– Art. „Perseveranz", ebd. 226f.
– Art. „Peucer", ebd. 264.
– Art. „Pezel", ebd. 264f.
– Art. „Ramus", ebd. 777f.
– Art. „Rundinger", ebd. 1208.
– Art. „Saumur", ebd. 1377f.
– Vorwort zu: *ders.* (Hrsg.), Anfänge der dialektischen Theologie I (München 1962) IX–XVII.
– Exegese und Eschatologie der Geschichte, EvTh 22 (1962) 31–66; auch in: PTh 57–92.
– Art. „Tilenus", in: RGG³ VI (1962) 899.
– Art. „Timan", ebd. 902.
– Art. „Verstockung", ebd. 1384.
– Art. „Voetius", ebd. 1432f.
– Die Menschenrechte und der Marxismus, KiZ 17 (1962) 122–126.
– Das Prinzip Hoffnung und die christliche Zuversicht. Ein Gespräch mit Ernst Bloch, EvTh 23 (1963) 537–557; und in: ThH ³1965, 313–334. Anhang: „Das Prinzip Hoffnung" und die „Theologie der Hoffnung". Ein Gespräch mit Ernst Bloch.
– Die „Weltoffenheit" des Menschen. Zur neueren philosophischen Anthropologie, VF 8 (1963) 115–134.
– Verkündigung als Problem der Exegese, MPTh 52 (1963) 24–36; und in: PTh 113–127; Briefwechsel mit E. Mechels, MPTh 52 (1963) 285–291.
– Das Reich Gottes und die Treue zur Erde (= „Das Gespräch 49) (Wuppertal- Barmen 1963) (Abkürzung: Reich).
– Was erwarten Kirche und Gesellschaft voneinander? Der Mensch in der Wirtschaft 12 (1963) 3–17.
– Dogmatik, in: R. Bohren (Hrsg.), Einführung in das Studium der Evangelischen Theologie (München 1964) 103–130.
– Anfrage und Kritik. Zu G. Ebelings „Theologie und Verkündigung", EvTh 24 (1964) 25–34.
– Theologie der Hoffnung. Untersuchungen zur Begründung und zu den Konsequenzen einer christlichen Eschatologie (München 1964) (Abkürzung: ThH).
– Gottesbeweise und Gegenbeweise (= Das Gespräch 46) (Wuppertal-Barmen 1964).
– Schrift, Tradition, Traditionen. Bericht über die Arbeit der Sektion II, ÖR 13 (1964) 104–111.
– Die Kategorie Novum in der christlichen Theologie, in: S. Unseld (Hrsg.), Ernst Bloch zu ehren (Frankfurt a. M. 1965) 243–263; und in: PTh 174–188.
– Hoffnung und Planung, Merkur 208 (1965) 609–622; und in: H. Lübbe u. a., Modelle der Gesellschaft von morgen (= Evangelisches Forum 6) (Göttingen 1966) 67–87; und in: PTh 251–268.
– Das Ende der Geschichte, in: Geschichte – Element der Zukunft. Vorträge an den Hochschultagen 1965 der Ev. Studentengemeinde Tübingen von R. Wittrag, H.-G. Gadamer, J. Moltmann (Tübingen 1965) 50–74; und in: PTh 232–250.
– Das Ziel der Mission, Evangelische Missionszeitschrift 22 (1965) 1–14.
– Wort Gottes und Sprache, MPTh 54 (1965) 388–405; und in: PTh 93–112.
– Neue Grenzen der Christenheit in der Industriegesellschaft. Junge Kirche 9 (1965) 493–504; Communio Viatorum 8 (1965) 11–25; Neue Wege 59 (1965).
– Der Realismus der Hoffnung, Kontexte 1 (1965) 101–107; auch in: H. Flügel u. a., Die Feste der Christenheit und der modernen Menschen (Stuttgart 1968) 51–62 unter dem Titel: Der Realismus der Hoffnung und die Verwandlung der Wirklichkeit. Ostern.
– Christen und Atheisten – Brüder? Gegner? in: G. Heidtmann u. a. (Hrsg.), Protestantische Texte

aus dem Jahre 1965 (Stuttgart – Berlin 1966) 142–152; und in: UZ 15–25 unter dem Titel: Begegnung mit dem Atheismus.
- Vertröstung auf das Jenseits? in: H. J. Girock (Hrsg.), Alte Botschaft, neue Weise (Stuttgart 1966) 125–133.
- Gottes Offenbarung und die Wahrheitsfrage, in: E. Busch u. a. (Hrsg.), Parrhesia. Karl Barth zum achtzigsten Geburtstag (Zürich 1966) 149–172; und in: PTh 13–35.
- Ernst Bloch und die Hoffnung ohne Glauben, Concilium 2 (1966) 415–421; und in: EH 49–63.
- Probleme der neuen evangelischen Eschatologie, in VF 11 (1966) 100–124.
- Die Zukunft Christi. Kommt Jesus wieder? Radius H 1 (1966) 6–13.
- Theologie in der Welt der modernen Wissenschaften, EvTh 26 (1966) 621–639; Kontexte 4 (1967) 88–94; und in: PTh 269–287.
- Die Zukunft als Drohung und Chance, Der Kreis, Sonderreihe H 5 (1966) 50–68.
- Christentum als Freiheitsbewegung, Neues Forum 14 (1967).
- Einleitung zu: ders. (Hrsg.), Ernst Bloch. Religion im Erbe. Eine Auswahl aus seinen religionsphilosophischen Schriften (München – Hamburg 1967) 7–18.
- „Niedergefahren zur Hölle“, in: G. Rein (Hrsg.), Das Glaubensbekenntnis. Aspekte für ein neues Verständnis (Stuttgart – Berlin 1967) 32–35; und in: UZ 80–85.
- Antwort auf die Kritik der Theologie der Hoffnung, in: W.-D. Marsch (Hrsg.), Diskussion über die Theologie der Hoffnung (München 1967) 201–238.
- Die Auferstehung des Gekreuzigten und die Zukunft Christi, in: B. Klappert (Hrsg.), Diskussion um Kreuz und Auferstehung (Wuppertal 1967) 253–261; und in: UZ 71–79.
- Marxisten und Christen in Marienbad 27. 4.–30. 4. 1967, EvTh 27 (1967) 398–400.
- Pflicht zur Kritik, in: K. von Bismarck – W. Dirks (Hrsg.), Neue Grenzen. Ökumenisches Christentum Morgen II (Stuttgart – Berlin, Olten – Freiburg 1967) 38–42.
- Revolution der Freiheit, EvTh 27 (1967) 595–616; und in: PTh 189–211.
- Der Gott der Hoffnung, in: N. Kutschki (Hrsg.), Gott heute (Mainz – München 1967) 116–126.
- Revolution und Theologie. Das Neue in unserem Zeitalter (Symposion). Frankfurter Hefte 22 (1967) 616–630.
- Existenzgeschichte und Weltgeschichte. Auf dem Wege zu einer politischen Hermeneutik des Evangeliums, EK 1 (1968) 13–20; und in: PTh 128–146.
- Perspektiven der Theologie. Gesammelte Aufsätze (München 1968) (Abkürzung: PTh).
- Einleitung zu: Gardavsky, Gott ist nicht ganz tot (München 1968) 7–14.
- Gott und Auferstehung. Auferstehungsglaube im Forum der Theodizeefrage, Attempto 29–30 (1968); Tübinger Forschungen (Schwäbisches Tagblatt) 12 (1968); und in: PTh 36–56.
- Gott in der Revolution, EK 1 (1968) 565–571; und in: E. Feil – R. Weth (Hrsg.), Diskussion zur „Theologie der Revolution“ (München 1969) 65–81.
- Auferstehung als Hoffnung, MPTh 58 (1969) 3–17.
- Die Zukunft als neues Paradigma der Transzendenz, Internationale Dialog-Zeitschrift 2 (1969) 2–13.
- Zwingt der Glaube zum politischen Handeln? in: G. Rein (Hrsg.), Dialog mit dem Zweifel (Stuttgart – Berlin 1969) 140–146.
- Christentum als Religion der Freiheit, in: E. Kellner (Hrsg.), Schöpfertum und Freiheit in einer humanen Gesellschaft (Wien 1969) 150–168.
- Politische Theologie, Sonderdruck des Ärztlichen Fortbildungswerkes (Regensburg 1969).
- Vorwort zu: VF 14 (1969) 1.
- Gewalt, in: H. J. Schultz (Hrsg.), Politik für Nichtpolitiker. Ein ABC zur aktuellen Diskussion I (Stuttgart – Berlin 1969) 185–194.
- Gott ist anders (= Predigt im Gespräch 35) (Neukirchen 1970); auch in: SB 11–22.
- Umkehr zur Zukunft (München – Hamburg 1970) (Abkürzung: UZ).
- Gott versöhnt und macht frei, EK 3 (1970) 515–520; auch in: SB 41–57.
- Theologische Kritik der politischen Religion, in: J. B. Metz – W. Oelmüller – J. Moltmann (Hrsg.), Kirche im Prozeß der Aufklärung, Aspekte einer neuen „politischen Theologie“ (Mainz – München 1970) 11–51.

– Theologie des Kommunismus und Theologie der Hoffnung, EK 3 (1970) 149–152.
– Die ersten Freigelassenen der Schöpfung. Versuche über die Freude an der Freiheit und das Wohlgefallen am Spiel (München 1971) (Abkürzung: EFSch).
– Der Mensch. Christliche Anthropologie in den Konflikten der Gegenwart (Stuttgart – Berlin 1971) (Abkürzung: M).
– Rassismus und das Recht auf Widerstand, EK 4 (1971) 253–257; und in: EH 145–163.
– Die Menschenrechte, EK 4 (1971) 399–402; und in: EH 164–176.
– Die Zukunft der Versöhnung, in: V. Hochgrebe – N. Kutschki (Hrsg.), Das Unverzichtbare am Christentum (Mainz – München 1971) 61–70.
– Sterben heute – Ein menschlicher Vorgang? Gastkommentar in Medical Tribune, 6 (1971) 19; auch in: SB 130–134.
– Siehe, es ist alles neu geworden! Predigt in der Stuttgarter Stiftkirche, in: Dein Wort, Herr, nicht vergeht (Stuttgart 1971).
– Die politische Relevanz der christlichen Hoffnung, in: K. Herbert (Hrsg.), Christliche Freiheit im Dienst am Menschen. Festschrift für Martin Niemöller (Frankfurt a.M. 1972) 153–162.
– Die Sprache der Befreiung. Predigten und Besinnungen (München 1972) (Abkürzung: SB).
– Der gekreuzigte Gott. Das Kreuz Christi als Grund und Kritik christlicher Theologie (München 1972) (Abkürzung: GG).
– Hoffnung und die biomedizinische Zukunft des Menschen, EvTh 32 (1972) 309–326.
– Die Welt des Calvinismus, in: R. Italiaander (Hrsg.), Moral – Wozu? (München 1972) 140–152; auch in: EH 131–144, unter dem Titel: Die Ethik des Calvinismus.
– Kreuz und Trinität, Korrespondenzblatt des Canisianum, 106 (1972).
– Der Mensch im teilnahmslosen Universum. Auseinandersetzung mit Jacques Monod, EK 5 (1972) 158–164.
– Gemeinschaft in einer geteilten Welt, Ökumene als Antwort auf den Schock der Zukunft, EK 5 (1972) 524–528; auch in: Una Sancta 27 (1972) 184–187; ÖR 21 (1972) 47–57.
– Die Verwandlung des Leidens. Der dreieinige Gott und das Kreuz, EK 5 (1972) 713–717; auch in: EH 93–111 unter dem Titel: Der gekreuzigte Gott und der apathische Mensch.
– Wer vertritt die Zukunft des Menschen? Fragen zur theologischen Basis der Menschenrechte, EK 5 (1972) 399–402.
– Theologie der Hoffnung, Korrespondenzblatt des Collegium Germanicum 79 (1972).
– Jesus und die Kirche, in: W. Kasper – J. Moltmann, Jesus ja – Kirche nein? (= Theologische Meditationen 32) (Zürich – Einsiedeln – Köln 1973) 37–63.
– Die Menschlichkeit des Lebens und des Sterbens, Schweizerische Ärztezeitung N 11 (14. 3. 1973); Neue Zürcher Zeitung (14. 1. 1973) 37–38; auch in: EH 177–193.
– Dostojewski und die „Theologie der Hoffnung“, in: H. Horn, Entscheidung und Solidarität. Festschrift für Johannes Harder (Wuppertal 1973) 163–178; auch in: EH 112–130 unter dem Titel: Fjodor Dostojewski und die Hoffnung der Gefangenen.
– Eine Mission an uns, EvTh 33 (1973) 209–213.
– Die Einheit des Menschengeschlechts in der Perspektive des christlichen Glaubens, in: J. R. Nelson – W. Pannenberg (Hrsg.), Um Einheit und Heil der Menschheit. Festschrift für W. W. Visser 't Hooft (Frankfurt a.M. 1973) 213–234.
– Gesichtspunkte der Kreuzestheologie heute, EvTh 33 (1973) 346–365.
– Fehlerhafte Unfehlbarkeit, EK 6 (1973) 451.
– Nicht nur Hippies dürfen feiern, Deutsche Zeitung (27. 7. 1973) 14.
– Alle Dinge sind möglich dem, der glaubt, Deutsche Zeitung (7. 9. 1973) 14.
– Predigt am 26. 11. 1972 über Math. 5, 43–48, in: Ev. Studentengemeinde Tübingen (Hrsg.), Bergpredigt. Revolution der Welt durch Gott? (Stuttgart 1973) 64–74.
– Gedanken zum Konfirmandenunterricht, Reformierte Kirchenzeitung 114 (1973) 143–146.
– Das Experiment Hoffnung. Einführungen (München 1974) (Abkürzungen: EH).
– Das Leiden des Menschensohnes und Ruf in die Nachfolge, in: J. B. Metz – J. Moltmann, Leidensgeschichte. Zwei Meditationen zu Mk 8, 31–38 (Freiburg i. Br. [2]1976) 13–35.

– „Dialektik, die umschlägt in Identität" – Was ist das? Zu Befürchtungen W. Kaspers, ThQ 153 (1973) 346–350.
– Christologie – die paulinische Mitte. Bemerkungen zu Georg Eichholz' Paulusinterpretation, EvTh 34 (1974) 196–200.
– Versöhnung und Befreiung. Der Beitrag der Christenheit zum Frieden, in: J. Moltmann – M. Söhr (Hrsg.), Begegnung mit Polen. Evangelische Kirchen und die Herausforderung durch Geschichte und Politik (München 1974) 165–182.
– Jesus und seine Kirche, in: H. Hold – J. Moltmann – O. Semmelroth, Thema Kirche (Göttingen 1974) 7–22. (Kurze Fassung aus: W. Kasper – J. Moltmann: Jesus ja, Kirche nein?).
– Warum „schwarze Theologie"? Einführung, EvTh 34 (1974) 1–3.
– Probleme und Chancen der Mission heute. Einführung, EvTh 34 (1974) 409.
– Die messianische Hoffnung im Christentum, Concilium 10 (1974) 592–596.
– Das befreiende Fest, Concilium 10 (1974) 118–123.
– Das Elend der Neuzeit überwinden. Evangelischer Dank an K. Rahner, Frankfurter Allgemeine Zeitung (5. 3. 1974).
– Weihnachtsgruß 1974 (München 1974).
– Befreiung im Licht der Hoffnung, ÖR 23 (1974) 296–313.
– Einführung zu: J. Moltmann – L. Vischer (Hrsg.), Manifest der Hoffnung. Zeugnisse, Dokumente, Modelle aus 6 Kontinenten (München 1975) 7–13.
– Wer ist „der Mensch"? (= Theologische Meditationen 36) (Einsiedeln – Zürich – Köln 1975) (Abkürzung: WM).
– Gedanken zur „trinitarischen Geschichte Gottes", EvTh 35 (1975) 208–233 (Abkürzung: Gedanken).
– Kirche in der Kraft des Geistes. Ein Beitrag zur messianischen Ekklesiologie (München 1975) (Abkürzung: KKG).
– Gott kommt und der Mensch wird frei (München 1975).
– Die einigende Kraft der Armut. Identitätsangst und Gemeinschaft der Christen, EK 8 (1975) 331–333.
– Zeugnis aus den Gefängnissen. Die Lage der Christen in Süd-Korea. EK 8 (1975) 288–294.
– Gemeinschaft der Hoffnung (Gespräch), in: A. A. Häsler (Hrsg.), Gott ohne Kirche? (Olten – Freiburg 1975) 124–141.
– Hat der Mensch ein Recht auf seinen eigenen Tod? Reformatio 24 (1975) 261–264.
– Ein zweiter Frühling in Nairobi. Kurskorrekturen auf der Vollversammlung des Weltkirchenrats, EK 9 (1976) 9–10.
– Offene Kirche durch Doppelstrategie? Die Krise der Volkskirche als Chance der Gemeinde, EK 9 (1976) 82–85.
– Bericht über die 5. Vollversammlung des ökumenischen Rates der Kirchen in Nairobi 1975, EvTh 36 (1976) 177–184.
– Welches Recht hat das Ebenbild Gottes? Erklärung des Reformierten Weltbundes zu den Menschenrechten, EK 9 (1976) 280–282.
– Im Gespräch mit Ernst Bloch. Eine theologische Wegbegleitung (München 1976).

II. Sekundärliteratur

Aagaard, A. M.: Der Heilige Geist in der Welt, in: H. Meyer u. a., Wiederentdeckung des Heiligen Geistes. Der Heilige Geist in der charismatischen Erfahrung und theologischen Reflexion (= Ökumenische Perspektiven 6) (Frankfurt a. M. 1974) 97–119.
Albrecht, B.: Eine Theologie des Katholischen II (Einsiedeln 1972).
Althaus, P.: Das Kreuz Christi, in: ders., Theologische Aufsätze (Gütersloh 1929) 1–50.
– Theologie Martin Luthers (Gütersloh 1962).

Althaus, P.: Offenbarung als Geschichte und Glaube. Bemerkungen zu Wolfhart Pannenbergs Begriff der Offenbarung, ThLZ 87 (1962) 321–330.

Asendorf, U.: Gekreuzigt und auferstanden. Luthers Herausforderung an die moderne Christologie (Hamburg 1971).

Averbeck, W.: Der Opfercharakter des Abendmahls in der neueren evangelischen Theologie (Paderborn 1967).

Balthasar, H. U. von: K. Barth. Darstellung und Deutung seiner Theologie (Köln 1951).

– Herrlichkeit. Eine theologische Ästhetik I (Einsiedeln 1961); II (1962); III/1 (1965); III/2, 1 (1967); III/2, 2 (1969).

– Die Messe, ein Opfer der Kirche? in: ders., Spiritus Creator (Einsiedeln 1967) 166–217.

– Die Freude und das Kreuz, Concilium 4 (1968) 683–688.

– Mysterium Paschale, in: J. Feiner – M. Löhrer (Hrsg.), Mysterium Salutis. Grundriß heilsgeschichtlicher Dogmatik (Abkürzung: MySal), III/2 (Einsiedeln – Zürich – Köln 1969) 133–319.

– Christologie und kirchlicher Gehorsam, in: ders., Pneuma und Institution (Einsiedeln 1974) 133–161.

– Über Stellvertretung, in: ders., Pneuma und Institution, (Einsiedeln 1974) 401–409.

Barth, K.: Kirchliche Dogmatik I/1 (Zürich 1932); I/2 (1938); II/1 (1940); II/2 (1942); III/1 (1945); III/2 (1948); III/3 (1950); III/4 (1951); IV/1 (1953); IV/2 (1955); IV/3 (1959); IV/4 (1967) (Abkürzung: KD).

– Dogmatik im Grundriß im Anschluß an das apostolische Glaubensbekenntnis (Zürich 1947).

– Die protestantische Theologie im 19. Jahrhundert (Zürich [2]1952).

Bauz, F. W. (Hrsg.): Das Wort vom Kreuz. Evangelische und katholische Theologen verkünden Christus, den Gekreuzigten (Einsiedeln – Zürich – Köln 1967).

Berkhof, H.: Theologie des Heiligen Geistes (Neukirchen 1968).

Berten, I.: Geschichte, Offenbarung, Glaube. Eine Einführung in die Theologie Wolfhart Pannenbergs (München 1970).

Bloch, E.: Prinzip Hoffnung (Frankfurt a. M. 1959).

– Atheismus im Christentum. Zur Religion des Exodus und des Reiches (Frankfurt a. M. 1968).

– Religion im Erbe. Eine Auswahl aus seinen religionsphilosophischen Schriften, hrsg. v. J. Moltmann (München – Hamburg 1970).

Bonhoeffer, D.: Widerstand und Ergebung (München 1951).

Brugger, W.: Theologia Naturalis (Barcelona 1964).

Brunner, P.: Die Herrlichkeit des gekreuzigten Messias. Eine vordogmatische Erwägung zur dogmatischen Christologie, Pro ecclesia 2 (1966) 60–75.

Buergener, K.: Auferstehung Jesu Christi von den Toten. Versuch einer Osterharmonie (Hamburg 1970).

Bulst, W.: Die Auferstehung Jesu. Gegenstand oder Grund unseres Glaubens? in: J. Splett u. a., Glaubensbegründung heute (Graz – Wien – Köln 1970) 117–129.

Bultmann, R.: Glauben und Verstehen I (Tübingen 1933).

– Neues Testament und Mythologie. Das Problem der Entmythologisierung der ntl. Verkündigung, in: H. W. Bartsch (Hrsg.), Kerygma und Mythos I (Hamburg 1948).

– Das Verhältnis der urchristlichen Christusbotschaft zum historischen Jesus, Sitzungsberichte der Heidelberger Akademie der Wissenschaften (Heidelberg 1960).

Congar, Y.: Das Scheitern in christlicher Sicht. Theologische Meditation über die Weisheit des Kreuzes, in: K. Rahner – B. Häring (Hrsg.), Wort in Welt. Studien zur Theologie der Verkündigung. Festgabe für Viktor Schurr (Frankfurt a. M. 1968) 285–294.

Cornehl, P.: Die Zukunft der Versöhnung. Eschatologie und Emanzipation in der Aufklärung, bei Hegel und in der Hegelschen Schule (Göttingen 1971).

Dembowski, H.: Grundfragen der Christologie. Erörtert am Problem der Herrschaft Jesu Christi (= Beiträge zur evangelischen Theologie 51) (München 1969).

– Einführung in die Christologie (Darmstadt 1976).

Ebeling, G.: Die „nichtreligiöse Interpretation biblischer Begriffe", in: ders., Wort und Glaube I (Tübingen 1962) 90–160.

Ebeling, G.: Luther. Einführung in sein Denken (Tübingen 1964).
Eliade, M.: Der Mythos der ewigen Wiederkehr (Düsseldorf 1953).
Fischer, K.: Der Mensch als Geheimnis. Die Anthropologie Karl Rahners (Freiburg i. Br. [2]1976).
Foreville, R.: Lateran I–IV, in: G. Dumeige – H. Bacht (Hrsg.), Geschichte der ökumenischen Konzilien VI (Mainz 1970).
Fries, H.: Spero ut intelligam. Bemerkungen zu einer Theologie der Hoffnung, in: L. Scheffczyk u. a. (Hrsg.), Wahrheit und Verkündigung. Michael Schmaus zum 70. Geburtstag (München 1967) 353–375; auch in: DThH 81–105.
Geense, A.: Auferstehung und Offenbarung. Über den Ort der Frage nach der Auferstehung Jesu Christi in der heutigen deutschen evangelischen Theologie (= Forschungen zur systematischen und ökumenischen Theologie 27) (Göttingen 1971).
Germany, C.: Protestant Theologies in Modern Japan (Tokio 1965).
Gertz, B.: Glaubenswelt als Analogie. Die theologische Analogie-Lehre E. Przywaras und ihr Ort in der Auseinandersetzung um die analogia fidei (Düsseldorf 1969).
Geyer, H.-G.: Die Auferstehung Jesu Christi. Ein Überblick über die Diskussion in der gegenwärtigen Theologie, in: F. Viering (Hrsg.), Die Bedeutung der Auferstehungsbotschaft für den Glauben an Jesus Christus (Gütersloh 1966) 91–117.
– Ansichten zu Jürgen Moltmanns „Theologie der Hoffnung", ThLZ 93 (1967); auch in: W.-D. Marsch (Hrsg.), Diskussion über die „Theologie der Hoffnung" (München 1967) 40–80.
Gollwitzer, H.: Von der Stellvertretung Gottes. Christlicher Glaube in der Erfahrung der Verborgenheit Gottes. Zum Gespräch mit Dorothee Sölle (München 1968).
– Krummes Holz, aufrechter Gang. Zur Frage nach dem Sinn des Lebens (München 1970).
Grabmann, M.: Geschichte der scholastischen Methode II (Freiburg i. Br. 1911).
Grass, H.: Das christologische Problem in der gegenwärtigen Dogmatik, in: ders., Theologie und Kritik (Göttingen 1969) 136–164.
Gräßer, E.: „Der politisch gekreuzigte Christus". Kritische Anmerkungen zu einer politischen Hermeneutik des Evangeliums, Zeitschrift für die neutestamentliche Wissenschaft und die Kunde der älteren Kirche 62 (1971) 266–296.
Greshake, G.: Auferstehung der Toten. Ein Beitrag zur gegenwärtigen theologischen Diskussion über die Zukunft der Geschichte (= Koinonia 10) (Essen 1969).
Haenchen, E.: Wie starb Jesus?, in: K. G. Steck u. a. (Hrsg.), Ein anderes Evangelium? (Witten 1967) 77–89.
Hahn, F.: Christologische Hoheitstitel. Ihre Geschichte im frühen Christentum (Göttingen 1962).
Harbsmeier, G.: Tod und Auferstehung als zentrale Aussagen der Theologie, in: D. Rössler u. a. (Hrsg.), Fides et communicatio. Festschrift für Martin Doerne zum 70. Geburtstag (Göttingen 1970) 144–154.
Harnack, Th.: Luthers Theologie I u. II (Erlangen 1862; München 1926).
Hasumi, K.: Moltmann Shingaku no Shatei (Tragweite der Theologie Moltmanns), Fukuin to Sekai (Evangelium und Welt) 6 (1973) 32–37.
Hedinger, U.: Glaube und Hoffnung bei E. Fuchs und J. Moltmann, EvTh 27 (1967) 36–51.
Hegel, G. W. F.: Phänomenologie des Geistes (Bamberg – Würzburg 1807); Ed. J. Hoffmeister (Hamburg [6]1952) (= Philosophische Bibliothek 114).
Hengel, M.: Die Zeloten. Untersuchungen zur jüdischen Freiheitsbewegung in der Zeit von Herodes I. bis 70 n. Chr. (Leiden – Köln 1961).
– War Jesus Revolutionär? (Stuttgart 1970).
– Gewalt und Gewaltlosigkeit. Zur „politischen Theologie" in neutestamentlicher Zeit (Stuttgart 1971).
– „Politische Theologie" und neuzeitliche Zeitgeschichte, KuD 18 (1972) 18–25.
– Der Sohn Gottes (Tübingen 1975).
Honecker, M.: Christlicher Beitrag zur Weltverantwortung. Eine kritische Stellungnahme zu den beiden Hauptreferaten von Professor Tödt und Professor Moltmann auf den Tagungen des Lutherischen Weltbundes in Evian und des Reformierten Weltbundes in Nairobi (Stuttgart 1971).
Horkheimer, M.: Die Sehnsucht nach dem ganz Anderen (Hamburg 1970).

Iwand, H. J.: Thesen von der Offenbarung, in: ders., Nachgelassene Werke I, hrsg. v. H. Gollwitzer (München 1962).
- Theologia crucis, in: ders., Nachgelassene Werke II, hrsg. v. D. Schellong (München 1966).
- Christus, unsere Gerechtigkeit, in: ders., Nachgelassene Werke IV, hrsg. v. W. Kreck (München 1964) 80–110.
- Predigtmeditationen (Göttingen 1966).
Jenson, R. W.: Aspekte der Christologie in einer pluralistischen Gesellschaft, in: H. Schulze–H. Schwarz (Hrsg.), Christsein in einer pluralistischen Gesellschaft (Hamburg 1971) 113–117.
Jüngel, E.: Paulus und Jesus. Eine Untersuchung zur Präzisierung der Frage nach dem Ursprung der Christologie (Tübingen 1962).
- Gottes Sein ist im Werden. Verantwortliche Rede vom Sein Gottes bei Karl Barth (Tübingen [2]1967).
- Jesu Wort und Jesus als Wort Gottes. Ein hermeneutischer Beitrag zum christologischen Problem, in: E. Busch u. a. (Hrsg.), Parrhesia. Karl Barth zum 80. Geburtstag (Zürich 1966); später auch in: ders., Unterwegs zur Sache. Theologische Bemerkungen (München 1972) 126–144.
- Gottes umstrittene Gerechtigkeit. Eine reformatorische Besinnung zum paulinischen Begriff *dikaiosyne theou,* in: E. Jüngel–M. Geiger, Zwei Reden zum 450. Geburtstag der Reformation (Zürich 1968) 3–26; später in: Unterwegs zur Sache 60–79.
- Vom Tod des lebendigen Gottes. Ein Plakat, ZThK 65 (1968) 93–116; später in: Unterwegs zur Sache 105–125.
- Die Welt als Möglichkeit und Wirklichkeit. Zum ontologischen Ansatz der Rechtfertigungslehre, EvTh 29 (1969) 417–422; auch in: Unterwegs zur Sache 206–233.
- Tod (Stuttgart–Berlin 1971).
- Thesen zur Grundlegung der Christologie, in: Unterwegs zur Sache 274–295.
- Was ist „das unterscheidend Christliche"? in: Unterwegs zur Sache 296–299; auch in: G. Adler (Hrsg.), Christliche – was heißt das? (Düsseldorf 1972) 62–65.
- Geistesgegenwart. Predigten (München 1974).
Kähler, M.: Das Kreuz. Grund und Maß der Christologie, (Gütersloh 1911).
Kaiser, Ph.: Die gott-menschliche Einigung in Christus als Problem der spekulativen Theologie seit der Scholastik (= Münchner theologische Studien 36) (München 1968).
Käsemann, E.: Gottesgerechtigkeit bei Paulus, ZThK 58 (1961) 367–378.
- Die Heilsbedeutung des Todes Jesu nach Paulus, in: F. Viering (Hrsg.), Zur Bedeutung des Todes Jesu (Gütersloh 1967) 11–34; auch in: ders., Paulinische Perspektiven (Tübingen 1969) 61–107.
Kasper, W.: Glaube und Geschichte (Mainz 1970).
- Revolution im Gottesverständnis? Zur Situation des ökumenischen Dialogs nach Jürgen Moltmanns „Der gekreuzigte Gott", ThQ 153 (1973) 8–14.
- Jesus der Christus (Mainz 1974).
- Christologie von unten? Kritik und Neuansatz gegenwärtiger Christologie, in: L. Scheffczyk (Hrsg.), Grundfragen der Christologie heute (Freiburg i. Br. 1975) 141–170.
Kessler, H.: Die theologische Bedeutung des Todes Jesu (Düsseldorf 1970).
Kitamori, K.: Kami no Itami no Shingaku (Theologie des Schmerzes Gottes) (Tokio 1946); die deutsche Übersetzung (Göttingen 1972) (Abkürzung: ThSchG).
- Fukuin no Seikaku (Der Charakter des Evangeliums) (Kyoto 1948).
- Konnichi no Shingaku (Theologie heute) (Tokio 1950).
- Kyūsai no Ronri (Die Logik der Erlösung) (Tokio 1953).
- Shūkyōkaikaku no Shingaku (Theologie der Reformation) (Tokio 1960).
- Ningen to Shūkyō (Mensch und Religion) (Tokio 1965).
- Ai ni okeru Jijū no Mondai (Frage der Freiheit in Liebe) (Tokio 1966).
- Nippon no Kirisutokyō (Das Christentum Japans) (Tokio 1966).
- Moltmann no Jūjika no shingaku o megutte (Zur Kreuzestheologie Moltmanns), Shingaku 9 (1973).
Klappert, B. (Hrsg.): Diskussion um Kreuz und Auferstehung (Wuppertal 1967).

Klappert, B.: Die Auferweckung des Gekreuzigten. Der Ansatz der Christologie Karl Barths im Zusammenhang der Christologie der Gegenwart (Neukirchen 1971).
– Tendenzen der Gotteslehre in der Gegenwart, EvTh 35 (1975) 189–208.
– Gottverlassenheit Jesu und der gekreuzigte Gott. Beobachtungen zum Problem einer theologia crucis in der Christologie der Gegenwart, VF 20 (1975) H. 2, 35–52.
Klein, G.: Theologie des Wortes Gottes und die Hypothese der Universalgeschichte. Zur Auseinandersetzung mit W. Pannenberg (= Beiträge zur evangelischen Theologie 37) (München 1964).
Klinger, E. (Hrsg.): Christentum innerhalb und außerhalb der Kirche (= Quaestiones disputatae 73) (Freiburg i. Br. 1976).
Knauer, P.: Dialektik und Relation, ThPh 41 (1966) 54–74.
Kondō, K.: Pannenberg to Moltmann ni okeru Keiji to Rekishi (Offenbarung und Geschichte bei Pannenberg und Moltmann), Shingaku 33 (1970) 70–112.
Konrad, F.: Das Offenbarungsverständnis in der evangelischen Theologie (= Beiträge zur ökumenischen Theologie 6) (München 1971).
Kreck, W.: Zum Verständnis des Todes Jesu, EvTh 28 (1968) 272–293.
Kremer, J.: Das älteste Zeugnis von der Auferstehung Christi. Eine bibeltheologische Studie zur Aussage und Bedeutung von 1 Kor 15, 1–11 (Stuttgart 1967).
– Die Osterbotschaft der vier Evangelien (Stuttgart 1967).
– Das Ärgernis des Kreuzes. Eine Hinführung zum Verstehen der Leidensgeschichte nach Markus (Stuttgart 1969).
Kuhn, H.-W.: Jesus als Gekreuzigter in der frühchristlichen Verkündigung bis zur Mitte des 2. Jahrhunderts, in: ZThK 72 (1975) 1–46.
Küng, H.: Menschwerdung Gottes. Eine Einführung in Hegels theologisches Denken als Prolegomena zu einer künftigen Christologie (Freiburg i. Br. 1970).
– Die Religionen als Frage an die Theologie des Kreuzes, EvTh 33 (1973) 401–423.
– Christ sein (München–Zürich 1974).
– Warum? Zum gewaltsamen Ende Jesu von Nazareth, in: Frankfurter Allgemeine Zeitung (6. 4. 1974).
Lauter, H.-J.: Was heißt „Erlösung"? Die göttliche Dimension der Stellvertretung Christi – eine Offenbarung der Liebe Gottes, Aus der katholischen Welt (5. 4. 1974) 31.
Lehmann, K.: Auferweckt am dritten Tag nach der Schrift. Früheste Christologie, Bekenntnisbildung und Schriftauslegung im Licht von 1 Kor. 15, 3–5 (= Quaestiones disputatae 38) (Freiburg i. Br. [2]1969).
Lentzen-Deis, F.: Das Gottesverhältnis Jesu von Nazareth als Erfüllung alttestamentlichen Glaubens, in: H. Wolter (Hrsg.), Testimonium Veritati. Philosophische und theologische Studien zu kirchlichen Fragen der Gegenwart (= Frankfurter theologische Studien 7) (Frankfurt a. M. 1971) 185–195.
– Jesus – Rabbi oder Gottes Sohn? (= Theologische Akademie 9) (Frankfurt a. M. 1972).
Link, H.-G.: Gegenwärtige Probleme einer Kreuzestheologie. Ein Bericht, EvTh 33 (1973) 337–345.
Lochmann, J. M. – Dembowski, H.: Gottes Sein ist im Leiden. Zur trinitarischen Kreuzestheologie J. Moltmanns, EvKomm 7 (1973) 421–426.
Lochmann, J. M.: Zum praktischen Lebensbezug der Trinitätslehre, EvTh 35 (1975) 237–248.
Loewenich, W. v.: Luthers theologica crucis (Witten [5]1967).
Löwith, K.: Weltgeschichte und Heilsgeschehen (Stuttgart 1953).
Luz, U.: Theologia crucis als Mitte der Theologie im NT, EvTh 34 (1974) 116–141.
Margull, H. J.: Tod Jesu und Schmerz Gottes, in: M.-L. Henry u. a., Leben angesichts des Todes. Helmut Thielicke zum 60. Geburtstag (Tübingen 1968) 269–276.
Marsch, W.-D.: Logik des Kreuzes. Über Sinn und Grenzen einer theologischen Berufung auf Hegel, in: EvTh 28 (1968) 57–82.
Marsch, W.-D. (Hrsg.): Diskussion über die „Theologie der Hoffnung" (München 1967) (Abkürzung: DThH).
Marxsen, W.: Erwägungen zum Problem des verkündigten Kreuzes, in: ders., Der Exeget als Theologe (Gütersloh 1968) 160ff.

Marxsen, W.: Die Auferstehung Jesu von Nazareth (Gütersloh 1968).
Mass, W.: Unveränderlichkeit Gottes. Zum Verhältnis von griechisch-philosophischer und christlicher Lehre (München–Paderborn–Wien 1974).
Mechels, E.: Analogie bei E. Przywara und K. Barth. Das Verhältnis von Offenbarungstheologie und Metaphysik (Neukirchen 1974).
Meeks, D.: Origins of the Theology of Hope (Philadelphia 1974).
Metz, J. B.: Zur Theologie der Welt (Mainz–München 1968).
- Erlösung und Emanzipation, in: StdZ 191 (1973) 171–184.
- Credo der Christen. Zur Debatte 11./12. (1975) 16.
Michalson, C.: Japanische Theologie der Gegenwart (Gütersloh 1962).
Mildenberger, F.: Theologie für die Zeit. Wider die religiöse Interpretation der Wirklichkeit in der modernen Theologie (Stuttgart 1969).
Momose, F.: H. U. v. Balthasar ni okeru Kirisutokyō Keiji no Biteki Rikai (Das ästhetische Verständnis der christlichen Offenbarung bei H. U. v. Balthasar), Katorikku Kenkyū (Katholische Forschung) 22 (1972) 383–402.
Mondin, B.: The Principle of Analogy in Protestant and Catholic Theology (Den Haag 1968).
Mühlen, H.: Der Heilige Geist als Person – in der Trinität bei der Inkarnation und im Gnadenbund (Münster 1963).
- Die abendländische Seinsfrage als der Tod Gottes und der Aufgang einer neuen Gotteserfahrung (Paderborn 1968).
- Una Persona Mystica. Die Kirche als das Mysterium der heilsgeschichtlichen Identität des Heiligen Geistes in Christus und den Christen: Eine Person in vielen Personen (München–Paderborn–Wien 1968).
- Christologie im Horizont der traditionellen Seinsfrage? Auf dem Wege zu einer Kreuzestheologie in Auseinandersetzung mit der altkirchlichen Christologie, Catholica 23 (1969) 205–239; auch Sonderdruck unter dem Titel: Die Veränderlichkeit Gottes als Horizont einer zukünftigen Christologie (Münster 1969).
- Pneumatologie am Beginn einer neuen Epoche, in: C. Heitmann – F. Schmeker (Hrsg.), Im Horizont des Geistes (Hamburg – Paderborn 1971) 48–65.
- Die Erneuerung des christlichen Glaubens (München 1974).
- Soziale Geisterfahrung als Antwort auf eine einseitige Gotteslehre, in: C. Heitmann – H. Mühlen (Hrsg.), Erfahrung und Theologie des Heiligen Geistes (Hamburg 1974) 253–272.
Müller, N. B.: Die Bedeutung des Kreuzestodes Jesu im Johannesevangelium. Erwägungen zur Kreuzestheologie im Neuen Testament, KuD 21 (1975) 49–71.
Mußner, F.: Die Auferstehung Jesu (München 1969).
Nitschke, H. (Hrsg.): Das Wort vom Kreuz heute gesagt. Predigten der Gegenwart (Gütersloh 1973).
Ogawa, K.: Die Aufgabe der neueren evangelischen Theologie in Japan (Basel 1965).
Ōki, H.: Shūmatsuron (Eschatologie) (Tokio 1972).
Pannenberg, W.: Zur Bedeutung des Analogiedenkens bei Karl Barth, ThLZ 78 (1953) 17–24.
- Christlicher Glaube und menschliche Freiheit, KuD 4 (1958) 251–280.
- Heilsgeschehen und Geschichte, KuD 5 (1959) 218–237; 259–288; später im Sammelband: ders., Grundfragen systematischer Theologie. Gesammelte Aufsätze (Göttingen 1967) (Abkürzung: GSTh), 22–78.
- Die Aufnahme des philosophischen Gottesbegriffs als dogmatisches Problem der früh-christlichen Theologie, ZKG 70 (1959) 1–45; später auch in: GSTh 296–346.
- Möglichkeiten und Grenzen der Anwendung des Analogieprinzips in der evangelischen Theologie, ThLZ 85 (1960) 225–228.
- Dogmatische Thesen zur Lehre von der Offenbarung, in: ders. (Hrsg.), Offenbarung als Geschichte (Göttingen 1961) 91–114 (Abkürzung: OG).
- Kerygma und Geschichte, in: R. Rendtorff – H. Koch (Hrsg.), Studien zur Theologie der alttestamentlichen Überlieferungen. Festschrift für Gerhard von Rad (Neukirchen 1961) 129–140; später auch in: GSTh 79–90.

Pannenberg, W.: Was ist Wahrheit?, in: K. Scharf (Hrsg.), Vom Herrengeheimnis der Wahrheit. Festschrift für Heinrich Vogel (Berlin–Stuttgart 1962) 214–239; später in: GSTh 202–222.
– Was ist der Mensch? Die Anthropologie der Gegenwart im Licht der Theologie (Göttingen 1962).
– Was ist eine dogmatische Aussage? KuD 8 (1962) 81–99; später in: GSTh 159–180.
– Hermeneutik und Universalgeschichte, in: ZThK 60 (1963) 90–121; später in: GSTh 123–158.
– Einsicht und Glaube. Antwort an Paul Althaus, ThLZ 88 (1963) 81–92; später in: GSTh 223–236.
– Analogie und Doxologie, in: W. Joest – W. Pannenberg (Hrsg.), Dogma und Denkstrukturen. Festschrift für E. Schlink (Göttingen 1963) 96–115; später auch in: GSTh 181–201.
– Grundzüge der Christologie (Gütersloh 1964) (Abkürzung: GCh).
– Der Gott der Hoffnung, in: S. Unseld (Hrsg.), Ernst Bloch zu ehren (Frankfurt a. M. 1965) 209–225; später auch in: GSTh 387–398.
– Dogmatische Erwägungen zur Auferstehung Jesu, KuD 14 (1968) 105–118.
– Thesen zur Theologie der Kirche (München 1970).
– Kontingenz und Naturgesetz, in: A. M. K. Müller – W. Pannenberg, Erwägungen zu einer Theologie der Natur (Gütersloh 1970).
– Weltgeschichte und Heilsgeschichte, in: H. W. Wolff (Hrsg.), Probleme biblischer Theologie. Gerhard von Rad zum 70. Geburtstag (München 1971) 349–366.
– Theologie und Reich Gottes (Gütersloh 1971).
– Wie wahr ist das Reden von Gott? Die wissenschaftstheoretische Problematik theologischer Aussagen, EK 4 (1971) 629–633.
– Zukunft und Einheit der Menschheit, EvTh 32 (1972) 384–402.
– Die Geschichtlichkeit der Wahrheit und die ökumenische Diskussion, in: M. Seckler u. a. (Hrsg.), Begegnung. Beiträge zu einer Hermeneutik des theologischen Gesprächs (Graz – Wien – Köln 1972) 31–44.
– Gottesgedanke und menschliche Freiheit (Göttingen 1972).
– Das Glaubensbekenntnis. Ausgelegt und verantwortet vor den Fragen der Gegenwart (Hamburg 1972).
– Christentum und Mythos. Späthorizonte des Mythos in biblischer und christlicher Überlieferung (Gütersloh 1972).
– Wissenschaftstheorie und Theologie (Frankfurt a. M. 1973).
– Eschatologie und Seinserfahrung, KuD 19 (1973) 39–52.
– Das christologische Fundament christlicher Anthropologie, Concilium 9 (1973) 425–434.
– Gegenwart Gottes. Predigten (München 1973).
– Glaube und Wirklichkeit im Denken Gerhard von Rads, in: H. W. Wolff u. a., Gerhard von Rad. Seine Bedeutung für die Theologie (München 1973) 37–54.
– Christologie und Theologie, KuD 21 (1975) 159–175.
Peukert, H. (Hrsg.): Diskussion zur „politischen Theologie" (München 1969).
Pohlenz, M.: Die Stoa. Geschichte einer geistigen Bewegung I (Göttingen 1970).
Pöhlmann, H. G.: Analogia entis oder Analogia fidei. Die Frage der Analogie bei Karl Barth (Göttingen 1965).
Popkes, W.: Christus Traditus. Eine Untersuchung zum Begriff der Dahingabe im Neuen Testament (Zürich – Stuttgart 1967).
Prenter, R.: Zur Theologie des Kreuzes bei Luther, Lutherische Rundschau 9 (1959) 270–283.
Przywara, E.: Analogia Entis (Einsiedeln 1962).
Puntel, B.: Analogie und Geschichtlichkeit. Philosophiegeschichtlich-kritischer Versuch über das Grundproblem der Metaphysik (Freiburg – Basel – Wien 1969).
Rad, G. v.: Theologie des Alten Testaments I u. II (München 1960).
Rahner, K.: Zur scholastischen Begrifflichkeit der ungeschaffenen Gnade, ZKTh 63 (1939) 137–157; später in: ders., Schriften zur Theologie (Abkürzung: SchTh) I (Einsiedeln – Zürich – Köln 1954) 347–375.
– Über das Verhältnis von Natur und Gnade, Orientierung 14 (1950) 141–145; auch in: SchTh I, 323–345.
– Auferstehung des Fleisches, StdZ 152 (1953) 81–91; später in: SchTh II, 1955, 211–225.

Rahner, K.: Die ewige Bedeutung der Menschheit Jesu für unser Gottesverhältnis, GuL 26 (1953); auch in: SchTh III, 1956, 47–60.
– Chalkedon – Ende oder Anfang?' in: A. Grillmeier – H. Bacht (Hrsg.), Das Konzil von Chalkedon. Geschichte und Gegenwart III (Würzburg 1954) 3–49; auch in: SchTh I, 169–222.
– Begegnung mit dem Auferstandenen, GuL 28 (1955) 81–86; auch in: SchTh VII, 1966, 166–173.
– Zur Theologie der Weihnachtsfeier, Wort und Wahrheit 10 (1955) 887–893; auch in: SchTh III, 35–46.
– Zur Theologie der Menschwerdung, Catholica 12 (1958) 1–16; auch in: SchTh IV, 1960, 137–155.
– Zur Theologie des Todes (= Quaestiones disputatae 2) (Freiburg – Basel – Wien 1958).
– Über den Begriff des Geheimnisses in der katholischen Theologie, in: S. Behn (Hrsg.), Beständiger Aufbruch. Festschrift für E. Przywara (Nürnberg 1959) 181–216; auch in: SchTh IV, 51–99.
– Dogmatische Fragen zur Osterfrömmigkeit, in: B. Fischer – J. Wagner (Hrsg.), Paschatis Sollemnia. Festschrift für J. A. Jungmann (Freiburg i. Br. 1959) 1–12; auch in: SchTh IV, 157–172.
– Zur Theologie des Symbols, in: A. Bea u. a. (Hrsg.), Cor Jesu I (Rom 1959) 461–505; auch in: SchTh IV, 275–311.
– Geist über alles Leben, Korrespondenzblatt des Collegium Canisianum 94 (1960) 34–40; auch in: SchTh VII (1966) 189–196.
– Natur und Gnade nach der Lehre der katholischen Kirche, in: L. Reinisch (Hrsg.), Theologie heute (München ²1960) 89–102; auch in: SchTh IV, 209–236.
– Wort und Eucharistie, in: M. Schmaus (Hrsg.), Aktuelle Fragen zur Eucharistie (München 1960) 7–52; auch in: SchTh IV, 315–355.
– Kirche und Sakramente (= Quaestiones disputatae 10) (Freiburg – Basel – Wien 1961).
– Das Christentum und die nichtchristlichen Religionen, in: Pluralismus, Toleranz und Christenheit. Veröffentlichung der Abendländischen Akademie e. V. (Nürnberg 1961) 55–74; auch in: SchTh V (1962) 136–158.
– Weltgeschichte und Heilsgeschichte, in: SchTh V, 115–135.
– Kirche und Parusie Christi, Catholica 17 (1963) 113–128; auch in: SchTh VI (1965) 348–367.
– Die anonymen Christen, in: SchTh VI, 545–554.
– Theologie der Freiheit, in: SchTh VI, 215–237.
– Marxistische Utopie und christliche Zukunft des Menschen, Orientierung 29 (1965) 107–110; auch in: SchTh VI, 77–88.
– Experiment Mensch, in: H. Rombach (Hrsg.), Die Frage nach dem Menschen. Aufriß einer philosophischen Anthropologie. Festschrift für Max Müller (Freiburg i. Br. 1966) 45–49; auch in: SchTh VIII (1967) 260–285.
– Kirche, Kirchen und Religionen, in: K. Rahner – O. Semmelroth (Hrsg.), Theologische Akademie III (Frankfurt a. M. 1966) 70–87; auch in: SchTh VIII, 355–373.
– Das Ärgernis des Todes, in: SchTh VII, 141–144.
– Christlicher Humanismus, Orientierung 30 (1966), 116–121; auch in: SchTh VIII, 239 bis 259.
– Der eine Mittler und die Vielfalt der Vermittlungen, in: SchTh VIII, 218–235.
– Fragment aus einer theologischen Besinnung auf den Begriff der Zukunft, in: E. Schlechte (Hrsg.), Darmstädter Gespräch. Der Mensch und seine Zukunft (Darmstadt 1967) 149–160; 149–160; auch in: SchTh VIII, 555–560.
– Zur Theologie der Hoffnung, Internationale Dialog-Zeitschrift 1 (1968) 67–78; auch in: SchTh VIII, 569–579.
– Atheismus und implizites Christentum, Concilium 3 (1967) 171–180; auch in: SchTh VIII, 580–592.
– Über die theologische Problematik der „neuen Erde", Neues Forum 14 (1967) 683–687; auch in: SchTh VIII, 580–592.
– Selbstverwirklichung und Annahme des Kreuzes, in: G. Zacharias (Hrsg.), Beitrag für „Dialog über den Menschen". Festschrift für W. Bitter zum 75. Geburtstag (Stuttgart 1968) 194–198; auch in: SchTh VIII, 322–326.
– Kirchliche Christologie zwischen Exegese und Dogmatik, in: SchTh IX, 1970, 197–226.

Rahner, K.: Die Frage nach der Zukunft, in: H. Peukert (Hrsg.), Diskussion zur „politischen Theologie“ (Mainz 1969) 247–266; auch in: SchTh IX, 519–540.
– Bemerkungen zur Bedeutung der Geschichte Jesu für die katholische Dogmatik, in: G. Bornkamm – K. Rahner (Hrsg.), Die Zeit Jesu. Festschrift für H. Schlier (Freiburg i. Br. 1970) 273–283; auch in: SchTh X, 1972, 215–226.
– Christologie im Rahmen des modernen Selbst- und Weltverständnisses, in: SchTh IX, 227–241.
– Anonymes Christentum und Missionsauftrag der Kirche, in: SchTh IX, 498–515.
– Chancen des Glaubens. Fragmente einer modernen Spiritualität (Freiburg i. Br. 1970).
– Zu einer Theologie des Todes, in: SchTh X, 181–199.
– Auf der Suche nach Zugängen zum Verständnis des gott-menschlichen Geheimnisses Jesu, in: SchTh X, 209–214.
– Bemerkungen zum Problem des „anonymen Christen“, in: SchTh X, 531–546.
– Die zwei Grundtypen der Christologie, in: SchTh X, 227–238.
– Anonymer und expliziter Glaube, StdZ 192 (1974) 147–152; auch in: SchTh XII, 1975, 76–84.
– Fragen zur Unbegreiflichkeit Gottes nach Thomas von Aquin, in: Thomas von Aquin 1274/1974 (München 1974) 33–45; auch in: SchTh XII, 306–319.
– Jesus Christus in den nichtchristlichen Religionen, in: G. Oberhammer (Hrsg.), Offenbarung, Geistige Realität des Menschen (Wien 1974) 189–198; auch in: SchTh XII, 370–383.
– Der eine Jesus Christus und die Universalität des Heils, in: SchTh XII, 251–282.
– Jesu Auferstehung, in: SchTh XII, 344–352.
– Christologie heute? in: SchTh XII, 353–369.
– Grundkurs des Glaubens. Einführung in den Begriff des Christentums (Freiburg i. Br. [9]1977).
Rahner, K. – Häussling, A.: Die vielen Messen und das eine Opfer. Eine Untersuchung über die rechte Norm der Meßhäufigkeit (= Quaestiones disputatae 31) (Freiburg i. Br. 1966).
Rahner, K. – Thüsing, W.: Christologie – systematisch und exegetisch (= Quaestiones disputatae 55) (Freiburg i. Br. 1972).
Ratzinger, J.: Einführung in das Christentum. Vorlesungen über das Apostolische Glaubensbekenntnis (München 1968).
– Die Auferstehung Christi und die christliche Jenseitshoffnung, in: G. Adler (Hrsg.), Christlich – was heißt das? (Düsseldorf 1972) 34–37.
– Dogma und Verkündigung (München – Freiburg 1973).
Rieger, P. (Hrsg.): Das Kreuz Jesu (= Evangelisches Forum 12) (Göttingen 1969).
Riesenhuber, K.: Existenzerfahrung und Religion (Mainz 1968).
Robinson, J. M.: Offenbarung als Wort und als Geschichte, in: J. M. Robinson – U. B. Cobb (Hrsg.), Theologie als Geschichte (Zürich 1967) 11–134.
Robinson, J. M. – Cobb, U. B. (Hrsg.): Theologie als Geschichte (Zürich 1967).
Roloff, J.: Kritische Überlegungen zur gegenwärtigen Diskussion um das Kreuz Jesu, Fuldaer Hefte 20 (1970) 51 ff.
Ruckstuhl, E. – Pfammatter, J.: Die Auferstehung Jesu Christi. Heilsgeschichtliche Tatsache und Brennpunkt des Glaubens (Luzern – München 1968).
Ruler, A. A. v.: Theologie des Apostolates, Mission heute, hrsg. v. Studentenbund für Mission (Stuttgart 1954) 13–33.
– Gestaltwerdung Christi in der Welt. Über das Verhältnis von Kirche und Kultur (Neukirchen 1956).
Ruppert, L.: Der leidende Gerechte (Forschung zur Bibel 5) (Würzburg 1972).
– Jesus als der leidende Gerechte? (Stuttgarter Bibelstudien 59) (Stuttgart 1972).
– Der leidende Gerechte und seine Feinde (Würzburg 1973).
Satō, T.: Moltmann Shingaku no Konponmondai (Fundamentale Fragen der Theologie Moltmanns), Fukuin to Sekai 1 (1968) 4–6.
– Kyūsaishi to Sezokushi (Heilsgeschichte und Weltgeschichte), Shingaku 33 (1970) 133 ff.
Schelling, F. W. J.: Philosophische Untersuchungen über das Wesen der menschlichen Freiheit und die damit zusammenhängenden Gegenstände (München 1809); ed. M. Schröter (München 1927).

Viering, F. (Hrsg.), Das Kreuz Jesu Christi als Grund des Heils (Gütersloh 1967).
– Zur Bedeutung des Todes Jesu (Gütersloh [2]1967).
Weber, O.: Die Treue Gottes und die Kontinuität der menschlichen Existenz. Sonderheft der EvTh für E. Wolf (München 1952).
– Grundlagen der Dogmatik I (Neukirchen 1955); II, 1962.
Weth, R.: Heil im gekreuzigten Gott, EvTh 31 (1971), 227–244.
– Über den Schmerz Gottes. Zur Theologie des Schmerzes Gottes von Kazoh Kitamori, in: EvTh 33 (1973) 431–436.
Wiederkehr, D.: Entwurf einer systematischen Christologie, in: MySal III/1, 477–648.
– Neue Interpretation des Kreuzestodes Jesu. Zu J. Moltmanns Buch „Der Gekreuzigte Gott", in: Freiburger Zeitschrift für Philosophie und Theologie 20 (1973) 441–463.
Wiesenfeldt, G. Ch.: Der Begriff der Natur und das Problem des Natürlichen in der Theologie Karl Barths (Göttingen 1973).
Wilckens, U.: Auferstehung. Das biblische Auferstehungszeugnis historisch untersucht und erklärt (Stuttgart–Berlin 1970).
Zahrnt, H.: Die Sache mit Gott. Die protestantische Theologie im 20. Jahrhundert (München 1966).
– Die Frage nach Gott, in: EvTh 25 (1965) 238–262; später in: GSTh 361–386.

Schillebeeckx, E. H.: Christus, Sakrament der Gottesbegegnung (Mainz 1960).
– Jesus. Die Geschichte von einem Lebenden (Freiburg i. Br. [4]1977).
Schilson, A. – Kasper, W.: Christologie im Präsens. Kritische Sichtung neuer Entwürfe (Freiburg – Basel – Wien 1974).
Schlier, H.: Über die Auferstehung Jesu Christi (Einsiedeln 1968).
Schmied, H.: Gotteslehre als trinitarische Kreuzestheologie, Theologie der Gegenwart 16 (1973) 246–251.
Schnackenburg, R.: Christologie des Neuen Testamentes, in: MySal III/1, 1970, 227–388.
Schneider, A.: Der Gedanke der Erkenntnis des Gleichen durch Gleiches in antiker und patristischer Zeit, in: F. Ehrle u. a., Abhandlungen zur Geschichte der Philosophie des Mittelalters. Festschrift für C. Baeumker (Münster 1923) 65–76.
Schöndorf, H.: Universale Bedeutung Jesu Christi bei Pannenberg und Moltmann (Lyon 1973) (unveröffentlichte Lizentiatsarbeit).
Schoonenberg, P.: Der Mensch in der Sünde, in: MySal II (1967) 845–941.
– Ein Gott der Menschen (Einsiedeln – Zürich – Köln 1969).
Schrage, W.: Leid, Kreuz und Eschaton. Die Peristasenkataloge als Merkmale paulinischer theologia crucis und Eschatologie, EvTh 34 (1974) 141–174.
Schulz, H. J.: Die Macht des Ohnmächtigen, in: H. Flügel u. a. (Hrsg.), Die Feste der Christenheit und der moderne Mensch (Stuttgart 1968).
Schürmann, H.: Wie hat Jesus seinen Tod bestanden und verstanden? Eine methodenkritische Besinnung, in: P. Hoffmann (Hrsg.), Orientierung an Jesus. Zur Theologie der Synoptiker. Für Josef Schmid zum 80. Geburtstag (Freiburg – Basel – Wien 1973) 325–363.
– Jesu ureigener Tod. Exegetische Besinnungen und Ausblick (Freiburg i. Br. [2]1976).
Seeberg, E.: Luthers Theologie in ihren Grundzügen (Stuttgart [2]1950).
– Luthers Theologie II (Darmstadt 1964).
Seidensticker, P.: Die Auferstehung Jesu in der Botschaft der Evangelisten. Ein traditionsgeschichtlicher Versuch zum Problem der Sicherung der Osterbotschaft in der apostolischen Zeit (Stuttgart 1967).
Seils, M.: Zur Frage nach der Heilsbedeutung des Kreuzestodes Jesu, ThLZ 90 (1965) 881–894.
Semmelroth, O.: Die Kirche als Ursakrament (Frankfurt a. M. 1953).
Slenczka, R.: Geschichtlichkeit und Personsein Jesu Christi, Studien zur christologischen Problematik der historischen Jesusfrage (Göttingen 1967).
Sobrino, J.: Significado de la cruz y resurrección de Jesús en las cristologías sistemáticas de W. Pannenberg y J. Moltmann (Frankfurt a. M. 1975) (bisher unveröffentlichte Dissertation).
Soler, R.: A Study of Jürgen Moltmann's eschatologia crucis, (Frankfurt a. M. 1974) (unveröffentlichte Lizentiatsarbeit).
Sölle, D.: Stellvertretung. Ein Kapitel Theologie nach dem „Tode Gottes" (Stuttgart – Berlin 1965); Taschenbuchausgabe (Gütersloh 1972).
– Leiden (Stuttgart – Berlin 1973).
– Gott und das Leiden, Wissenschaft und Praxis 62 (1973) 358–372.
Strobel, A.: Die Deutung des Todes Jesu im ältesten Evangelium, in: P. Rieger (Hrsg.), Das Kreuz Jesu (Göttingen 1969).
– Gottesgeheimnis des Kreuzes. Eine historische und hermeneutische Wegweisung (Stuttgart 1968).
Stuhlmacher, P.: Gerechtigkeit Gottes bei Paulus (Göttingen 1965).
Takayanagi, S.: Christologie in der japanischen Theologie der Gegenwart, in: J. Pfammatter – F. Fuger (Hrsg.), Theologische Berichte II (Zürich 1973) 121–133.
Tripole, M. R.: Ecclesiological Developments in Moltmann's Theology of Hope, Theological Studies 34 (1973) 19–35.
Vercruysse, J. E.: Der gekreuzigte Gott. Zu J. Moltmanns gleichnamigem Buch, Gregorianum 55 (1974) 319–378.
Viering, F.: Der Kreuzestod Jesu. Interpretation eines theologischen Gutachtens (Gütersloh 1969).
Viering, F. (Hrsg.), Die Bedeutung der Auferstehungsbotschaft für den Glauben an Jesus Christus (Gütersloh 1966).